Het meesterstuk

Anna Enquist

Het meesterstuk

Roman

[Geheel herziene editie]

Uitgeverij De Arbeiderspers
Amsterdam · Antwerpen

Eerste druk (geb.) augustus 1994
Negende druk (ing.) oktober 1996
Zevenentwintigste druk (als Singel Pocket) juli 2001
Negenentwintigste druk (geb.) februari 2002

Omslagontwerp: Marjo Starink
Omslagillustratie: Christopher Paudiss, *Stilleven met bier, haring
en pijp* (Rotterdam, Museum Boijmans Van Beuningen)

ISBN 90 295 1519 8 / NUGI 300
www.boekboek.nl

Inhoud

Deel 1

Leporello: *'Notte e giorno faticar'*

1 Dienstbaarheid

De goudvissen hebben hun jongen opgevreten. In de warme windstille zomer waren ze dagenlang bezig met kuitschieten. De kleine met de zwarte vlekken in z'n gezicht zat de grote slome onvermoeibaar achterna en duwde haar tot dol wordens toe tegen het gezwollen achterlijf, tot ze haar eieren liet gaan tussen de waterplanten. Hij is er spuitend overheen gestoven, een gedistantieerde paring waarin veel elementen van de daad wel aanwezig zijn maar van elkaar zijn losgemaakt tot doelloze rituelen, tot werk dat verricht moet worden in het kader van de voortplanting zodra de watertemperatuur stijgt en de wind gaat liggen.

Denkt de zwarte ooit: o lekkere vadsige slome met je bolle flanken je bent de liefde van mijn leven, ik wil je ik wil je? Hij wil eieren, hij wil zaaien zodat de bevruchte eicellen als witte miniatuurkralen tegen de waterplanten kunnen kleven in het kleine domein van eikehouten duigen dat hun wereld is.

Lisa zit op haar hurken naast de ton en kijkt. Binnen de bolletjes vindt de celdeling in een razend tempo plaats, tot de visjes sterk genoeg zijn om zich uit het taaie vlies los te maken. Met tientallen tegelijk zweven ze door het warme water.

De visjes worden niet door het ouderpaar, dat geen paar meer is, verzorgd maar slurpen zelf onophoudelijk water naar binnen met onzichtbaar voedsel erin. Zij eten het element waarin zij verkeren, zoals ze in het ei al deden. Als ze de pech hebben om in het vaarwater van hun ouders te geraken stulpen die hun mond tot een pinkgrote trog waarin dode muggen, berkezaadjes, kleine visjes worden opgeslokt. Nonchalant spuugt de slome het berkezaad uit.

9

Ik had ze moeten beschermen, denkt Lisa. Vorige week krioelde het nog van de visjes, doorzichtige diertjes van een centimeter, met een voor- en een achterkant, een rijrichting en een donkere kern in hun lijf. En nu is het stil. Verdomme, had ik ze toch in de slabak gedaan, bijgevoed, veilig grootgebracht! De waarheid is dat zij daar geen zin in heeft. De waarheid is dat deze vrouw, die met moeite heeft leren accepteren dat het leven is zoals het is, tandenknarsend, tegen beter verlangen in, geen consideratie met haar goudvissen wenst te hebben. 's Morgens, voor haar werkdag begint, en 's avonds als zij weer vrij is zit zij altijd even bij de ton om het wrede universum geboeid te beschouwen. Soms wil ze de vissen nog wel een sportieve kans geven (maar wie help je, en waarom?) door bijvoorbeeld bij strenge vorst met een bijl een spleet in het ijs te hakken, maar evenzovele malen heeft zij het ijs zijn gang laten gaan en dreven in de lente de verkleurde kadavertjes bewegingloos aan de wateroppervlakte. Ooit was een fel oranje vis geheel in ijs gevat als een toeristische presse-papier van glas, en kwam in het voorjaar los, bewoog traag en onwennig zijn staart, schudde zijn kieuwen. Zie je wel, denkt Lisa dan, het kán, overleven in het ijs.

Lisa is psychiater. Zij woont een kilometer of tien buiten de stad in een door forenzen overgenomen dorp. 's Ochtends heeft ze praktijk aan huis, 's middags werkt ze in de psychiatrische universiteitskliniek. Zij geeft college aan assistenten, zij geeft les aan verpleegkundigen, zij heeft een bescheiden aandeel in de patiëntenzorg. Het huis is een oude patriciërswoning, vierkant, symmetrisch gebouwd aan weerszijden van de grijsblauwe voordeur. Achter het huis strekt een boomgaard (appelen, pruimen) zich uit tot aan de rivier. De ton met de vissen staat bij de keukendeur.

Aan de voorzijde is links de praktijkruimte: Lisa's werkkamer met grote ramen in twee muren. Een bescheiden wachtruimte is ingericht onder de trap, achter een kamerscherm. Daar zit zelden iemand want Lisa neemt een kwartier tussen haar afspraken en de patiënten uit de stad blijven meestal in hun langs de weg geparkeerde auto's wachten tot het hun tijd is.

Een uur vrij wegens een zieke patiënt – fietsen! Geen wind, zacht nazomerweer, geen parkeerellende bij de kliniek. Langs de rivier waar vissers onder hun groene paraplu's verscholen zitten, door het stadspark en door de grote winkelstraat naar de kliniek. Lisa draagt een dure spijkerbroek en een nog duurdere roomwitte trui. Op het laatste moment heeft zij haar gymschoenen gewisseld voor blauwe laarsjes. Zij is een mooie vrouw en blijft dat met het verstrijken van haar jaren. Zij kleedt zich goed maar onopvallend.

Lisa is vijfenveertig en menstrueert nog een keer of drie per jaar.

De telefoon gaat als zij haar werktas inpakt. 'Hannaston?'

Lisa experimenteert met verschillende manieren om de telefoon op te nemen. Altijd heeft zij zonder nadenken haar voornaam genoemd, in combinatie met verschillende achternamen (Blech, Bleeker, wéér Blech, Hannaston). Sinds haar veertigste verjaardag vindt zij dat het anders moet, maar hoe? Een man kan zichzelf en zelfs zijn vrienden bij de achternaam noemen zonder een onbehouwen indruk te maken. Een vrouw niet. Zichzelf als 'mevrouw Hannaston' aankondigen vindt ze truttig, 'dokter Hannaston' duidt op kapsones, alleen 'hallo' is onbeleefd. Ze noemt haar achternaam op vragende, haast verontschuldigende toon.

'Lisa, met Johan. Fijn dat ik je tref, moet je geen gekken gaan genezen?'

'Ik sta op het punt om weg te gaan.'

Op het prikbord boven de telefoon hangt een uitnodiging voor de opening van Johans tentoonstelling: Johan Steenkamer, schilderijen, etsen en aquarellen, receptie zondag van vier tot zes in het Gemeentemuseum. Uw aanwezigheid wordt op prijs gesteld. Donker pak. Donker pak? Ja, donker pak. Sponsors: het Staatsfonds voor de Beeldende Kunst, de Nationale Posterijen, Houthandel Nicolaas Bijl.

11

Een foto van Johan in halfprofiel: scherpe neus, onnatuurlijk dichtgehouden mond, ogen van iemand die intensief aan zichzelf denkt op het moment van opname. Schouderpartij in donker pak, wat hem goed staat.

'Moet je horen, na afloop gaan we eten met de familie. Alma wil dat. Het is wel modern maar het moet kunnen.'

De familie, dat is in ieder geval Johans moeder Alma zelf, de aanstichtster; broer Oscar; zonen Paul en Peter. Is Johans vriendin Zina het moderne element?

'Komt Ellen ook?'

'Alma heeft haar gebeld. Ze zei ja.'

Dat moet dus kunnen, de moeder van zijn zoons aan tafel met de nieuwe vrouw.

'Ik kom graag, Johan,' zegt Lisa nu. Zij wil haar vriendin in deze situatie niet alleen laten en is ook wel gefascineerd door de ingewikkelde familieverhoudingen.

'En Lawrence, die wil ik er ook bij hebben, is hij al terug?'

'Hij is net weg, hij komt eind volgende week pas. Als de kinderen weer naar school moeten.'

'Dat vind ik nou écht niet kunnen. Ik heb graag iedereen erbij. Wat doet hij in Engeland, heeft hij een opdracht of zo?'

'Nee, nog niet. Hij zou misschien een uitbouw van het hotel tekenen voor z'n vader. Maar gewoon, familiebezoek. De kleinkinderen bij opa en oma. Ik moet gaan, Johan, bedankt voor de uitnodiging.'

Ze nemen afscheid. Johan klinkt nog steeds wat gebelgd.

Als je fietst kan je goed denken. Bij het lopen wordt dat al gauw dromen en fantaseren, maar het minimum aan alertheid dat het fietsen vereist zorgt voor een gepaste toewending tot de realiteit. Actie. Lisa heeft Lawrence' fiets genomen, met het risico van een houten kut na een uur rijden, maar het voordeel van versnellingen. Ze zet vaart, zoeft over het grijze asfalt tussen de dikke bomen en schakelt naar de zwaarste versnelling. De weg buigt zich naar de rivier: uitgebloeide bereklauw, uitgespeelde futen op het water.

Dat ze vrienden zijn, Johan en Lawrence. Waar hebben ze het over? Schilderijen? De toekomst van de plattelandsarchitectuur? In elk geval niet over ouders, niet over familiebezoek.

Lawrence komt uit York. Zijn ouders bezitten een groot hotel aan de Engelse oostkust. Gigantische raampartijen geven uitzicht op zee; de vertrekken die Engelsen altijd voor verschillende functies in hun recreatiegebouwen moeten hebben (Lounge, Dining Room, Tea Room, Morning Room) zijn zo groot als voetbalvelden. De neergang van de economie decimeerde het aantal gasten. Wie bleef komen was rijk en bejaard en deed dat uit gewoonte. Op een deur in een van de lange hospitaalachtige gangen staat 'Emergency Room'. Erachter wordt in een smalle diepe kast een brancard verborgen gehouden. Lisa heeft tijdens een verblijf bij haar schoonouders mogen meemaken dat een bejaarde gast na het diner bezweek (paars, schuim op de bek, Yorkshire pudding) en door de kok en de receptioniste in vliegende vaart naar de achteruitgang werd gereden waar de door Lawrence' moeder inderhaast bestelde ambulance discreet stond te wachten. In de Dining Room duurde het even voor de stemming er weer in zat.

Adverteren in Amerika leverde alleen maar meer oude mensen op, die bovendien gin wilden drinken in de Morning Room. Sluiting dreigde. De moeder van Lawrence overwoog even om er een echt bejaardentehuis van te maken maar zag op tegen herhalingen van de brancardscène.

Opa Engeland, zoals Lisa's kinderen Kay en Ashley zeggen, hakte de knoop door en sloot tal van overeenkomsten met bedrijven die hun personeel een vakantie of een rustgevend weekend willen aanbieden. Tegen sterk gereduceerde prijzen komen er nu grote groepen mensen de zalen vullen. Zij spelen midgetgolf (aangelegd op het hotelterrein) en maken wandelingen langs het kustpad.

Soms zijn er conferenties en werkweekenden en fungeert de Morning Room als vergaderzaal. De aanleg van een overdekt

13

zwembad, met sauna en gymnastiekzaal, wordt overwogen. Lawrence zal zijn ouders daaromtrent adviseren. De brancard is er nog.

Een hotelkind. Slapen in een leegstaande kamer aan het eind van een gang. Moeder achter de bar, vader in het kantoortje met de boekhouding of achter de balie met de sleutels aan grote houten knollen met 'Sea Residence' erop. Meemaken hoe de Gast, die het leefritme in het hotel bepaalt en de maat is van alle dingen, door je ouders voor zeurkont of krenterige teef wordt uitgemaakt tijdens het snelle en vroege diner in de keuken.

Lawrence ging naar Londen en studeerde bouwkunde (lijnen, gewichten, materialen, alles wat uit te rekenen is) aan de kunstacademie. Daar ontmoette hij Johan, die er een jaar schilderde met een schriele studiebeurs. Na dat jaar ging de verstandige en voorzichtige Lawrence met zijn nieuwe vriend mee naar Nederland en is daar gebleven.

'Ben je ze ontvlucht,' vroeg Lisa, 'kon je niet tegen hun eisen en verwachtingen, was je zo razend dat er een hele zee tussen moest?'

'Welnee. Het waaide. Altijd storm.'

'Maar hier dan? De helft van het jaar waaien de oren van je kop, de bomen groeien krom en de wind gaat zelfs 's avonds niet liggen! En de watersnood?'

'Zelfs de wind is hier knus. Het is plat, je hebt overzicht. Dáár sta je op de klippen, overgeleverd aan de storm. Onophoudelijk beukt het water tegen het land en vreet het op, tot het hele hotel in zee dondert. Ik was daar doodsbang voor als kind. Het gaat zeker gebeuren.'

Absoluut waar. Maar absolute onzin, vindt ze: hij haat zijn ouders niet maar ontvlucht de wind!

Lisa heeft geen ouders. Haar vader kwam om in de oorlog. Geen held maar een bange jongen die na spertijd in de zwarte stad de gracht in liep en verdronk omdat hij niet durfde schreeuwen. Haar moeder, die flinkheid en realiteitszin verdoezelde door permanent gekwetst en verongelijkt te zijn, stierf onder helse pijn aan een te laat ontdekte kanker. Vier jaar geleden. Lisa, enig kind, ging erheen met mate. In de mate van het mogelijke heb ik mijn moeder bijgestaan, denkt ze. Veel was er niet mogelijk, en wat er mogelijk was ging met grote moeite. Lisa maakt zichzelf niet wijs dat haar overvolle werkweek en de noden van haar kinderen een grotere betrokkenheid bij haar stervende moeder in de weg hebben gestaan. In tegenstelling tot Lawrence is zij in staat om haar motieven te onderkennen. Zij kan bij zichzelf naar binnen kijken en ziet daar een doelbewust kind dat vecht voor haar eigen belang, een egoïst met een slecht karakter. Het spiegelbeeld richt zich naar de spiegel, het kind valt samen met de verwachtingen van de moeder.

In dic troebele soep van de kindertijd zal Lisa niet meer verdrinken. Omdat zij zichzelf toestond het hoofd boven water te houden, zich van haar moeder af te keren zodra zij de zuigkracht van vroeger voelde was het haar ook mogelijk tegen het eind van het vreselijke ziekbed de grijze vogelkop tegen haar borst te drukken, haar armen om het gepijnigde lijf te sluiten en te huilen van spijt om het eenzame en bedorven leven van deze vrouw. In het vrije weekend van de ingehuurde verpleegster waste Lisa haar moeders lichaam. De billen hingen als gerimpelde zakjes naar beneden. Voorzichtig depte ze de grote littekens op de plaats waar de borsten waren geweest.

Waaruit ik dronk is verdwenen, verbrand in de ziekenhuisoven. In die armen als stokjes, aan die karige tieten moet ik het goed gehad hebben anders stond ik hier niet, maar het bewijs is verdwenen, naar die bron kan ik niet terug. Grijs schaamhaar over het geslacht waar ik uit kwam. Ik zie het aan, ik zie het.

Haar onvermogen om iets over zichzelf te vertellen maakt haar tot iemand die goed kan luisteren. Leeftijdgenoten luchten tegen haar hun hart en vertellen hun geheimen. Lisa luistert, vat samen, stelt een bedachtzame vraag. Zij helpt en krijgt dankbaarheid en acceptatie in ruil. Zij bouwt haar helpersrol uit op het lichamelijke vlak en werkt in haar vakanties in het plaatselijke ziekenhuis. Ook daar zijn de rollen duidelijk gedefinieerd en hoeft zij van zichzelf niets prijs te geven. Daar lopen vaderlijke artsen rond die niet vermoeden dat hun pupil 's nachts op hun schoot kruipt en in hun armen schuilt.

Lisa heeft haar nieuwsgierigheid behouden en die zal haar uiteindelijk uit het moeras leiden. Trillend van angst voor wat zij aan zal treffen en slecht gewapend tegen wat zij gaat ontdekken wil zij niettemin hartstochtelijk weten.

Het moet een keer misgaan, dat is onontkoombaar. In het vierde jaar van haar geneeskundestudie kruist haar blik op een regenachtige wintermorgen die van haar pathologiedocent. Zij kijkt niet weg.

Een lang, een tijdloos moment blijven hun blikken in elkaar haken. Het laatstgesproken woord resoneert in de lucht: *mitralis-stenose*. De lange pauze verleent gewicht aan dit begrip; de studenten buigen zich over hun dictaten, schrijven het op met hoofdletters, onderstrepen het. De ziekten van het hart. Lisa zit rechtop en kijkt in de ogen van de vijfenveertigjarige man. Ze geeft hem een blik waarin al haar verlangen, al haar passie weerloos te kijk ligt. Voor het eerst van haar leven geeft zij toegang.

Gerard Bleeker (getrouwd, hypotheek, zeilboot) is schor als hij verder spreekt. Hij heeft een licht, onbetrouwbaar gevoel in zijn knieën. Na de faculteitsborrel halfdronken zoenen tussen de stinkende jassen in de garderobe met de kameraadschappelijke secretaresse die haar kont zo fideel toont als ze zijn dossiers bijeenharkt; na het laatste college een zuur glas wijn in het buurtcafé drinken met de enige intrigerende studente die er in deze jaargang bij zit, een goed gesprek, een hand op een knie – dat kent hij, dan weet hij bijtijds op de rem te trappen omdat hij niet verder wil rijden.

Lisa's overgave roept begraven puberdromen in hem wakker

16

en maakt hem een tijdlang gek. Hij verliest de greep op de werkelijkheid, hij vergeet het bestaan van anderen in zijn leven, hij ontkent de onmogelijke positie waarin hij terecht is gekomen. Een half jaar lang delen zij een gelukzalige waanzin. Zodra het lente wordt brengt Gerard zijn boot op orde en maakt hem tot hun huis, hun nest. Om in de thuishaven geen achterdocht te wekken spreken ze af in verre plaatsen, Lisa maakt ingewikkelde reizen, naar Medemblik, naar Hindeloopen. Ze vrijen op de bodem van de boot, gewiegd door het water. Aan de rivieroever liggen ze in het gras, naakt in de brandende zon en ze neuken tot die ondergaat, ze neuken met alle aandacht die ze hebben zonder de voorbijvarende schepen ('goed zo! dóórzetten!') en de nieuwsgierig naderbij gekomen koeien op te merken. 's Avonds eten ze vette vis in het havencafé voor ze verzadigd in elkaars armen inslapen onder het grootzeil.

De zomervakantie is een ramp. Gerard zit drie weken met zijn vrouw op een alp en maakt sombere, eenzame wandelingen. Lisa zit vertwijfeld op haar kamer en haalt haar verwaarloosde tentamenstof in, ondertussen lange brieven schrijvend naar het poste-restanteadres van haar minnaar.

Hij is voor haar niet de eerste. Hij is de eerste met wie ze het doet uit een onstuitbare drang en met een totale inzet. Het voelen van zijn geslacht diep in haar schoot is haar absoluut enige levensdoel. Zij heeft in bed gelegen met vriendelijke medestudenten, uit beleefdheid na een vertrouwelijk gesprek; ze heeft gevrijd met een in het café opgepikte piloot, uit nieuwsgierigheid. In de nacht voor zijn definitieve vertrek naar de Antillen deed ze het met een pas afgestudeerde jurist om het hem te leren.

Ze hebben het geluk van een zachte herfst in duinen en parken maar in november, als de boot op de helling staat en de echtgenote achterdochtig raakt, komt het tot een crisis. Gerard betrekt een flat in een nieuwbouwwijk, hij laat zijn vrouw uit schuldgevoel het huis en een ruime alimentatie. Tussen de kale muren in de anonieme kamers voelt hij een nieuwe vrijheid. Hij slaapt met Lisa op een matras op de grond. Ze trouwen in de lente, na Lisa's doctoraal examen.

Hoeveel kans heeft zo'n passie om in een gewone-mensenrelatie te veranderen? Gerard is niet de vader die Lisa's verlangen kan voeden en stillen. Lisa is niet de panacee tegen de tijdelijkheid waar Gerard het verdriet over zijn mislukte eerste levenshelft mee kan delgen. Het leven herneemt zich. Lisa komt opgewonden thuis van haar co-schappen. Gerards baan is even uitzichtloos als tevoren. Ineens blijken zij twintig jaar te schelen. Als zij met tomeloze energie avond aan avond met hem wil vrijen is hij moe en bezorgd niet aan z'n slaap toe te komen. In de weekenden, als Lisa artikelen leest en de ziekten die ze op zaal tegenkomt in haar handboeken opzoekt, mist hij zijn verkochte boot. Door de alimentatie is er geen geld om een huis te kopen.

Dan komt de tijd dat er weer intrigerende studentes onder Gerards gehoor blijken te zitten. Lisa is diep gekwetst. Er gaat bij haar van binnen iets stuk wat niet meer te repareren valt, al huilt Gerard in haar armen, al belooft hij absolute trouw tot zijn dood en daarna. Lisa schrikt van de kilte en de teleurstelling die zij voelt, zij wil het niet waar hebben en doet haar best eroverheen te leven. Daar krijgt ze hoofdpijn van, en onbegrepen aanvallen van somberheid.

Zij werpt zich op haar werk en doet een schitterend artsexamen. Van drie verschillende specialismen krijgt zij aanbiedingen om in opleiding te komen. Zij kiest voor psychiatrie. Zij kiest voor zichzelf, al weet zij dat nog niet.

Gerard wil een kind. Hij is mislukt als vader van zijn vrouw en klampt zich vast aan dromen over een werkelijk vaderschap, waardoor hij op de koop toe zijn stilletjes wegglijdende vrouw zou binden, zou dwingen zich te buigen over iets wat zijn zaad had teweeggebracht, haar zou verlokken om toe te geven dat ze weer samen iets deelden. Lisa is ontzet.

'Ik kan het gewoon niet.'

'Vertrouw je me niet?'

Nee, denkt Lisa, ik vertrouw je niet, dat is zo. Ik ben wel gek als ik m'n toekomst bind aan een man van vijftig, nou ja, bijna vijftig. Maar dat is het niet, het is veel erger. 'Ik kan niet een moeder zijn. Ik kan het gewoon niet.' Wel een vrouw, dat heb ik geleerd, bij jou, van jou. Neuken in zee, zand en zout in je kut. Zonder ondergoed naar het ziekenhuisbal, intens tevreden met mijn lichaam, dank je wel, dank je wel. Maar een kind dat in mij groeit? Dat ik naar buiten zal persen en de illusie moet geven dat het hier gezellig is? Dat daar iets goeds uit voort zal komen? Ik zou mijn baby al voor z'n geboorte vergiftigen, ik zou mijn kind doden voor het tot leven kwam. Gerard raast en tiert. Lisa huilt om haar besluit maar het is haar besluit: nooit.

Als zij met de psychiatrieopleiding begint heeft ze Gerard verlaten. Lisa Blech, alleenstaande vrouw, als een bemiddelde student wonend op een etage in de stad. Een gemene depressie drijft haar in analyse; de nieuwsgierigheid die haar nooit verlaten heeft wordt haar eigenlijke redding. Het verlangen naar een vader mag zij houden, maar het uitzicht op bevrediging van dat verlangen moet zij woedend en haar analyticus wanhopig voorliegend opgeven.

Via haar vriendin Ellen ontmoet zij Lawrence, met wie zij een prettige, liefdevolle relatie tot stand brengt. Rustig respecteren zij elkaars moedertaal, elkaars vakgebied, elkaars gedachten. Hun verhouding neigt naar koelte maar is gebaseerd op een krachtig verbond tussen twee mensen die ieder zichzelf mogen zijn en elkaar niet overvragen.

Vanzelfsprekend wordt Lisa moeder. Tot haar eigen verrassing en vreugde een goede. Zij kopen het huis aan de rivier. Op een dag fietst Lisa langs het water, een kind voor-, een kind achterop, zij ruikt de hooilucht van haar zoontjes haar, voelt de handen van haar dochter in haar middel en luidop zingen ze het lied van de drie tamboers, die kwamen uit het oosten, van rom, van rom. Dit is het, denkt Lisa, dit is het leven dat ik gewild heb. Tranen lopen over haar wangen terwijl ze zingt.

★

'Alles is tijdelijk, Giesendam' staat er op de langsglijdende vrachtboot. In een kooi op het dek rijdt een jongetje met een plastic tractor heen en weer. Die heeft geluk, denkt Lisa. De boot maakt schuine golven die traag tegen de oever botsen en het lange gras dat in het water hangt in verwarde beweging brengen. De rivier is een toonbeeld van mildheid. Zij duwt de vreemdste kostgangers zachtjes naar zee, zij omspoelt alles wat maar in haar wil groeien en haar vermogen tot het opnemen van giftige troep kent geen grenzen.

Lisa koerst de stad in. Winkelstraat; dwars op de tramrails; linksaf; rechtsaf; scherp om de dubbel geparkeerde auto's heen; onder de poort door zonder afstappen; de stalling van de kliniek in waar Bertus met de ene tand op fietsen zit te wachten. Zij zwaait haar rechterbeen over stang en zadel en maakt de tas los van de bagagedrager. Bertus doemt op als een geest.

'Mooi karretje, dokter, zeker van uw man!' Hij schuifelt met de fiets naar achteren, tussen twee dubbele rijen van houten stellingen door. Lisa ziet niets, haar ogen zijn nog ingesteld op het buitenlicht. Zij ruikt des te meer: olie, ijzer, zware shag, oude man. Uit zijn kantoortje klinkt de radio, tweestemmig in tertsen: 'Rozen, rumbonen en rode wijn ...'

Lisa rent het bordes op, duwt de zware glazen deur open en klettert ritmisch met haar hakken over de marmeren vloer van de hal, in de verleiding om nog een extra rondje te maken. Achter in de hal voert een dubbele trap naar boven, waar links en rechts de gesloten afdelingen liggen achter dichte deuren.

Op de benedenverdieping liggen links de administratiekantoren en rechts het verkommerde aulaatje dat op zondag als kerk en door de week als leslokaal dienst doet. Als Lisa de deuren opent wordt zij zoals altijd onaangenaam getroffen door de glasin-loodafbeelding in het hoge raam aan de achterzijde van de zaal: daar staat Jezus, omlijnd door brede dropveters. Hij kijkt verwezen en draagt onhandig een schaap voor zijn buik. De lange poten hangen recht naar beneden.

Lisa gaat zitten achter het altaar, haar rug naar de afbeelding van de herder. Zonlicht maakt blauwe en gele vlekken op haar collegeaantekeningen. De psychiaters in opleiding komen in kleine groepjes binnen. Het is hun wekelijkse cursusmiddag. Zestien mensen, onder wie vier vrouwen, één neger en vermoedelijk twee homoseksuelen. Allen rond de dertig jaar, uitgeput door hun drukke werkrooster in diverse regionale opleidingsklinieken, verward door de dubbelzinnigheid van hun situatie. In de ziekenhuizen waar zij tewerkgesteld zijn dragen ze de verantwoordelijkheid voor hun patiënten. Ze worden geconfronteerd met gewelddadige suïcides, met heftige agressie en machteloos makende sociale omstandigheden. In hun supervisies en cursusuren moeten deze mensen zich als leerling gedragen, worden ze overhoord en krijgen ze de les gelezen. Onvrede over het overvraagd worden komt tijdens de cursusmiddagen naar buiten: er wordt gekankerd, kwaadgesproken, geroddeld en vooral veel geklaagd. De docent doet er verstandig aan om geen doelwit te worden, en als het even kan geen partij te kiezen.

De assistenten uit eigen huis komen het laatst binnen: een forse, lesbische vrouw die haar onzekerheid met veel dadendrang overdekt en met wie Lisa in de supervisie de grootste moeite heeft; een magere, wat jeugdige man met een aardig gezicht op wie Lisa wel gesteld is.

Lisa is een standwerker op de markt. Zij stalt haar waren uit, goed zichtbaar; ze vertelt erover en ze speelt op de man. Iedereen is geïnteresseerd in zichzelf, mits het inzicht niet te rauw op iemands dak valt, zeker mensen die dit vak hebben gekozen en allen in leertherapie zijn. Het is voorzichtig opereren; als haar studenten zich te zeer aangesproken voelen gaan ze dwarsliggen en zeiken en dat kan Lisa slecht hebben.

Narcisme, dat vandaag op het programma staat, is een gevoe-

21

lig onderwerp. Ze kijkt de kring rond: die, en die, misschien zij? Er ontstaat een stilte die ze tot het uiterst mogelijke laat aangroeien.

Zij doet haar mond open en de zinnen volgen vanzelf de gedachten die zij ontwikkelt. Het denken loopt een fractie vóór. Op haar papier heeft zij slechts steunpunten staan.

'Altijd op zoek naar zelfbevestiging, de honger naar bewondering is een bodemloze put.'

De jongen met het aardige gezicht verstrakt. 'Partners, vrienden worden gebruikt als need-satisfying objects, machines om de liefdeshonger te bevredigen. Als zij daaraan niet voldoen ontsteekt de narcistische persoonlijkheid in primitieve woede. Dat is de "narcissistic rage".'

De jongen heeft zijn gezicht over zijn schrift gebogen. Lisa gaat over tot de gezonde aspecten van het narcisme, ze vertelt over de noodzaak van de zelfliefde, ze nuanceert, brengt genetische verbanden aan en krijgt oogcontact met haar gekwetste student. Een schepje erbovenop: de bindingsangst, het onvermogen om zich echt aan iemand toe te vertrouwen op grond van de vroege kwetsing. En de charme van de narcist: als ze je nodig hebben om hun zelfgevoel op te krikken kan dat een briljante avond opleveren. En een gevoel van opluchting dat je zelf niet aan zo iemand vastzit.

Ik heb het over Johan, denkt Lisa ineens, en valt even stil van schrik.

'Hoe is de relatie van het narcisme met het oedipuscomplex?' vraagt een strenge blonde man in een corduroy jasje.

O jezus, daar heb je hém weer. Lisa is overvallen, zij moet zich hernemen. Weet ik véél, oedipuscomplex, narcisme, waar gáát het over, wat dóén we hier? Wat wíl die man?

Nu helpt de gedachte aan Johan haar weer op de rails.

'Wie op een gezonde manier met z'n vader durft rivaliseren en om z'n moeder kan werven, die heeft al een stevige bodem van zelfrespect, dat is geen bodemloze put meer. De echte narcist is in een eerdere fase al zozeer te kort gekomen en gekwetst, mis-

22

schien getraumatiseerd, dat hij nooit evenwichtig het oedipusthema kan afwikkelen. Hij heeft zijn vader broodnodig om die put te dempen en is tegelijkertijd onhanteerbaar razend om de tekorten.'

Wat raar dat ik zo koel praat over zoiets vreselijks. Johan als vierjarig jongetje, die niet begreep dat zijn vader weg was en nooit meer terug zou komen. Die elke dag een tekening voor hem maakte waar Alma 's avonds de haard mee aanstak.

Nu roert de stevige lesbienne zich, ondoorzichtige lulkoek en wichelpraat, wat hebben ze eraan, wat is er voor bewijs dat mensen zo in elkaar zitten? 'Niets,' zegt Lisa. 'Weinig, in elk geval. Het gaat om een bedachte theorie, die leuk is om op door te denken. We hebben alleen maar gewaarwordingen en gedachten. Dat we die onderbrengen onder de hoofdjes "libido", of "geweten" is een kunstgreep. Je kan ook een andere theorie nemen, de gedachten van mensen inpassen in een andere constructie. Dat is ook eeuwenlang gebeurd, toen waren jullie patiënten van de duivel bezeten. Zo keek men er toen tegenaan, en dat kon ook.'

Zo, lekker, die zit. Het stevige meisje is onthutst, de strenge blonde is in de lach geschoten, de rest van de klas ziet er verbluft uit. De goede herder, die het schaap nog niet heeft laten donderen, kijkt neer op hct klasje. Een mooi moment om af te sluiten.

In de rookhoek bij de koffiemachine treft Lisa Daniël, chef de clinique. Zijn rode haar staat alle kanten op, eigenlijk is hij iemand voor een tuinbroek en een baard. Gelukkig draagt hij gewone-mensenkleren. Hij rookt een grote sigaar waarmee hij driftig gesticuleert zodra hij Lisa in het oog krijgt. Een terrorist met een bom, een actievoerder met banier op de barricades. Daniël heeft last van enthousiasme en goedgelovigheid. Hij is een gedreven plannenmaker en deed al groepstherapie voor iemand daar nog van gehoord had. Zijn laatste project betrof hardlopen voor melancholici; schreeuwend voerde hij een groepje grauwe mannen aan op het sportveld, met harige benen, op gymschoenen zonder sokken.

'En het helpt! Het helpt!'

'Alles helpt, Daniël. Weet je nog die fabriek in Amerika, waar ze gingen experimenteren met de arbeidsomstandigheden? Wat ze ook deden, fel licht op de werkplaats of totale duisternis, aangename temperatuur of vrieskou, steeds bleef de productie omhooggaan.'

'Dat moet toch een meetfout zijn?'

'Die arbeiders kregen er schik in omdat er steeds zo'n stel geïnteresseerde heren om hen heen draaide. Zodra het experiment stopte zakte de productie terug.'

'Wat bedoel je?'

'Dat ik misschien m'n depressie ook wel even zou vergeten als er zo'n schreeuwende fanaat om me heen liep te hollen.'

'O. Ik heb iets nieuws bedacht: alles moet anders.'

Lisa moet lachen en Daniël lacht mee. Zij zitten op treurige rotanstoeltjes en drinken bittere poederkoffie uit plastic bekers, in een gebouw vol mensen in extreme nood. Alles moet anders. Mensen als Daniël worden vindingrijk van de machteloosheid.

'De Tijd, Lisa, denk aan De Tijd!'

Lisa kijkt steels op het horloge in het openstaande zijvak van haar tas, alsof haar collega haar maant om haar schema in de gaten te houden. Maar deze ziener heeft andere bedoelingen. Als een profeet wijst hij met de sigaar naar de grote klok boven de koffiemachine. Half vier.

'Alle mensen zitten geperst in een identiek korset van minuten en uren, probeer je eens in te denken wat dat betekent! Jong of oud, klein of groot, met snelle of langzame stofwisseling, met rappe of trage hartslag, in zomer, in winter, tijdens het werk of in de vakantie: altijd datzelfde tempo van die wijzers. Om gek van te worden, nietwaar?'

Daniël is opgesprongen en beent heen en weer over het versleten zeil. Alles is tijdelijk, denkt Lisa, Giesendam. De rivier. Schuif tijd opzij. Nooit meer oorlog.

Daniël oreert verder. Hij is bevlogen. Zijn sigaar is uitgegaan maar in hemzelf smeult het vuur.

'De verveling! De inperking! Als je eigen ritme sneller loopt dan die verdomde klok en je altijd moet wachten, je steeds moet inhouden: hoge bloeddruk, collega, herseninfarcten!'

Lisa ziet een woest paard voor zich dat zich briesend laat beteugelen. Misschien wel een veilig gevoel?

'Als je achterloopt op de klok kom je altijd tijd te kort, alles rent en jij sloft erachteraan, steeds te laat voor overzicht en begrip, hulpeloos. Wat krijg je dan? Een depressie, mevrouw, een depressie en waarschijnlijk vitaal ook. Ik ga het uitzoeken, de plannen liggen klaar!'

In geluiddichte kamers zonder verbinding met het daglicht zal Daniël zijn patiënten opsluiten. Geen contact met de buitenwereld, want als een slachtoffer opbelt naar huis mag hij geen gapende partner aan de telefoon krijgen en niet het televisienieuws horen op de achtergrond.

'Dag en nacht een werkstudent in de centrale. Die moet een training krijgen in gelijkmatigheid. Koffie, maaltijden of wat ook aandragen zodra daarom gevraagd wordt.

Eindelijk kan de patiënt leven in zijn eigen ritme. Tijdvrije omstandigheden zullen hem genezen, Lisa, tijdvrije omstandigheden!'

Hij heeft nog gelijk ook, in zekere zin. Tijd is een tiran die met zijn mes voren in mijn gezicht trekt, die mij alles af zal nemen wat mij lief is: mijn vermogen om te kijken, te denken, te lopen. Hij rukt mijn kinderen bij mij vandaan. Hij vernietigt mijn vrienden. Hij zal mij ombrengen.

'Als er helemaal geen tijd is, kunnen mensen daartegen?'

'Jij denkt te veel na over wat mensen voelen. Bezie het apparaat! De machine is uit cadans geraakt, dat heeft niets met verdriet of protest te maken. Het tandwiel past niet in de ketting. In mijn onderaardse tijdloze gewelven wordt de machine geolied en gereviseerd. Je zult het zien! Zeg, jij kent toch die Steenkamer, die schilder?'

Lisa wil weg, zij moet naar de afdeling en heeft daarna een supervisie.

'Hij is getrouwd geweest met mijn vriendin. Ze zijn al jaren uit elkaar maar ik heb nog wel contact met hem. Hoezo?'

'Is die man wel goed bij z'n hoofd, vroeg ik me af. Een heel stuk, vanochtend in de krant, tegen het figuratieve schilderen, dat dat een zwaktebod was en zo. Terwijl hij zelf prachtige schilderijen maakt die echt ergens over gaan! Die serie etsen over de tijd, zo kwam ik erop. Prachtig, soeverein! En dan met zo'n stuk je eigen werk onderuit halen, hoe is het mogelijk?'

'Ik denk dat je je vergist.'

Lisa zucht en staat op.

'Hij heeft een oudere broer, Oscar, die kunsthistoricus is. Hij werkt bij het Nationaal Museum en doet ook wel journalistiek werk, soms. Dus die zal het wel geweest zijn. Heb je die krant nog?'

Daniël graaft in zijn canvas karbies en vindt de verkreukelde kunstbijlage. Onder het paginagrote artikel staat: O. Steenkamer.

Het heeft jaren geduurd voor Lisa erachter kwam dat Johan een broer had. De man die zo graag en onderhoudend spreekt over zichzelf en het zijne verzweeg zijn enige broer. Ze begreep wel waarom toen ze hen voor het eerst samen meemaakte tijdens een etentje bij Alma. Zes personen aan de ovale tafel in de donkere oude-dameskamer: Alma fier rechtop aan het hoofd, ook toen al met de stok naast haar stoel, aan haar rechterhand Johan met Ellen naast zich, aan haar linkerhand Oscar, naast hem Lawrence. Lisa zit tegenover Alma. Waar zijn de kinderen? Waarschijnlijk thuis, bij de vaste oppas. Het eten is weerzinwekkend: soep uit blik, verbrande en tevens ongare rollade met verpulverde aardappels en diepgevroren erwten; het nagerecht werd niet gehaald. Alma stelt er een eer in om niet te kunnen koken en is bij het bereiden en opdienen van maaltijden langzaam en verstrooid. Als men eenmaal zit, een uur later dan verwacht, moeten er altijd mensen opstaan om het zout, een paar messen, een opscheplepel te halen. De keuken is een walmende chaos. Voor kleine kinderen is het een ramp: lang wachten en dan nog niets krijgen. De ruzie begon over de kinderen: wilde Johan niet Ellen een paar dagen meenemen naar Brussel, naar een tentoonstelling, en de kinderen zolang bij Alma onderbrengen?

'Dat accordeert mij bijzonder slecht, Johan. Ik zal in die week drie dagen naar Bergen, mijn jaarlijkse bezoek aan tante Janna zoals je weet – nee, dat komt erg ongelukkig uit.'

'Dan zeg je dat toch af? Ik wil Ellen graag mee hebben en de kinderen zijn hier graag. Je kunt ze voeren bij de McDonald's als je niet wil koken, toch? En het is door de week, ze zijn op school – een kwestie van halen en brengen.'

Ellen grijpt in: 'Ik vind niet dat we dat van Alma kunnen vragen, vicr keer per dag naar die school op en neer. Nee, als het niet kan blijf ik gewoon thuis.'

Johan valt uit: 'Wíj vragen niets. Hou je er buiten! Ik kan toch verdomme wel iets aan mijn moeder vragen zonder dat iedereen zich daarmee bemoeit?'

Lisa, strategisch geplaatst, ziet tot haar verbazing dat Alma in haar element raakt. Zij krijgt kleur en ziet met levendige ogen toe hoe haar jongste zoon zijn vrouw afblaft.

'Janna zou teleurgesteld zijn, Johan. En ik hecht zelf ook erg aan een goede planning. Ik heb in mijn eentje Oscar en jou opgevoed, ik stond er helemaal alleen voor zoals je weet.' Alma neemt een kleine pauze. 'Nu jullie volwassen zijn wil ik het rustig hebben. Ik heb genoeg gedraafd en gesjouwd. Ik ben dol op de kinderen maar het is me te veel. Op vrijdag krijg ik ook altijd Oscar te eten. Je moest eens wat consideratie met mijn leeftijd hebben, werkelijk!'

'Oscar, Oscar, wat heeft die ermee te maken? Dan komt hij een keer níet, is dat zo erg? Waarom gaat Oscar altijd voor en heb je voor mij niets over? Jullie zitten elke vrijdag bij elkaar te konkelen en te smoezen, de lamme en de blinde.'

'Genoeg, Johan!'

Alma briest, maar met genoegen, ziet Lisa. Johan is opgesprongen, zijn servet ligt op de grond, hij beent heen en weer in de kleine ruimte tussen zijn stoel en de deur. Nu komt er geluid uit Oscar, als uit een waterleiding die lang buiten gebruik was. Hij heeft er tot nog toe bleekjes bij gezeten, met de dikke brilleglazen gebogen over zijn bord. Hij kijkt op naar zijn broer. Zijn mond trilt.

'Het is nogal goedkoop om de draak te steken met andermans lichamelijk ongemak. Verder begrijp ik niet waarom je je stoort aan mijn afspraken met moeder. Jij hebt je gezin, je bent getrouwd en je hebt je kunst. Jij hebt alles en dan wil je ook nog onrust stoken in onze levens. Ik zou zeggen: laat ons met rust.'

Oscar beeft. Hij kijkt naar zijn handen en legt ze aan weerszijden van zijn bord. Ellen probeert Johans aandacht te vangen; als hij maar weer gaat zitten is de situatie misschien nog te redden, is er nog aarde op het vuur te werpen door bijvoorbeeld Lawrence en Lisa, die klaarstaan als brandweerlieden met de spade. Maar Johan is niet te temmen. Hij verliest zich in een woedend betoog: Oscar spant met Alma tegen hem samen, Oscar gunt hem het licht in de ogen niet (de blinde stakker, denkt Lisa) en is jaloers op zijn talent.

'En maar kankeren. En mierenneuken in je laboratorium. En zelf geen kwast durven aanraken. Gepromoveerd! En waarop, waarop? Hoeveel haren Frans Hals aan z'n penseel had! Biopsie-en heeft meneer de doctor genomen van de verflaag, de kunst onder je microscoop leggen is het enige wat jij kan. Niets ondernemen en alles beter weten. Stikken jullie maar, barst maar met je verfmonsters, met je vrijdagsgeneuzel achter het glaasje port. Ik ga!'

Het is een prachtige voorstelling. Johan gaat af met een elegante zwaai van de deur, die het tafelkleed doet opwaaien. Zijn hoge zwarte laarzen, Ellen poetste ze vanmiddag nog, klinken gedecideerd door de gang. Aan tafel is er stilte tot na de knal van de voordeur.

Verbeeldt Lisa het zich of zakt Alma nu in? Oscar legt zijn

hand op de hare, zij schudt hem ongeduldig af. Eindelijk richt ze het woord tot het publiek. 'Neem ons niet kwalijk, wij hebben temperament in de familie. De jongens waren altijd erg moeilijk met elkaar, zoveel afgunst, zo weinig plezier. Ik ben blij, Ellen, dat dat bij Peter en Paul zo anders is. Ik heb mijn best gedaan, maar zoals ik zei, ik stond er alleen voor. Nu lijkt het me het beste als we het diner afbreken. Ik heb behoefte om mij terug te trekken. Oscar, wil jij nog even blijven?'

Alma rijst als een koningin van de nacht omhoog, slank en statig steunt zij op haar stok. Lisa en Lawrence nemen haastig afscheid (kan je met goed fatsoen bedanken voor zo'n maaltijd?) en rijden met Ellen naar huis, waar Johan al aan de whiskey zit. Hebben ze toen gevieren nog boterhammen met gerookte zalm gegeten en tot diep in de nacht gepraat? Johan, blij dat hij uit zijn moeders tangen was en opgelucht door zijn razernij-uitval, had nergens last van.

In die tijd gingen hun gesprekken over hun eigen leven, hun werk, hun plannen. De bevende broer met de dikke brilleglazen kwam daar niet in voor.

*

Tegen zessen fietst Lisa door de tot leven komende stad. De straatstenen en de huizen stralen warmte uit die door geen wind wordt weggeblazen. Mensen zitten op terrassen, hebben stoelen en autobanken op de stoep gezet, de zomer wordt uit alle macht nog even vastgehouden. Er zit al vergeeld blad aan de bomen maar nu drinkt men nog bier op straat.

Het restaurant waar Lisa met Ellen heeft afgesproken heeft een terras dat op het water ligt. Als Lisa de fiets met stalen kabels aan een brugleuning heeft vastgemaakt loopt ze dwars door het rumoerige lokaal naar buiten. Het water ruikt naar water. Wonderlijk hoe lastig het is om een geur te omschrijven. Iets van ijzer zit erin, maar ook een lucht van wilde rozen – of is dat

29

alleen vanwege het wijd openzetten van de neus, zoals je dat doet wanneer je aan een bloem ruikt? Lisa hangt over de reling en ruikt, voelt de koelte die van het water afkomt tegen haar verhitte gezicht en verheugt zich. Ze heeft zin in eten en zin om Ellen te zien. Ze zoekt een tafeltje uit in de hoek van de vlonder, pal naast het water, en bestelt een fles witte wijn bij de eensklaps verschenen ober, een student met een grote witte schort en een magere kont in spijkerbroek, die haar ironisch met 'mevrouw' aanspreekt.

Een zomerwijn, groenig en droog. De jongen plaatst de beslagen fles in een koeler en knikt Lisa wat verlegen toe als zij het glas heft.

Hij denkt dat ik een eenzame vrouw ben die zich gaat bedrinken, omdat ik hier zit met mijn tas op de andere stoel. Vindt hij het zielig? Het kan hem waarschijnlijk niet schelen, wat denkt zo'n jongen over vrouwen boven de veertig? Niets, of vage moedergedachten.

Lisa beschouwt de mensen die het terras opkomen. Echtparen, toeristen, een groepje goedgeklede mannen met attachékoffertjes, een gezin met vrolijke kinderen.

Ik heb een schijnzelfstandigheid. Hoe is het om altijd alleen te zijn? Dit, zoals het nu is, is heerlijk. Alleen in huis, me niet storen en ergeren aan geluiden van anderen, mijn eigen dagindeling volgen, nooit koken, alleen in bed zodat ik kan roken en lezen zolang als ik wil.

Zij vreest dat de tevreden eenzaamheid te danken is aan een kunstgreep, dat de veiligheid van het gezin waarin zij hoort en de zekerheid van die banden het haar mogelijk maken ten volle van de vrijheid te genieten. Met een onwillekeurig schudden van haar schouders herinnert zij zich hoe intens beroerd zij zich gevoeld heeft na haar scheiding, hoe overtuigd ze was van het feit dat ze niet alleen kon zijn.

Maar ik wás het wel, ik deed het. Ik dwong mezelf 's avonds alleen thuis te zitten en niemand te bellen. Ik weefde afspraken door het weekend en maakte plannen voor mijn vrije dagen.

Maar ik had mijn analyse, er was altijd een oor, altijd iemand die belang stelde in wat ik dacht. Jezus, wat zit ik te twijfelen. Meer wijn. Denk na. Wat stoort? Het vliegveld, een paar dagen nog maar geleden. Afscheid van Lawrence, even in zijn armen staan, de kinderen joelend om hen heen.

'Bel je op als jullie aankomen? Niet van de klippen vallen, groeten aan opa en oma doen. Werk je nu niet te pletter daar, laat je moeder eens iets met de kinderen doen en ga je eigen vrienden opzoeken, doe je dat?'

Kay en Ashley opgewonden, elk met hun rugzak vol dierbaarheden voor onderweg: 'Mama, vergeet je de vissen niet? Wij gaan golven met opa! Nu gaan we, gaan we nu naar het vliegtuig?'

Zij kust haar kinderen. Zij ziet wat haar het allerliefst is verdwijnen achter de incheckbalie, ze draaien zich om, zwaaien nog even en hollen dan haastig naar de winkeltjes, naar de bewegende vloer in de grote vertrekgang.

Ook onder Lisa beweegt de vloer, het wordt haar even zwart voor de ogen maar zij herneemt zich snel. Net zo goed is het de waarheid dat zij met fiere pas naar het parkeerterrein loopt en met verve de auto door het verkeer stuurt. Lekker. Alleen. In haar eigen ritme.

Ellen is echt alleen. Tien jaar geleden is zij van Johan gescheiden en sindsdien woont zij op een etage in het centrum, geen tuin, wel een dakterras. Eerst woonde de tweeling nog bij haar; Peter en Paul waren zestien en bleven allebei zitten. Met negentien waren ze het huis uit. Ellen liet hun kamer zoals die was, de jongens komen vaak thuis. Is Lisa jaloers op haar vriendin? Afgunstige bewondering is wat zij voelt. En nieuwsgierigheid: hoe doet Ellen het eigenlijk?

Het is inmiddels druk geworden op de vlonder. Een reeds halfbeschonken gezelschap komt aanvaren met een boot, ze meren naast de etende gasten en worden door de student-ober onder gierend gelach aan wal geholpen. Lisa kijkt toe en ziet daardoor

31

Ellen pas als die de tas van de stoel haalt.

Het treffen met de hartsvriendin, onder welke omstandigheden ook, heeft altijd een ondergrond van geruststelling: nu is het goed; dit blijft altijd bestaan; stil maar. Ze staan op en kijken naar elkaar, de blonde en de grijze. Ellen is in het jaar van haar scheiding totaal grijs geworden. Het staat haar prachtig. 'Sorry, ik ben laat. Ik kwam niet weg. Heb je lang gewacht?' 'Twee glazen. Het was wel prettig, veel te zien, lekker gezeten.' Beuzelpraat, onzin. Dit is waarvan ik houd. Zoenen. Wat zie je er goed uit. Heerlijk dat het avond is. Heb je ook zo'n honger? Ellen draagt een mooi linnen colbert, 'het kreukt ongelooflijk, maar dat hoort zo zeggen ze. Heel erg duur, zit heerlijk, is altijd goed.'

Zij heeft Lisa's tas op de grond gezet, haar eigen ernaast. De ober komt de kaart brengen, Lisa schenkt wijn in, over het terras komt een vlaag gegrilde garnalen, de zon is achter de huizen verdwenen.

'Heb je iets van Lawrence gehoord? Is het fijn, even alleen?' 'Ik geloof het wel, tot nu toe wel. Ik zat net te denken over jou, voor je kwam, hoe je het vindt om alleen te zijn, altijd.' Ellen drinkt, steekt een sigaret op, kijkt haar vriendin onderzoekend aan en denkt na.

'Het is wel goed. 't Was wel wennen. Thuis waren we met zo vreselijk veel, altijd een kolereherrie, altijd schreeuwen en eten uit pannen zo groot als babybadjes. De jaren met Johan waren ook niet bepaald rustig maar ik wist gewoon niet wat ik miste. Ik kende het niet, een situatie dat niemand tegen je loopt te gillen en je voortdurend van je bezigheden afleidt. Ik heb ontdekt dat ik het wel prettig vind. Ik kan heel goed zitten tegenwoordig. Gewoon zitten op het dak, met niks. Ik weet niet hoe het zou zijn als ik geen leuke baan had. Dat ik die studie gedaan heb is een zegen. Daar had ik het ook druk mee toen de jongens weggingen, dat scheelde ook.'

Lisa bewondert Ellen, die op rijpe leeftijd sociologie is gaan studeren en als een van de weinigen van haar afstudeergroep een baan heeft. Ze studeerde af op de hulpelozenzorg, een vergelijkende studie over de stedelijke voorzieningen voor bejaarden, zwervers en zwakzinnigen. De kloeke scriptie, in huisvrouwentaal gesteld, stuurde ze aan de burgemeester persoonlijk. De week daarop had zij een functie bij de Gemeentelijke Beleidsgroep Welzijnsvoorzieningen. Het klinkt vaag, het is boeiend. Ellen verdeelt het budget, ze heeft een belangrijke stem in de planning van nieuwe voorzieningen en ze controleert het gebruik van de verstrekte gelden. Op bezoek bij de zwerversopvang, conferenties met de bejaardenthuiszorg, hilarische middagen in het zwakzinnigendagverblijf. En dan niet zelf hoeven zorgen en sloven: ze zegt hoe het moet en anderen doen het. Als het meezit.

Salade van gerookte heilbot, met pijnboompitten, mct rode, krullerige sla. Op de boter staan druppels vocht, het brood is perfect.

Na de heilbot is het rookpauze, de benen gestrekt, uitzicht over het water waarin de pas ontstoken lantarens glimmen. 'De liefde?' vraagt Lisa. 'Zie je hem nog?'

Ellen zingt in een koor, een goed koor dat afgelopen winter een concert gaf in de Grote Kerk, samen met een ingehuurd orkest. Ze gaven een overtuigende uitvoering van het *Requiem* van Brahms, een zuivere, ontroerende sopraan zong de troostaria en de bas-solist was ronduit verpletterend. Hij had een stem die bij zowel Ellen als Lisa rechtstreeks de buik in ging, en de tekst deed de rest.

'Herr, lehre doch mich
dass ein Ende mit mir haben muss,
dass mein Leben ein Ziel hat,
und Ich davon muss,
und Ich davon muss.'

De gezette, forse man die deze woorden zong leek te begrijpen waar hij het over had. Lisa zat ongegeneerd te huilen, Ellen werd op slag verliefd.

'Toch klinkt het verkeerd in het Duits,' zegt Lisa, die de tijdelijkheid als thema nog steeds in haar hoofd heeft, 'je denkt aan een doel, maar dat is het niet, het betekent een eindpunt, dat het afgelopen is.'

'Een handbreed aan dagen,' zegt Ellen. 'God, wat hakte dat erin bij mij. Het hielp nog ook, ik dacht ook door die tekst: doen! Straks ben ik dood, of hij. We lagen diezelfde nacht nog in bed. Weet je dat ik wroeging had tegenover Johan, na al die jaren nog?'

Gegrilde zalm, met zeekraal en kleine aardappeltjes. Een nieuwe fles wijn. Zachte muziek over het water.

Ellens zoete zanger is getrouwd en leeft in een eb en vloed van onmin en verzoening met zijn echtgenote. Kinderen heeft hij ook, gelukkig al groot.

'Weet je dat hij zong in die opera waar Johan indertijd de decors van deed? Johan kende hem al lang voordat ik iets met hem van doen kreeg.'

De oberjongen komt vragen of alles naar wens is; het bootgezelschap gaat weer aan boord, gooit de trossen los en vaart langzaam van het terras weg, feestgeluiden meevoerend.

'Als hij nou niet getrouwd was, zou je dan met hem samenwonen? Is het erg dat hij een ander heeft, dat hij altijd weer gáát?'

'Laatst heeft hij een maand lang bij me gewoond. Ruzie thuis. Eerlijk gezegd vond ik het maar matig. Wel heerlijk op zondagochtend, gezellig koffie in bed en een hele dag voor je. Maar het gezeik, Lisa, het gezeik! Over z'n huwelijk, z'n carrière, z'n vaderschap. Voor je het weet ben je weer aan het steunen en sussen. Als we allebei ons eigen leven hebben lijkt het wel of er meer gelijkwaardigheid is. Zou een man kinds worden van het huwelijk?'

'Een vrouw ook, denk ik. Je wordt toch afhankelijk, je láát dingen. Lawrence doet mijn auto. En de vuilnisbak.'
'Ik stond weer overhemden te strijken. En hij maar somber in de kamer zitten met die prachtige kop vol haar in z'n handen, treuren over z'n mislukte huwelijk. Ik werd kwaad, ik had daar geen zin in. Dat was wel een heerlijk gevoel, dat ik hem eruit kon pleuren met z'n overhemden en z'n zangoefeningen. Wel meteen al spijt hoor, het weekend daarop ben ik naar een concert van hem gegaan en toen werd het weer als vanouds. Alleen in het weekend, als het kan, en anders maar niet. Ik werd ook gek van zijn werkritme, diep in de nacht kwam hij thuis, opgewonden na een concert; zo'n pik in je rug als je zelf in diepe slaap bent is twee keer leuk maar daarna vervelend. Erg hè?'
'Ja,' zegt Lisa, 'hoe durf je.'

Sorbets van zwarte bessen, frambozen, citroenen? Of perentaart, nee, liever donkere chocolade met in drank gemarineerde kersen en grote, iets bittere krullen erop. De laatste wijn en dan koffie. Ellen gaat plassen, Lisa rookt.

'Johan belde vanochtend, over zondag. Het diner.'
'Ja, Alma pakt het gróóts aan. Ze wil gloriëren in het succes van haar zoon. En Johan wil graag al zijn vrouwen in bewondering om zich heen verzameld zien. We gaan wel lékker eten deze keer, ze heeft ''De Verloren Karper'' afgehuurd, zei ze. Vijfenzeventig jaar en een wil als een motorzaag. Ze kan nauwelijks vooruit met die versleten heup maar ze komt overal. Ik kan het beter met haar vinden sinds de scheiding; ik heb altijd het gevoel gehad dat ze me kwalijk nam dat ik iets met haar zoon had. Of ik ben zelf makkelijker geworden, dat kan ook. Hoe ze haar zoons tegen elkaar op weet te zetten, hoe ze aan Johan trekt en hem ook weer afstoot – ik kon het vroeger niet aanzien maar nu heb ik er minder last van.'
'Wat ik zo fascinerend vond, vroeger al, tijdens dat vreselijke etentje met Oscar, was het plezier in die heksenstreken. En dat

ze geen slachtoffer is. Ze presenteert zich wel zo, altijd benadrukken hoe alleen ze was, schelden op Charles die haar liet stikken, maar ze straalt zo'n genoegen uit als gevaarlijke heldin, daar ben ik altijd gevoelig voor geweest.'

Ellen gelooft daar niet in. Alma onderhoudt al bijna dertig jaar een schijnrelatie met de man die haar verlaten heeft; een relatie die uitsluitend in haar hoofd zit want contact heeft zij nooit meer gehad met de vader van haar zoons. Hij is naar Amerika vertrokken, liet zijn schilderijen en zijn gezin achter en begon opnieuw, als operaregisseur. Uit de krant, uit het *Tijdschrift voor Operavrienden*, weet Alma dat hij driemaal hertrouwd is, ze ziet de gezichten van zijn vrouwen op de foto's. Voor Alma is er geen afstand, zij gaat over Charles' infame vlucht tekeer alsof het vorige maand gebeurd is; zij heeft het haar kinderen onmogelijk gemaakt om over hun vader te spreken en zelfs te denken.

'Weet je dat ze met Paul en Peter echt een leuk contact heeft?' vraagt Ellen. 'Toen ze klein waren al, speciale dingen die ze voor hen bedacht en met hen deed. Naar de film op woensdagmiddag, naar wonderlijke kleine musea waar ze prachtige verhalen over vertelde. De jongens komen nog vaak bij haar. Geen spóór van die fratsen die ze met Oscar en Johan altijd uithaalt.'

Lisa mijmert: hoe zou het zijn met zo'n oud lichaam? Zou ze nog wel eens masturberen? Ze is wel mooi recht, en niet dik. Toch kruipen je heupen onder je oksels als je oud wordt, wanneer zou dat bij ons beginnen? Zo'n lijf als een brood, zonder middel. Pijn in je gewrichten. Slapeloosheid. Dass ich davon muss. Jezus. Op die leeftijd is het bijna afgelopen.

'Alma krijgt daar energie van. En de tentoonstelling van Johan beroert haar. Het is of Charles herleeft, Johan heeft het succes dat Charles nooit gehad heeft met z'n schilderwerk. Het wordt een explosieve bijeenkomst, zondag. Het gaat onweren.'

Ellen huivert in haar linnen jas. Kilte trekt op vanuit het water. Lisa heeft zoveel gedronken dat zij geen kou voelt. Ze kijkt naar de zwevende, haast doorzichtige deken van mist boven het stille wateroppervlak.

'Blijf je slapen, Lisa, dan kletsen we nog door. Morgenochtend vroeg kan je naar huis fietsen, dan ben je meteen wakker.'

Langzaam fietsen de vrouwen langs de gracht. Thuis maakt Ellen een bed voor Lisa op de grote leren bank. Een bodempje whiskey, een laatste sigaret, licht uit, deuren naar het dakterras wijd open. Zij zitten tegenover elkaar, tegen de zijleuningen van de bank, de benen opgetrokken.

Als Lisa eindelijk wil gaan slapen denkt ze aan het kranteartikel dat ze van Daniël kreeg, de steriele poging tot broedermoord. Ellen heeft het niet gezien maar gelooft het graag, Johans succes doet Oscar bijkans stikken van afgunst. Lisa heeft Oscar een keer zien rondscharrelen in de hoerenbuurt: 'Het regende, hij droeg een gummijas en van die rubberen overschoenen over zijn gewone schoenen heen. Ik groette hem maar hij herkende me niet. Door zijn beslagen bril, dacht ik toen. Maar misschien was hij even ontspoord, ging hij even zijn lust ventileren? Los van het kantoorleven als het ware.'

'Hij is geen man voor vrouwen,' vindt Ellen. 'Bij hem heb ik nooit iets van aantrekkingskracht gevoeld terwijl ik hem wel mag. Hij besteedde veel aandacht aan mij, al was het maar om Johan dwars te zitten. Eigenlijk heb ik hem altijd als aseksueel gezien.

Wat een contrast met Johan; die maakt met werkelijk iedere vrouw een erotisch contact. Ik heb me met niemand ooit zo vrouw gevoeld als met hem. En dat is niet over. Dat maakt me nog steeds bang.'

Ellen fluistert nu haast, ze spreekt meer voor zichzelf heen dan tegen Lisa.

'Vorige week was hij nog hier, hij zoekt me wel eens op om dingen te overleggen over de jongens. Soms is hij lief, vraagt hij of ik geld nodig heb. Maar ook de oude Johan, ronduit onbeschoft: hoe het met mijn zanglessen gaat, of die speklap hem wel overeind kan krijgen, dat soort opmerkingen.

Hij kwam praten over de expositie. Dat er een tv-ploeg komt, alle interviews, alle journalisten, zijn hele leven samengevat in een zaal met doeken en mensen, dat soort dingen. Toen vertelde hij dat hij zijn vader heeft geschreven. Via de Opera is hij erachter gekomen bij welke agent Charles zit. Het was een impresariaat in Los Angeles, Johan heeft erheen gebeld. Ze wilden Charles' privé-adres niet geven maar hij kon naar de burelen schrijven, dan zouden zij zorgen dat Charles de brief kreeg. Johan was razend. Hij heeft maanden gewacht, dit speelde in januari. Maar toen de invitaties gedrukt waren heeft hij er een opgestuurd, met een briefje erbij.

Hij zat hier in de kamer en vertelde het zo stil. Dat hij nu eindelijk zijn vader had benaderd. Dat hij verlangde om hem te zien. Ondanks alles.

Ik brak gewoon. Ineens hield ik net zoveel van hem als toen ik hem leerde kennen. Hier, op deze bank, hebben we het gedaan. Het heeft me dagen gekost om me weer aan zijn ban te onttrekken.'

2 De moeder en de zonen

Om zeven uur, vlak voor de digitaalwekker zijn discrete gepiep zal laten horen, duwt Johan de knop in. Altijd wordt hij even tevoren wakker, uit gewoonte. Of maakt het klokje een zacht voorbereidend geluid, een diepe ademhaling voor de schreeuw die nooit komt? Johan gaat op zijn rug liggen, handen onder zijn hoofd; zijn voeten werkt hij onder het dekbed uit. Hij beweegt zijn tenen. Rechts van hem liggen de geweldige heuvels van Zina, een bergrug met de grote kont als top en glooiingen naar alle kanten. Zij ligt opgekruld en is totaal bedekt op een pluk roodachtig haar na.

Uit het hoge raam zonder gordijnen strijkt het morgenlicht de slaapkamer binnen. De hemel is bleek op dit vroege uur, maar wolkeloos. Een stralende dag. Johan voelt dat hij zich ergens op verheugt, maar op wat? Een verjaardagsgevoel van heel vroeger, dat er iets fijns gaat gebeuren vandaag, iets waar hij naar uitgekeken heeft. Even wachten en hij glijdt in zijn dagelijks leven: vanmiddag komen de timmerlieden van het museum om zijn schilderijen in te pakken!

Hij slaat het dekbed weg, spant zijn billen, duwt de buik met het gezwollen geslacht even de lucht in: hij is er klaar voor! Het bed uit, naar het raam, ja, geen bewolking, weids groen land, hoera, naar buiten, naar buiten, de wielewaal.

De badkamer is vierkant en zwartbetegeld. De grote spiegel aan de wand tegenover de deur is nooit beslagen, door een ingenieuze toepassing van de verwarmingselementen.

Johan bekijkt zichzelf: lengte iets meer dan gemiddeld, houding rechtop, bouw meer atletisch dan leptosoom. Hangen de billen? Een beetje. Borsthaar vooralsnog zwart, te veel grijs ertussen om eruit te wieden. Geen vet.

Een stap dichterbij: de kop. Het donkere haar met twee vingers scheiden om de hoofdhuid te inspecteren: roos. Kritische beschouwing van de gelaatstrekken: wel eens erger geweest. Gelukkig nog geen gekookte varkenskop, al is het oppassen. Nog twee dagen niet drinken. De rimpels kan je voren noemen, het gezicht door het leven getekend, niet door de ouderdom. Johan drinkt een groot glas water uit de kraan, poetst zijn tanden om de gore slaapbek te verfrissen. Boven de wastafel een tweede spiegel. Het gezicht daar dichtbij brengen. Sterke lampen, nooit en nooit een bril. Dit gezicht zal vanaf volgende week in alle kranten staan. Hoe te kijken? Gezichten trekken zoals vroeger. Oefeningen in expressie, ditmaal met een serieuze ondertoon. Streng; hooghartig; mild; afwezig; licht verbaasd; verveeld. Ernstig is het beste, al moet hij eraan denken de lippen bijeen te houden om er niet onbedoeld onnozel uit te zien. De wangspiertjes bovenaan iets aanspannen om de wallen onder de ogen te maskeren? Liever niet, de ogen worden daardoor kleiner, vlakker. Proberen nog een paar nachten goed te slapen.

Dit is de schilder. Dit wordt de doorbraak.

Johan knikt zichzelf toe en herkent de houding van Alma: dezelfde fiere hals, het hoofd recht op de schouders. Ineens vraagt hij zich af waar de rest vandaan komt, hij bekijkt zijn gezicht op een andere manier, met onrustige ogen.

Lijk ik op mijn vader? Loop ik rond met een kop die ik als de mijne beschouw maar die van hem is? Heeft hij zulke volle lippen? Alma heeft een smalle streep, Oscar ook. De zware wenkbrauwen? De onbepaalbare ogenkleur? Alma heeft blauwe ogen. Bij mij zit er bruin in. Bruin is toch dominant? Dan móét hij bruine ogen hebben. De scherpe neus is van Alma, die ken ik.

Johan probeert zich het gezicht van Charles te herinneren maar zwemt rond in een leegte. Van foto's die hij in kranten en tijdschriften gezien moet hebben staat hem alleen een vage schrik bij, en het verlangen om snel de pagina om te slaan. Charles heeft in Amerika zijn naam veranderd, bij het impresariaat wist men niet wie Johan bedoelde toen hij kortaf, met iets te hoge stem naar Charles Steenkamer vroeg. Zijn vader is 'mister Stone' geworden, zelfs de naam heeft hij weggeworpen en nonchalant laten liggen in het oude land.

Pissen in de zwarte wc, spetteren op de bril. De geur van de geconcentreerde ochtendurine treft hem onaangenaam, wat een pestlucht, een oude-mannenstank, een olfactorisch bericht uit de hel.

Aankleden: de onderbroek van gisteren, oude trainingsbroek, T-shirt, loopschoenen. Johan gaat rennen, bij de keukendeur rekt hij zijn kuitspieren tot het uiterste, eerst rechts, dan links. Met kleine, losse pasjes draaft hij om het huis heen, over het grasveld, dat hem meteen natte schoenen bezorgt, langs het hoge atelier het hek uit. Even verderop leidt een weggetje tussen de tuinen door naar de bospartij die achter de huizen ligt. Johan neemt al jaren dezelfde route, in alle weer behoudens sneeuw. Hij rent niet omdat alle mannen van zijn leeftijd rennen, of althans het idee hebben dat ze dat zouden moeten. Hij heeft, behalve de bijna zelflopende schoenen, geen dure loopuitrusting. Ook loopt hij niet in de vroege avonduren, als het bos wemelt van de zwetende mensen. Hij kiest een tijd en een traject die hem de meeste eenzaamheid opleveren. Omdat hij niet over één kam geschoren wil worden met de roodaangelopen hijgers en de pezige, te oude mannen met afgetrainde kop? Zeker, iedere referentie aan de middelbare leeftijd of erger dient vermeden te worden. Maar de eigenlijke reden voor Johans hardlooprondje ligt in zijn behoefte om de dag op rituele wijze aan te vangen. Hij markeert het begin van de werkdag met zijn hele lichaam en maakt daar een geheime machtsuitoefening van.

Macht over de tijd, over de oeverloze, ongestructureerde dagen. Hij zet de uren naar zijn hand: zeven uur, rennen; acht uur, douchen en ontbijten; negen uur, rommelen in het atelier, administratie, voorbereiding; tien uur, beginnen. Altijd. Verkouden, beroerd, dronken, niet geslapen: altijd. Macht over de ruimte. Johan verovert het land iedere morgen. Zoals een dier zijn gebied afbakent loopt hij rond zijn erf, in een wijde cirkel. Hij eigent zich het bos toe, het weiland; hij inspecteert de waterlopen: de wetering, het brede kanaal; op de terugweg prent hij zijn voetstappen in de dijkjes van de oude polder en tot slot beroert hij het asfalt van de weg die door de villawijk slingert.

De diepste bevrediging zit in de macht over het lichaam. Johan dwingt zijn zevenenveertigjarige pezen en spieren tot gehoorzaamheid, hij bedenkt een ritme voor zijn voeten dat ze maar hebben uit te voeren, duizenden malen dwingt hij zijn knieën om beurtelings zijn gewicht op te vangen. Langs het kanaal, op het vlakke stuk, voert hij het tempo op. Bloed bonkt in zijn hoofd, zweet gutst over schouders en rug. Het is van het grootste belang dat de ademhaling beheerst blijft. Hier wordt niet gehijgd. Als het Johan zwart voor de ogen wordt, als de longen schreeuwen en piepen om meer lucht, dan is het zaak om dóór te lopen. Soms heeft hij geluk en begint er, op het moment van bijna opgeven, een droomachtige episode waarin het lichaam geen signalen van pijn en vermoeidheid doorgeeft, maar slechts informatie over richting en gewichtsverdeling. Zo moet het zijn: een goedlopend apparaat, ongestoord door voelen en verlangen.

De toestand van gelukzalige verdoving wordt niet altijd bereikt, helaas. Maar immer wordt er gelopen.

Ook zijn niet alle onderdelen van het lichaam in gelijke mate beïnvloedbaar. Het gebit is verraderlijk en laat zich door het rondpompen van bloed meer voelen dan in ruststand. Het gebit is Johans zwakke plek. Deze man, die zo graag in de dag bijt en die zich als een roofdier van de gaafheid van zijn tanden afhankelijk voelt, heeft oorlogskiezen.

Met Oscar in de wachtkamer van de tandarts. De houten bank schaaft tegen Johans blote benen. Johan voelt geen angst, hij heeft pijn in zijn maag en kijkt onafgebroken naar de zware deur, wacht op de keiharde zoemer en ademt snel.

'Os, ik ben duizelig! Ga jij eerst?'

Oscar heeft nooit gaatjes. Hij snoept niet en is met twaalf jaar al een dwangmatig poetser. Oscar durft naar de instrumenten te kijken die op het glazen tafeltje naast de behandelstoel uitgestald liggen. Oscar durft met de tandarts te praten, stelt vragen over de verschillende tangen, over boorfrequenties en prothesen.

'Ja, ik ga wel eerst. Met jou is hij toch lang bezig. Als je huilt prikt hij je met een lange naald in je keel, dat weet je toch? En je mag niet bewegen. Dan schiet de boor uit, je tong wordt verscheurd en dan stik je in je bloed. Er zit heel veel bloed in je tong. Een tong kan niet genezen want je kan er geen pleister op plakken. Als de tong stuk is kan je nooit meer praten. En niet eten. Als je beweegt ga je dood, dat is zeker.'

De zoemer knalt door de ruimte en Oscar verdwijnt. Johan zit als een klein standbeeld op de bank. Er hangt niets aan de witte muren, het raam is met luxaflex afgedekt. Leegte.

Johan neemt een eigen tandarts als hij volwassen is, een leeftijdgenoot met wie hij overlegt over de stand van zaken, de prognose en de te volgen tactiek. In een dure en pijnlijke serie behandelingen wordt zijn gammele gebit gerestaureerd zonder enig verlies aan elementen. Daarna gaat het jarenlang goed.

Als het tandvlees zich terug gaat trekken, rond Johans veertigste verjaardag, komen de tandhalzen bloot. Een paardebek in de spiegel. Aan weerszijden van de bovenkaak blijkt Johan diepe gaten te hebben tussen de tand en het onwillige weefsel dat hem omsluit. Daar nestelen zich frambozepitjes in die tot vlammende ontstekingen leiden. Johan wil het niet. Met opgezette wangen staat hij te schilderen; hij slikt handenvol pijnstillers maar kan de vlijmende steken niet onderdrukken. De tandarts schudt het hoofd en verwijst naar een specialist.

Een bende van parodontologen en kaakchirurgen buigt zich over Johans opengesperde mond. Languit, met de voeten enigszins omhoog, op de hoge marteltafel. Fel licht uit lampen met roosters ervoor. Er zal geopereerd worden, het tandvlees moet weggesneden zodat de gevaarlijke smalle grotten toegang kunnen gaan verlenen aan prikkers en borsteltjes in een avondlijk reinigingsritueel. Johan wordt bedekt met groene lappen, er komen scherpe klemmen tussen zijn kaken, er wordt gespoten met misselijk makende verdovingsvloeistof. (Als je huilt prikken ze achter in je keel.)

De chirurgen dansen rond op gympen, zij bekommeren zich niet om de mens onder de lappen maar converseren opgewonden met elkaar over de interessante vondsten die zij doen in de vochtige, roze holte.

'Jezus, die pocket is twee centimeter!'

'Wonderlijk dat de aberraties zo lokaal zijn. Twee bacterie-haarden?'

'Hier kan je toch niets meer mee, dit is een verloren zaak.'

'De elementen zijn mobiel geworden, voel je?'

'Er is aanmerkelijke botschade. Saneren, en later misschien een transplantatie, maar waarin? Dan zou je eerst een botfragment moeten transplanteren. En of dat aanslaat op die leeftijd?'

'Extraheren. Een brug. Misschien verankeren aan de cuspidaat, want de kiezen eromheen zijn niet betrouwbaar. Heb jij de boot al in 't water?'

'Ik had verdomme dienst in 't weekend, nee.'

Johan loopt naar buiten, naar het reddende zonlicht. Over zijn hechtingen zitten gummiachtige klodders geplakt bij wijze van pleisters. Hij is gewond en vastberaden om hier nooit meer terug te keren. Liever altijd pijn dan deze machteloos makende vernedering. Bij de Dental Drugstore schaft hij zich een compleet schoonmaakinstrumentarium aan waarmee hij de kloven en valkuilen tussen zijn tanden bacterievrij probeert te houden.

44

Twee keer per jaar, opvallend vaak synchroon met teleurstellingen in werk of liefdeleven, raakt zijn bovenkaak geïnflammeerd, eerst links, dan rechts. De tandarts spuit de bifurcaties schoon, mompelend dat het zo niet langer gaat.

Met halfdichte ogen draaft Johan over de polderdijkjes. Voelt hij het kloppen in zijn kaken? Voorzichtig bijten. Gaat goed. Geen drukpijn. Sprinten, vaart maken, op huis aan.

Zina heeft koffie gezet en zit aan de grote tafel in de keuken haar nagels te lakken, het puntje van haar tong tegen haar bovenlip. Ze draagt Johans donkergroene badjas die mooi kleurt bij haar hennahaar. Johan gaat achter haar staan, blaast over haar ronde schouder op de glimmende nagels en wrijft zijn zweetkop in haar naar slaap en oud parfum ruikende hals. Zina heeft nergens rimpels of plooien, zij is van binnen uit gevoerd met een gelijkmatige laag vet die haar huid doet glanzen en spannen. Ondanks het overgewicht heeft zij een snelle en levendige manier van bewegen. Ze vliegt overeind, armen wapperend in de lucht, ze schurkt tegen Johan aan met haar dikke billen en gaat hem lachend koffie inschenken. Hij zit met blote voeten aan tafel een boterham te smeren. Eerst maar eten, straks de tanden schoonmaken.

'Heb je eieren gekookt?'

Uit een gebreide want pakt Zina twee eieren, ze liggen warm in haar hand.

'Wat doe je vandaag, blijf je hier, ben je eigenlijk bij me ingetrokken?'

Johan vindt het prettig dat ze er is, zijn bed warmt, zijn keuken aan kant brengt en zijn was opstapelt. Het feit dat ze een vriend heeft geeft hem steeds een licht, een lekker veroveringsgevoel. Het komt hem ook goed uit, hij wil geen diepere binding maar hij wil zo nu en dan even heersen, op een feest over de volle kamer heen Zina aankijken, z'n wenkbrauwen optrekken, vragend, en weten dat ze komt, dat ze Mats vannacht alleen zal laten om bij hem onder de dekens te kruipen.

Ook wil hij, als haar verblijf in zijn huis hem te lang duurt, kunnen zeggen dat ze weg moet gaan. Het moeilijkst te verdragen is haar loyaliteit aan Mats. Als Zina thuiskomt van haar avonturen zijn er scènes, Mats rent door de kamer die een hoge, omgebouwde zolder is, zo groot dat het er waait, en noemt haar een hoer, een genotsvarken zonder geweten. Huilen, stampen. Ze moet vertellen: hoe vaak, hoe lang, hoe? Ze genieten er beiden van, Zina beleeft haar liefdesnachten met Johan opnieuw en Mats krijgt in naam van de jaloezie een levendige erotische film voorgeschoteld, waarin zijn bewonderde leraar een hoofdrol speelt. Daarna is er troost, streling en rust in Zina's stevige armen.

Johan weet dat allemaal maar denkt er nooit aan. Wel kan hij onmatig driftig worden over het feit dat Mats met zijn onzinnige zelfgesmede zilverobjecten een permanente expositieplaats in Zina's galerie inneemt terwijl er zelden iets verkocht wordt. 'Wat kan het je schelen?' zegt Zina, 'ik verkoop genoeg andere dingen en voor Mats is het goed. Waar maak je je druk om, het is toch míjn zaak?'

Nee, ze blijft niet vandaag, de administratie van de galerie moet gedaan en de mailing voor de volgende expositie gaat vanmiddag de deur uit. Maar vanavond komt ze terug, als Johan dat wil. Zij heeft de vrije hand, Mats is naar Afrika vertrokken, waar hij primitieve smeedtechnieken gaat bestuderen. Daar zal hij zich door laten inspireren en wat daaruit voortkomt zal Zina tonen in haar bescheiden kunsthal.

'En wat krijg je dan binnen voor volk? Multiculturele welzijnswerkers, zelfwevende trutten met gebreide tabberds aan die vragen of het met een emailleeroventje ook kan, holistische jongeren die één met de aarde willen worden – gebruik toch je verstand, daar zit toch totaal geen geld in?'

'Ik weet het niet. Misschien wordt Mats ontdekt, ik heb veel contacten in kunstnijverheidskringen. Hij maakt echt wel mooie dingen hoor, soms. Laat mij nou maar, mijn winkeltje draait goed. Ik heb laatst van die gekliefde steenobjecten heel veel verkocht.'

Johan snuift. Granieten kutten die mensen als brievenstandaard gebruiken. En maar trots zijn dat ze Kunst in huis hebben. Het kost wat, maar je hébt ook wat.
'Ik ga naar Alma, haar schilderij ophalen. Vanmiddag kom ik terug, dan komen ze van het museum het meesterwerk inpakken, en nog wat andere dingen. Alma's postbode kunnen ze dan meteen ook meenemen. Wil je meerijden straks?'

Na de tandenreiniging het scheren, met het mes. Poepen. Onder de drievoudige waterstralen. Haar wassen. Het water tegen de oogleden laten kletteren. Je goed voelen, en sterk: een overwinnaar. Alsof het tonen van de schilderijen de genadeslag betekent voor iedereen die hem ooit heeft miskend of dwarsgezeten. Nu zullen ze zien wie hij is: Steenkamer, Johan, schilder. Zal zijn vader de zaak binnenstappen, door niemand herkend, ernstig de vier wanden bekijken, zich naar de kunstenaar toewenden, mijn zoon, mijn zoon, eindelijk?
En zal Johan dan hooghartig zeggen: hoe bedoelt u, ik ken u niet? Of met ingehouden tranen zijn weergevonden vader omhelzen, eindelijk?
Hij maakt met beide armen, de vuisten gebald, een overwinningsgebaar naar de douchemuren en gaat zich aankleden. Geluidloos gejuich.

★

Alma woont in het zuidelijke gedeelte van de stad, waar nog ruimte is om de auto te parkeren. Zij heeft het huis waar de jongens zijn opgegroeid na hun vertrek gelaten zoals het was maar gebruikt de bovenverdieping waar hun kamers waren nauwelijks meer. Soms hijst zij zich de trap op om in de ouderwetse badkamer een bad te nemen. Meestal wast zij zich in de douche die Johan voor haar in de ruime wc liet aanleggen. Zij slaapt beneden in een minuscuul kamertje aan de straatkant, met getraliede ramen. Overdag scharrelt zij rond in de ruime huiskamer die voor iemand van haar leeftijd erg leeg is. Om uit de voeten te kunnen met stok of looprek heeft zij alle overtollige stoelen en prullen door Oscar naar boven laten brengen. De tuin daarentegen, zichtbaar door de smerige tuindeuren, staat propvol doorgegroeide struiken en pronkzieke bereklauw. Het is duidelijk dat hier een vrouw woont die weet wat zij wil en datgene waar zij geen boodschap aan heeft met rust kan laten.

Zij zit aan de tafel op een rechte stoel en wacht op de komst van haar jongste zoon. Tijdens de eerste jaren na Charles' verdwijning heeft zij met ontzetting het talent van Johan zien openbloeien. Toen het kind te kennen gaf dat hij schilder wilde worden en niets anders (vijftien, zestien jaar?) heeft zij hem verteld dat zijn vader begonnen is als schilder.

'En toen, is hij schilder gebleven? Wat doet hij nu? Waar woont hij? Is hij er nog?'

Verboden vragen, nooit gesteld, losgewoeld door de emoties van het moment. Alma's mond wordt een streep waar niets meer doorheen komt.

Zij zette de zeilen naar de wind en genoot van de gaven van haar kind, na de eerste schrik. Alle materialen waar hij om vroeg kon hij krijgen en vanaf de puberteit had zij scherpe aandacht voor zijn produkten. Toen Johan daar geen zin meer in had betaalde zij een docent aan de academie om haar zoon privé-lessen te geven en trok zij haar eigen bemoeienis in, al behield zij haar belangstelling. Zij dwong hem het gymnasium af te maken alvorens naar de academie te gaan. Hij gehoorzaamde.

Bij zijn weten heeft Johan het schilderen nooit verbonden met het beeld van een vader. Toen Alma Ellen eens, na vier whiskeys, toevertrouwde dat zij de tekeningen die het vierjarige kind voor zijn pas verdwenen vader maakte niet aan kon zien en de kachel in wierp kon Johan zich noch van het incident, noch van de gevoelens die daarbij zouden kunnen horen iets in herinnering brengen.

Wel heeft Johan altijd aangevoeld dat hij met zijn talent zijn moeder hevig raakte, maar hij heeft nooit begrepen waarom. Door haar betrokkenheid werd hij haar heel bijzondere ridder, zij deelden samen een wereld van begrip op grond van zijn begaafdheid.

De vragen over zijn vader, die op gezette tijden in zijn ontwikkeling bij hem opkwamen naar aanleiding van wat hij las of meemaakte, heeft hij ook innerlijk laten verstommen toen Alma niet wenste te antwoorden. Zij hebben een verbond teneinde Charles dood te zwijgen; het handhaven van de verbondsbesluiten was de enige wijze van overleven. Maar dekt het besluit de waarheid? Daar heeft Johan zich nooit het hoofd over gebroken, te meer omdat de denkbeeldige rivaliteit tussen hem en zijn afwezige vader ruimschoots werd overschaduwd door de dagelijkse, bittere oorlog met Oscar.

Hoewel Johan als jongste, als kleinste, als naïefste, overduidelijk slachtoffer was in deze desperate krijgsvoering heeft hij nooit echt in zijn slachtofferrol geloofd, alsof het uitverkoren zijn door Alma hem een beschermend harnas was. Alma verdeelt en heerst. De bruggen tussen haar kinderen heeft zij vanaf het begin systematisch stukgeslagen. Zij zullen zich niet samen tegen háár keren maar proberen elkaar uit te moorden; Johan omdat hij geen concurrentie verdraagt, Oscar vanuit de ontzetting over de komst van het broertje dat zijn hele wereld en al zijn zekerheid vernielde.

Alma stookt en verleidt, vanaf haar eersterangsplaats aan de rand van het slagveld.

Zij wacht op haar zoon. Op tafel ligt een krant. Achter haar rechte rug hangt het schilderij dat Johan komt halen omdat hij het een plaats toegedacht heeft aan de zijwand van de grote expositiezaal. Johan heeft het voor haar geschilderd, een geschenk voor haar zestigste verjaardag.

Het schilderij, gevat in een eenvoudige zwarte lijst, heet: 'De Postbode'. Er staat een man op afgebeeld in een postbestellersuniform uit de jaren zestig. Hij draagt een zwarte brieventas aan een riem over zijn linkerschouder. In de rechterhand heeft hij een brief die hij als het ware de toeschouwer aanreikt. De postbode draagt op zijn hoofd geen uniformpet maar een ouderwetse brandweerhelm. Het gezicht daaronder is ernstig en straalt een rustige ontroering uit die in contrast is met de taferelen op de achtergrond. De postbode staat in een weiland. Achter hem brandt het bos en aan de horizon is een stad te zien in vuur en vlam. Gele en rode vuurtongen laaien op uit de vensters, zelfs de kerktoren brandt. Toch staat de postbode rustig zijn brief aan te bieden. De linkerhand met brede, gerimpelde vingers en kortgeknipte nagels ligt op de brieventas. Met intens mededogen presenteert de postbode zijn brief. Op het couvert, wat groter dan een gewone enveloppe, is de naam van de geadresseerde ondersteboven te lezen: Alma Hobbema.

Het adres is onleesbaar omdat de duim van de postbesteller eroverheen ligt. Uit de hoek waar de postzegel geplakt zit stijgt een kleine bleke vlam recht omhoog en gaat over in een rookpluimpje. De postzegel zelf is zodanig verschroeid dat hij niet is thuis te brengen, alleen de kartelrand aan de onderkant is nog zichtbaar.

'Zet het raam eens open, het stinkt hier als in een bejaardenhuis, het is stralend weer buiten, heb je koffie?'

Johan is energiek binnengekomen en opent de tuindeuren. Een weeë zomergeur dwaalt de kamer in. Zurige koffie uit een thermosfles kan hij krijgen. Tegenover Alma aan de tafel zittend kijkt hij naar zijn schilderij. Mooie kleurcontrasten, smetteloze techniek, lekker dreigende sfeer. Tevreden, Johan is tevreden. Hij strekt zijn benen, legt de handen in zijn nek en knijpt zijn ogen dicht

'Ik heb de zijkamer van "De Verloren Karper" gereserveerd,' zegt Alma, 'voor zondagavond, een uur of zeven. Het aantal personen moest ik in het midden laten, acht, of tien, ik wist het niet. Ze maken een menu voor ons, dan heb je niet dat gedoe met kaarten en dat iedereen iets anders blieft.'

'Wat maken ze dan? Toch geen krabcocktail of dat soort ongein?'

'Ze hebben daar een heel beschaafde keuken, Johan. We eten de karper als hoofdgerecht, verloren in een bijzondere saus. Hun specialiteit. Ik ben met de kok gaan praten. Het voorgerecht wordt een taartje met cantharellen, gegarneerd met zomergroenten. Tussendoor een heldere soep, een wildbouillon. Soep moet, vind ik. Voor toe krijgen we een profiterolestaart. Die maken ze zelf, de kok is een meester in de patisserie, er staan altijd prachtige taarten als ik er met Janna ga theedrinken.'

Johan snurkt.

'Het is een beetje een kerstboommenu, alles is ingepakt in iets anders. Gevaarlijk hoor! Hoe staat het met de wijnen? Daar weet jij niets van natuurlijk, hebben ze een aardige kelder tegenwoordig?'

'Dat laat ik aan jou over. Kan je er niet even langsrijden? Dan zie je het zelf. Ik zou 't graag tevoren weten, ik wil voor iedereen een menukaartje maken, een herinnering.'

'Een lichte rode bij de paddestoelen; ja, ik moest maar gaan overleggen met die toverkok van jou. Pouilly-Fumé bij de karper, dat staat vast. Een geestige wijn en toch duur. Heel goed. Bij de profiteroles een Moscato d'Asti. Lekker. Heb je wel geld, Alma, kan je dat allemaal betalen? Ik betaal de wijn.'

'Geen sprake van. Ik bied jou en de familie, of wat daarvoor doorgaat, een diner aan. Je mag me helpen met wijnadviezen, maar ik betaal. Dat is het voorrecht van een oude dame.'

'En jouw manier om de boel naar je hand te zetten, de tafelschikking te arrangeren en de baas te spelen.'

'Inderdaad. Ik duld geen inmenging. Jij hebt de regie in het museum en ik aan tafel.'

Ze ziet er niet uit, zijn moeder. Een vest met vlekken over een bruine jurk; het grijze haar slordig bijeengewonden in haar nek met ingesleten gebaren van heel lang geleden. Johan ziet haar voor de spiegel staan met de haarspelden tussen de samengeknepen lippen en de handen achter het hoofd. Waarom kunnen vrouwen dat, zonder oogcontrole hun haar vlechten, de schortebanden strikken op hun rug? Als een slang met veelvoudig gespleten tong zag ze eruit; een afwezige blik in haar ogen, precies zoals het meisje dat de luit stemt op het schilderij van Vermeer. Hij dacht dat ze de spelden recht door haar hoofd stak, dat dat zo was bij moeders, daarom hadden ze altijd pijn, ze nagelden hun haren aan de schedelhuid. Het ergste was de hoed, als Alma naar een receptie ging. Het grijsblauwe mantelpak werd geborsteld, de zijden blouse gestreken (bruine, tentvormige schroeivlek op de rug, omdat de bel ging en het ijzer bleef staan op de tere zijde: geeft niets, niemand die het ziet, ik houd m'n jasje aan–maar ik wéét het toch, denkt de kleine jongen, mijn moeder is getekend door vuur) en als apotheose werd De Hoed van de plank gehaald, op Alma's hoofd geplaatst en verankerd met een decimeterlange ijzeren pen met een ovale parel aan de ene kant en een scherpe punt aan de andere. Gruwel, huiskamerhorror, vrouwengeheim.

'Heb je iets bij je om de postbode in te verpakken? Je kan de rode deken wel nemen, ik heb hem voor je klaargelegd, ga je meteen naar het museum?'

'Nee, ik neem hem mee naar huis. Dan kunnen ze hem inpakken samen met de andere stukken. Dat doen ze in een soort enveloppen van hout, met beschermend zacht spul ertussen. Mooi. Vandaag halen ze alles op, de bruikleenstukken en wat er nog in het atelier staat. De kleine zaal is al ingericht met grafiek en de aquarellen. De lijstenmaker is daarmee bezig geweest, alles is opnieuw ingelijst, op dezelfde manier. Morgen doen we de grote zaal, daar wil ik zelf bij zijn.'

Johan staat op om naar 'De Postbode' te lopen. Hij tilt het schilderij voorzichtig van de wand en zet het met de voorstelling naar de muur toe op de grond, uit de looproute. Als hij achter Alma om terugloopt valt zijn oog op de krant die zij op tafel heeft gelegd en waarin hij zijn naam herkent.

'Wat krijgen we nou? Wat is dat? Oscar?! Waarom heb je dat niet gezegd? Is dat de krant van vandaag?'

'Van gister, Johan. Oscar kwam hem mij aanreiken. Het verbaast me dat je het niet weet, heb je geen knipseldienst? Heb je zelf het ochtendblad niet?'

'Daar ben ik al lang mee opgehouden. Ik word niet goed van al dat gezeur aan het begin van de dag. Heb er geen tijd voor ook. Bovendien is dit een absolute rotkrant met altijd zure en modieuze recensies. Ik heb hem al jaren geleden opgezegd, van dat jaloerse en rancuneuze gekwaak werd ik beroerd. En altijd alles beter weten, en niets mooi of goed vinden – Gods eigen kunstcode hebben ze uitgevonden daar. Nee, daar wil ik niets mee te maken hebben. Waarom schrijft Oscar in dat kutblad, is het Nationaal Museum redactioneel goedgekeurd? Dat zou me verbazen. Geef eens?'

Alma reikt hem de krant aan. Ze gaat ervoor zitten en beschouwt haar zoon met aandacht. Met bijna totaal gestrekte armen heft Johan de krant in de lucht; zijn ogen razen over de regels. Langzaam trekt de kleur uit zijn gezicht en verstrakken zijn wangen.

Mijn kind is een oude man, denkt Alma. Hij heeft een leesbril nodig, zijn kop is vervallen, die heerlijke babytoet is een grijze lap geworden. Nu krijgt hij een klap, ik zie hem wankelen. Hij kan geen tegenslag velen, hij zou meer veerkracht moeten hebben maar de rek gaat eruit. Dat doet de tijd met mijn wonderkind.

Johan zuigt de woorden van zijn broer in zich op, een stevig gefundeerd pleidooi voor een sobere, werkelijk eigentijdse schilderkunst. Voortzetting langs de gewaagde lijn van het loslaten van oude structuren, de lijn van het onderzoek naar geïsoleerde bestanddelen: materiaal, licht, kleur, vorm. De schilderkunst zou zich moeten spiegelen aan de muziek: een hedendaags componist die het idioom van Mozart hanteert is ondenkbaar. Kitsch. Achteroverleunen in de stoel van Vermeer. Huilend jongetje met Traan op Wang. Kruipen voor de sponsor. De oren laten hangen naar het publiek. Knieval voor de domheid. In zijn artikel noemt Oscar vele voorbeelden doch niet de naam van zijn broer. Wel wordt het Gemeentemuseum genoemd, dat zijn belangrijkste herfstexpositie aan een figuratieve schilder wijdt.

'Zeg Johan,' zegt Alma met priemende stem, uit een andere wereld, 'ik bedenk ineens dat Oscar hier komt eten vandaag, het is vrijdag. Wil jij even voor me naar de bakker gaan en twee tompoezen halen, ik heb geen nagerecht en Oscar is er zo op gesteld dat we verschillende gangen hebben. Waar is mijn beurs?' Tompoezen! Oscar! Hoe werkt dat mens haar kop eigenlijk? Een heel restaurant afhuren voor mij, duizenden guldens uitgeven voor een feestmaal ter ere van haar ene zoon en intussen de ander opstoken om dat succes te relativeren! Johan is met stomheid geslagen. Hij kijkt van Alma naar de krant heen en weer, hulpeloos heen en weer.

'Kijk, je moet het zó zien,' zegt zijn moeder. 'Oscar is een wetenschapsman, daar heeft hij voor geleerd en dat is zijn professie, zijn opdracht. Hij was altijd al aan het tellen en dingen op stapeltjes leggen die bij elkaar horen. Weet je nog die reuzendoos met potloden die je met Kerstmis kreeg?'

O, ja, dat weet Johan, het was de vervulling van een hartewens. In de etalage van de winkel in tekenmateriaal stond hij, de doos met honderd kleurpotloden in twee rijen. Iedere middag na school bracht Johan een kwartier door voor de ruit, zuchtend, verlangend, fantaserend. Hij kreeg een erectie van opwinding toen hij het platte pakket onder de kerstboom zag liggen, de onmogelijk dure prachtpotloden die Alma toch niet betalen kon?

Maar het wás zo, hij kreeg ze – van wie, mama, van wie? Meneer Karandasj, zei Alma. Dat staat op de doos. Ik dacht: meneer Karandasj is mijn vader. Hij weet dat ik kan tekenen. Hij wil mij de potloden geven. Mijn vader is meneer Karandasj. Godverdomme. Achterbaks gedoe. Geheimhouderij. Kutwijf.

'Avond aan avond tekende jij met de potloden,' gaat Alma voort. 'Als je klaar was legde Oscar ze terug in de doos, gerangschikt op kleur. Jij liet alles op tafel liggen, dwars door elkaar, je legde nooit iets terug. Maar Oscar kon dat. Hij was er soms wel een uur mee bezig, als hij op 't laatst nog een potlood vond op de grond dat ertussen moest. Dan verschoof hij veertig potloden om dat éne op de goede plaats te krijgen. Ja, Oscar leeft voor de wetenschap. En hij heeft overzicht, en opinies. Die zet hij in de krant als hem dat gevraagd wordt. Zo gaat dat. Daar hoef je niet zo driftig om te worden.'

'En jij, en jij,' stottert Johan, 'jij kan opvliegen met je tompoezen en je wetenschap. Strompel zelf maar naar de bakker om die oudbakken handel op te halen. Ik doe niet meer mee. En als Oscar zondag komt, die verrader, dan ben ik meteen vertrokken. Je kan kiezen, voor je diner: hij of ik.'

Nu schrikt Alma. Haar diner mag niet in gevaar komen, dat gaat te ver.

'Doe nou niet zo aangebrand. Ik zal met je broer praten, het is vast niet tegen jou bedoeld, hij kan het uitleggen, dat moet wel, misschien biedt hij zijn excuses aan, wil je dat?'

'Ik wil niet met hem aan tafel zitten. Punt. Nu niet en zondag niet.'

Johan staat op en wikkelt 'De Postbode' in de rode deken. Bij de deur draait hij zich om. Razend.

'Ik heb een verrassing voor je. Een gast die je in plaats van die onderkruiper aan je tafel kan neerzetten. Ik heb mijn vader geschreven. Ik heb Charles uitgenodigd, Charles, Charles, hoor je?!'

Johan beent weg, de deur knalt dicht. Hij zet 'De Postbode' zorgzaam op de achterbank van zijn auto en rijdt beheerst de straat uit.

Aan de tafel blijft de vrouw achter. De ademhaling is oppervlakkig. Zij heeft pijn in de linkerborst en de linkerbovenarm.

Rustig nadenken. Blijf even zitten zo. Ik wil gaan liggen, ik wil naar mijn kamer, dat is beter. Voorzichtig opstaan, steunen op de tafel. Adem krijgen. De stok rechts. Tussen tafel en stok naar de deur. Hoe kán hij zoiets doen? Zitten op het krukje naast de deur. Deur openen. De linkerarm voor het lichaam houden. Na alles wat ik voor hem gedaan heb. Opstaan, de gang oversteken. Het is de ergste belediging die hij me kan aandoen. Slaapkamerdeur. Het bed. Wat ik voel in mijn maag, in mijn buik. Dat is angst. Ik moet gaan liggen. Even liggen, een uurtje. Dan Oscar bellen. Of Ellen. Liggen, even denken. Ik ben bang, nee, woedend. Ontredderd. Ik móét mijn gedachten bijeenhouden. Met de jongens naar Xanten, hoe kom ik dáár nu bij? Veertig jaar geleden, ze moesten een Romeinse nederzetting zien. Vond ik. Daarna het stadje in, koffie met taart in zo'n weerzinwekkend Duits café. Even de kerk binnenlopen. Vond ik. Smetteloos gerestaureerd. Prikborden met foto's van vlak na het bombardement: een gehavende kooi zonder dak. De jongens speelden tikkertje in de kloostertuin. Johan griende, Oscar mepte hem te hard. Bij de toegang tot de kerk drie kruisen, van grijze steen, het leek beton. Die daaraan hingen waren de benen gebroken, vernield. Botsplinters staken naar buiten. Ik braakte achter de rozestruiken. Mijn arm doet pijn. Ik riep de jongens, vertelde een verhaal, zachtjes pratend toen we langs de kruisbeelden moesten zodat ze naar mijn gezicht keken en niet naar boven. Ze hingen hoog, de gemartelde mannen. Zo bang was ik, zo bang. Ik durf niet te gaan liggen. Blijf even zitten, straks gaat het weer.

Zij heft haar rechterarm en trekt één voor één de spelden uit het haar. Legt ze op het tafeltje naast het bed waar Johans expositie-uitnodiging ligt. Het versleten haar omhult de vrouw als een rouwmantel. Zij opent haar mond om te huilen van schrik en pijn maar er komt geen geluid.

Liggen, ik moet liggen. Benen omhoog, hoofd naar beneden, op het kussen. Niet durven. Waar vecht ik tegen? Ik ben een kapotte vlieger met gebroken rug die de afgrond in tuimelt. De draad is afgebroken. De zwarte afgrond. Charles. Hij noemde zijn naam. Na al die jaren. Het kán niet. Ik ben een bedorven bruid. Ik ben ziek van angst.

Johan, toerend door de zonnige stad, voelt zich opperbest. Dat hij Alma in verwarring kan brengen stemt hem opgeruimd. Hij leest zijn naam op de reclameborden in de grote winkelstraat en kijkt zijdelings in de etalages. Hier is de deftigste taartjeswinkel van de stad. Zo deftig dat de naam slechts met heel kleine letters in de zwarte gevel staat: Maison Davina. Een donkere vrouw in zomermantel komt de winkel uit en loopt naar een grote Volvo die voor de deur geparkeerd staat. Zij zet de zwarte doos met gouden opdruk op de achterbank, stapt in en rijdt rap weg, vlak voor Johan langs. In een opwelling schiet hij de opengevallen parkeerplaats in.

In de winkel is het donker en stil. Een jongeman in jacquet staat op een podium achterin en kijkt. Achter de toonbank, een vitrine in zwart glanzende steen gevat, staat een meisje, gekleed in witte blouse en zwarte rok. Smetteloos. In de hele winkel is geen taart te bekennen. Er staan een paar dozen met chocoladeflikken, er is een schaal met gebeeldhouwd fruit van marsepein en er zijn potjes met hagelslag. De prijzen zijn exorbitant, Johan denkt even dat ze uit pure chiqueheid in Franse francs zijn aangegeven, maar er worden wel degelijk Hollandse guldens bedoeld.

Het meisje kijkt hem vragend aan.

'Taart,' zegt Johan, 'appeltaart?'

'Nee, het spijt ons, dat is niet mogelijk.'

Waarom heeft het personeel in de betere banketbakkerszaken zo vaak een licht Duits accent? Het geeft Johan vertrouwen in de kwaliteit van het gebak, hij denkt dat die kunst in Duitsland goed ontwikkeld is.

Het meisje vertrouwt hem haar taarten niet toe. Een taart moet besteld worden, vraagt overleg en studie. Zomaar, in een impuls, een taart kopen lijkt op spontaan bordeelbezoek. Johan begint te zweten.

'Bezorgt u ook? In de stad?'
'Door het hele land, meneer. Wij hebben een eigen bestel-
dienst.'
'Kunt u vanmiddag een taart bezorgen voor mij?'
Het meisje werpt een blik naar het podium. Het jacquet slaat
een boek open en studeert daarin. Ja, knikt hij.
Johan geeft Alma's naam en adres op.
'Hoe laat had u gedacht?'
'Vier uur.'
'En welke taart mogen wij voor u bezorgen?'
Geen idee. Het meisje zal elke suggestie afwijzen. Kunnen ze
zelf niets bedenken? Dan ziet Johan dat er onder het glas van de
toonbank een grijzige, met poeder bestoven steen ligt, een ge-
fossiliseerde boomstam.
'Deze,' zegt hij zonder een spier te vertrekken.
Het meisje begint een verhandeling over inhoud en berei-
dingswijze van de steen. Ze houdt op als het jacquet discreet
hoest.
'En welke afzender mogen wij noteren?'
'Steenkamer,' zegt Johan.
Op een kaartje met de vergulde firmanaam schrijft het meisje:
de heer Steenkamer.
'Honderdvijfentwintig gulden alstublieft. Dat is inclusief de
bezorging. Dank u.'
Vederlicht en fluitend stapt Johan de winkel uit. Aan de over-
kant van de straat fietst Lisa voorbij.

Op het terras drinken ze spawater. Lisa neemt koffie erbij. Niets
eten, dat leidt af zo midden op de dag. Johan kijkt naar Lisa. Ze
draagt een lange rok met de roomwitte trui daarover. Kan ze wel
hebben met haar figuur. Glimmende, pas geschoren benen, de
blote voeten in mooie leren schoenen. Hoge hakken. De gebruinde hals is op het randje: pezig, maar nog geen vellen.
Prachtige bruine polsen. Lekker, eigenlijk. Hoe zou het zijn om
je handen in die rok te steken door de tailleband en de gespierde

fietskont te kneden? Lekker, vast. Het is er nooit van gekomen, al voelt hij dat zijn manier van kijken aan Lisa wel besteed is. Wat weet ik weinig van haar. Hoe leeft ze als Lawrence weg is? Zou ze een ander hebben? Zou ze haar ex nog wel eens zien en het met hem doen, ter ere van vroeger?

Wat gaat dat gemakkelijk met een bekend lichaam en vertrouwde gebaren, zoals laatst met Ellen, alsof het even weer toen is. Het telt ook niet, vindt Johan, vrijen met je ex. Zo verdiept is hij in wat hij ziet dat Lisa's vertellingen niet tot hem doordringen. Hij ziet haar gebaren met haar mooie handen, de lippen bewegen, de ogen worden groter en kleiner. Ze vertelt. Over Lawrence, over de kinderen hoort hij als hij weer naar de oppervlakte komt.

'...een stuk van het kustpad hebben ze gelopen, echt met een rugzak en een overnachting daarbij. Hoog boven de zee, aan de rand van de klippen. De week daarvoor was er iemand naar beneden gevallen. Ja, je weet het niet, misschien was hij wel gesprongen. Het lokt en trekt, die afgrond. Maar spannend was het geweest, ze gilden door elkaar in de telefoon. Lawrence zei dat er op het pad tegenwoordig kunstwerken staan opgesteld, moet je je voorstellen! Metalen objecten die geluiden maken in de wind, alsof die zee niet al voor genoeg herrie zorgt. En lelijk ook, zei hij.'

'Ja, vind je het gek,' zegt Johan. 'Al die lokale kunstartiesten die pottenbakken en drinknappen uit wortelhout beitelen, het is nergens goed voor en het leidt tot niets. Ze moesten ze gewoon de kolenmijnen in sturen. De warhoofden die "met metaal werken" voorop.'

Onverdraagzaam maar leuk om naar te luisteren, denkt Lisa. Meedogenloos vanuit de ijdelheid, maar ook vanuit zijn vakmanschap. Lisa kan zich daar wel in vinden, al durft zij niet zo uitgesproken te zijn.

'Hoe staat het met de voorbereidingen?'

Johan vertelt. 'De Postbode' is door de autoruiten zichtbaar, althans zijn rode deken. Jezus, Alma, Charles, Oscar!

'Waarom schrijft hij zoiets, precies nu, snap jij het? Jij hebt daarvoor doorgeleerd tenslotte. Hij wil mij stuk hebben, wegmaaien. En in die krant is hem dat nog gelukt ook, daar zal ik geen juichende recensie in krijgen. Hij heeft me altijd verschrikkelijk gepest en onderdrukt, zo lang als ik me herinneren kan. Ik zag wel tegen hem op, omdat hij zoveel wist. Ik was ook bang voor zijn verhalen. Heel vroeger sliepen we op één kamer, als Alma naar beneden was vertelde hij fluisterend de ergste dingen, monsters onder het bed, vampiers door de kier van het raam – dan lag ik nog uren stijf van angst wakker. Later had ik de grote kamer. Dat moet geweest zijn toen Charles wegging. Gek dat Oscar die niet kreeg, eigenlijk. Alma ging beneden slapen en ik kreeg een grote tekentafel op m'n eigen kamer. Zou die van Charles zijn geweest? Dat heb ik nooit durven vragen.'

'Heb je ooit iets van zijn werk gezien, hij schilderde toch voor hij naar Amerika ging?'

'Ik weet het niet, Lisa. Ik geloof dat ik er nooit zo over na heb gedacht, alles gebeurde gewoon, het ging zoals het ging. De laatste tijd pas vraag ik mezelf wel eens iets af, ik heb hem zelfs benaderd, Charles, ik heb hem een uitnodiging voor de vernissage gestuurd!'

'Komt hij, denk je?'

'Nee, dat lijkt me onwaarschijnlijk.' Verbaasd kijkt Johan op. 'Verdomd, een boot! Nu herinner ik het me weer. De grote slaapkamer, die later mijn kamer werd, was ook Charles' werkruimte. Zijn schilderijen stonden daar. Veel zal hij er niet gemaakt hebben, hij was zevenentwintig toen hij hem peerde, en er was in die tijd natuurlijk nauwelijks materiaal te krijgen. Maar ik weet nog een nacht, of een avond, dat hij Os en mij naar die kamer meenam, plechtig was het. En dat hij z'n schilderijen liet zien. Vier, geloof ik. Misschien omdat er vier muren zijn? Ik weet er nog één, daar stond een boot op, een grote zwarte boot. En linksonder vier mensen met hele enge, bedroefde gezichten. Een dreigende, reusachtige boot met gele patrijspoorten, als ogen. Maar het kan best dat het een soort geconstrueerde herinnering achteraf is, omdat ik weet dat hij met een boot is vertrokken.'

'Had Alma dat verteld?'

'Papa is met de boot weggegaan en komt nooit meer terug. Wij gaan nu zonder hem wonen. Al zijn spullen meteen weggedaan: schilderijen, het grote bed, z'n kleren, alles. Die tekentafel, daar ben ik onzeker over. Wat heeft ze met de schilderijen gedaan? Geen idee. Van tante Janna hoorde ik later hoe het gegaan was, dat Charles een opdracht voor een operadecor had en voor de sopraan viel. Die vrouw nam hem mee, van de ene dag op de andere. Nooit meer iets van zich laten horen voor zover ik weet. Met Alma was er niet over te praten.'

'Ze moet toch met hem gecommuniceerd hebben over juridische zaken: boedelscheiding, voogdij, dat soort dingen?'

'Ik weet het niet. Je kon niets vragen. Als je dat deed gaf ze gewoon geen antwoord. Oscar heeft zich er eerder bij neergelegd dan ik. Hij werd een soort plaatsvervangende man van Alma, nog steeds. Hij doet haar klusjes, hij eet bij haar, hij deed zelfs z'n was in haar machine tot voor kort. Nee, Oscar is meer uit op mijn ondergang dan op die van z'n vader, geloof ik.'

Lisa voelt medelijden met de geknechte zoon. Zo trouw z'n best doen om een goede man voor z'n moeder te zijn en dan jaar in jaar uit, tot op vandaag toe, moeten aanzien hoe Alma's ogen gaan glinsteren zodra Johan in zicht komt, Johan, die alle wetten overtreedt en toch de liefste is, steeds weer.

'En dan kunsthistoricus worden!' zegt ze. 'Altijd bezig met het bestuderen en documenteren van het soort mannen van wie hij het meest te lijden heeft gehad. Geen wonder dat hij eens uithaalt in de krant.'

Johan snuift verachtend.

'Hij heeft wel echt veel verstand van de techniek. Ik kan met niemand zo goed praten over ambachtelijke zaken als met Oscar. Maar we krijgen snel ruzie, net als vroeger. Ik ga naar huis, Lisa, ik wil op tijd zijn als de inpakkers komen. Fijn dat je zondag mee gaat eten. Ziet Ellen er erg tegenop?'

Wat zal ik zeggen, denkt Lisa, wat zal je begrijpen als ik iets zeg? Jij en je vader zijn de verleiders en wie zich laat verleiden raakt daar jaren van achterop. Wat is dat toch, is dat iets van vrouwen alleen? Dat je je week in je knieën voelt bij zo'n man, dat alles waarvan je weet dat het belangrijk voor je is, goed voor je is, ineens zijn betekenis verliest als hij een beroep op je doet. Dat hij je nodig heeft op dat uur, dat hij gered moet worden en nooit meer gekwetst, en dat jij dat kan? En dat je hem wil, dat je zijn donkere hoofd tegen je naakte buik wil drukken, en meer, en verder, op dat uur, op dat uur.

★

Na een uur onbeweeglijk op het bed gezeten te hebben heeft Alma de telefoon gepakt en het Nationaal Museum gebeld. Oscar was op zijn post en klonk licht geïrriteerd door de onverwachte contactname.

'Oscar, ik had graag dat je vandaag wat eerder kwam. Er is iets gebeurd. Vraag me niet wat. Dat kan ik door de telefoon niet zeggen.'

'Wat, wat dan, moeder? Is er iets met je, ben je ziek, ben je gevallen? Ik kom meteen.'

De irritatie is verdwenen. Oscar is ongerust; hij hoort aan Alma's stem dat zij in verwarring is.

'Nee, ik ben niet ziek. De telefoniste luistert mee, Oscar, dat is altijd zo bij instituten waar te weinig te doen is. Ik stel het op prijs als je een uurtje eerder komt, ik wil iets met je bespreken. Je hoeft niet op stel en sprong van je bureau weg te rennen.'

Omdat Oscars levensdoel eruit bestaat dat hij Alma overeind en in evenwicht houdt kan hij zich na het telefoongesprek niet meer op zijn werk concentreren. Zijn moeder heeft een hartaanval. Zij ligt met gebroken benen op de grond. Het huis staat in brand. Er is een overstroming. Zij is bestolen. Zij sterft. Hij pakt zijn tas in: een dik rapport van de directie, een dossier over een

62

onderzoek van de hoofdrestaurateur, de leesbril, de dikke sleutelbos die toegang geeft tot het museum en de afdelingen die onder Oscars beheer vallen.

Zwetend loopt hij naar het huis van zijn moeder, die nauwelijks verbaasd is hem zo snel al te zien. Zij heeft zich enigszins hersteld van de ochtendstormen; de pijn in haar arm en borst is gaan liggen maar zij heeft nog onvoldoende kracht in de armen om haar haren op te steken. Over alle stoelen hangen japonnen, rokken, jasjes. Oscar verwijdert een zilverblauwe, changeantzijden jurk van zijn vaste zitplaats. Hij is net op tijd gekomen, want vóór Alma kan gaan zitten gaat de bel en staat de bezorger van Maison Davina voor de deur. Confuus komt Alma de kamer in, stok rechts, taartdoos links.

De oude vrouw met de losse haren en de bebrilde man met de vogelnek buigen zich in verwondering over het glimmende voorwerp dat midden op het gevlekte tafelkleed staat. Alma klapt de deksel open. Daar ligt de fossiele boomstam met op zijn bast een kaartje: 'verzonden in opdracht van de heer Steenkamer'.

Snelle inademing van schrik. Dan een diepe zucht. Alma gaat er bij zitten. Oscar blijft in verwarring staan, pakt het kaartje en brengt het dicht onder zijn bril, het is of hij niet begrijpt wat er staat.

'Moeder, waar gaat dit over? Ik begrijp het niet.'

'Ik denk, jongen, dat het te maken heeft met het onderwerp waarover ik je wilde spreken. Je moet weten, Charles is in de stad. Je vader. Johan kwam het vanmorgen vertellen. En ik denk dat hij mij een attentie gestuurd heeft, om de kennismaking, het weerzien eigenlijk, wat in te leiden.'

Oscar is perplex. Steenkamer? Steenkamer! Natuurlijk heet zijn vader Steenkamer, heette althans vroeger zo. Zijn moeder zit als een jong meisje te zuchten en naar de steen in de fraaie doos te glariën. Dit moet ophouden. Dit mag niet.

'Moeder, je vergist je,' zegt Oscar hees. 'Ik heb zelf in mijn middagpauze deze cake besteld, als feestelijk nagerecht voor vanavond. Ik heb hem laten bezorgen omdat ik er niet mee rond wilde lopen in deze warmte.'

'Je liegt, zo'n dure taart zou jij nooit aanschaffen. Je liegt, Oscar, je liegt!'

'Niet waar, wel waar. Het is een feestelijk weekend, een belangrijk weekend met de opening van Johans expositie. Gezien de importantie daarvan voor de familie dacht ik dat een dure taart op zijn plaats was.'

Oscars stem wordt zachter. Hij zakt neer op zijn stoel en neemt zijn bril af. Krachteloos veegt hij met een zakdoek over de glazen. Verloren. Deze zet verloren. Wat nu? Haar afleiden. Haar duidelijk maken dat ze begoocheld is. Dat Charles niet bestaat, in ieder geval niet in de stad is, in elk geval geen belangstelling voor Alma heeft. Maar hoe?

Alma bevoelt de stof van de blauwe jurk. 'Deze dacht ik te dragen, zondag. Met de blauwe schoenen. Het is wel erg dat ik met de stok moet lopen, zou hij dat ontluisterend vinden?'

Haar gewoon zeggen: je bent een oude heks met vies haar, je vel hangt in plooien in je hals, je bent een vormeloze zak vol botten, er groeien lange witte haren uit je kin?

Dit is nog veel erger dan het oeverloze bewonderende gezeik over Johan. Daar is hij aan gewend, daar weet hij weg mee op zijn eigen manier. Een spel van geraakt worden en, na rijp beraad, bedachtzaam terugslaan. Toen Johan met Ellen was ging het makkelijker, had Alma minder aandacht voor haar lieveling. Oscar weet dat zijn moeder het slecht verdroeg dat Johan opging in zijn gezin, zo openlijk gekozen had voor een andere vrouw. Nou ja, opgaan? In de kunstwereld gingen de verhalen rond over Johan als vrouwenversierder. Oscar heeft zelf meer dan eens meegemaakt dat Johan zich aan een leerling of een model vergreep terwijl Ellen thuis bij de kinderen zat.

Voor Oscar was de scheiding een regelrechte bedreiging: Ellen was nog niet verhuisd of Alma wierp zich als vanouds op Johan. Oscar had het nakijken. De scheiding deed hem verdriet, niet alleen om de machinaties van de macht en de langzaam verglijdende familietelescoop, maar ook omdat hij op Ellen gesteld is. Zij is misschien wel de enige vrouw bij wie hij zich op z'n gemak voelt voor zover hij daartoe in staat is. Ze vindt niets gek, ze wil niets van hem en ze heeft geen verborgen bedoelingen. Het speet hem haar zo ontredderd en verdrietig te zien. Zijn woede over de toenemende schittering van Johans ster is van een heel andere orde. Met maagkramp nam Oscar kennis van het voornemen van het Gemeentemuseum om een overzichtstentoonstelling van Johans werk te organiseren. Op de vrijdagavonden kon hij niet eten van ellende als hij Alma hoorde zwatelen over de talenten van haar zoon. Oscar werd er misselijk van en trok zich regelmatig terug in de verbouwde wc waar hij met wurgende pijn over de pot hing en onproductief braakte naast de badslippers van zijn moeder. In het weekend kwam hij wat bij en beraamde plannen. Met grimmige voldoening schreef hij zijn kranteartikel dat hij handig onder aandacht van de kunstredactie bracht, gebruik makend van een vete tussen Gemeente- en Nationaal Museum. Vetes in de kunstwereld, daar lusten ze bij de ochtendkrant wel pap van, en ja hoor, meteen prijs.

Maar nu ben ik onthand, denkt Oscar, van deze euforie heb ik niet terug. Nooit heeft ze meer naar Charles getaald, ze heeft hem totaal afgezworen, we mochten zijn naam niet noemen, er was geen foto van hem meer in huis. Hij hoeft maar een taart te sturen en ze verliest alle greep op de werkelijkheid. Dit kan niet. Of toch? Wie heeft die taart laten brengen?

'Alma! Je weet toch dat Charles al lang niet meer Steenkamer heet? Hij is getrouwd met een Amerikaanse vrouw. Hij heeft kinderen. Hij heet Charles Stone. Hij is ons vergeten, Alma. Hij heeft geen weet van ons.'

Alma kijkt hem schuins aan, vanonder haar verontrustende losse haren. Oscar rilt, zo griezelig en anders dan anders is het allemaal. De blauwe jurk wil ze aan, ze wil zich mooi maken voor haar verloren prins!

'Dingen kunnen veranderen, Oscar. Daar is in jouw wereld

geen plaats voor, jij leeft met droge wetenschap. Er is meer mogelijk dan jij denkt.'

Ze kijkt naar de steen, als was die een bewijs van haar onzinnige woorden.

Oscar krijgt het koud in de broeihete kamer. Heeft ze hem al die jaren bedrogen, is ze naar Charles blijven verlangen, wás Charles er toch? Wat moet hij geloven, hoe moet hij de veranderde wereld zo snel mogelijk opnieuw in kaart brengen, waarop moet hij bouwen?

'Als jij nu eens naar de keuken ging, Oscar, en een kopje thee maakte.'

O ja, vier uur, thee, goed zo, dat is bekend. Oscar staat op, met nieuwe hoop.

'En neem die taart mee, dan kun je daar een stukje van snijden voor ons. We moeten hem toch keuren, nietwaar?'

Alma giechelt en schuift de doos over de tafel naar Oscar toe. Het kaartje is eruit, ziet hij, waarheen? In haar decolleté zeker, in haar geheime roze harnas, tegen haar hart.

Langzaam brengt hij zijn handen naar het grijze fossiel, tilt het op, draagt het de kamer uit.

'Intussen ga ik hier wat redderen, het lijkt wel een marktstal met al die japonnen, wat opruimen, aan kant maken.'

Alma's stem verdwijnt achter twee deuren, Oscar laat zich neer op de keukenstoel. Zijn handen hangen tussen zijn knieën. Time-out.

Als volwassene in de keuken van de kinderjaren is men een vreemdeling op bekend terrein. Men weet de weg, denkt althans te weten in welke lade het broodmes, in welke kast de peper, op welke plank de bekers verborgen zijn. Maar de bakens zijn verzet en op zoek naar de vergiet vindt men een stapel onbekende borden. In het gootsteenkastje waar vroeger de emaille afwasteil stond, met de zeepklopper en de houten kwast (je moest moedig zijn om het teiltje eruit te pakken want de gootsteenkast stond in directe verbinding met de stadsriolen, dat was te ruiken; als je hard tegen het teiltje schopte waren de riooldieren gewaarschuwd en bleven ze even, even op afstand) is nu een afvalemmertje gemonteerd dat vanzelf zijn bek opentrekt bij ontsluiting van het kastje.

Hoewel Oscar elke week in Alma's keuken rondscharrelt en dus op de hoogte is van de geleidelijk aangebrachte vernieuwingen is hij vandaag getroffen door een scherpe herinnering aan de keuken van vroeger. Het groenige zeil, in stukken gelegd zodat het patroon, een tegeltjesmotief, net niet doorliep (voor de gootsteen was het versleten en zag je de planken eronder vandaan komen; 's nachts kwamen de dieren ervan eten) is vervangen door donkergrijs kunststof met glijbeveiliging. De gootsteen heeft een dubbele bak gekregen, naadloos overgaand in het kunststof aanrecht waar nu de taartdoos op staat. Graniet, koude, keiharde steen. Een ondiepe, brede afwasbak met zwarte en witte tegeltjes. Bij het putje (luchtrooster voor de riooldieren, als je je oor erbij hield kon je ze soms horen ademen) waren drie tegels losgeraakt. Ze werden nog lang bewaard op een schoteltje in het raam voor ze – wanneer? waarom? – verdwenen. De opengevallen ruimte werd een thuishaven voor macaroni en theebladeren, met een theelepeltje eruit te scheppen door de afwasser.

De visschaal van tante Janna staat nog op zijn oude plaats in de servieskast: een compositie van stenen kop, staart en schubben waarin de te eten vis voorzichtig werd neergevlijd in een laatste paring.

Oscar zoekt achter de bekers van aardewerk naar de wijde theekopjes van vroeger, naar het donkergroene klimopmotief op de roomwitte, geribbelde achtergrond. Ja! Bovenste plank. Achterin.

Hij stapt van de stoel met de twee kopjes in zijn handen.

Bergplaatsen. Wat heeft ze nog meer verstopt? Vijfendertig jaar heeft hij de kopjes gemist, ze als verloren beschouwd; in een moment van verwarring, van onbeheerstheid, is hij op de keukenstoel gaan staan en heeft hij ze gevonden. Hij voelt het vertrouwde huis om hem heen een bedrieglijke bergplaats worden vol dreigende schatten.

67

Ze kan op mij rekenen, denkt Oscar. Ik ben totaal voorspelbaar. Ik zoek niet naar geheime laden, ik laat de vliering met rust en ik klim niet op een stoel om boven op een kast te kijken.

Kopjes neerzetten. Aan de vingers ruiken: vettig, oude lucht. Maar ik heb het gedaan, vandaag! Ik kan het! Zoals kapitein Cook uit het jongensboek, die de gave had om te weten waar land was, hij zag het aan de golven, rook het in de wind–zo ruik ik de verborgen liefdesbrieven, de vergane overhemden, alles wat die trouweloze heks van haar minnaar bewaard heeft. Omkeren, ik ga het hele huis omkeren!

De fluitketel. Zorgvuldig de theepot omspoelen met het hete water. Nog even terug op het gas, de kalk uit het water laten koken. Drie schepjes Lapsang in de pot. Snuiven. Gerookte plantage. Schepen vol specerijen. Opgieten. De toon van de theepot horen stijgen. Alles onder controle. De kapitein omklemt het roer en trekt de schoot strak. Voorwaarts!

Taart uit de doos, op de snijplank. Gedachteloos het grote vleesmes uit de lade pakken. De indringer ligt met het hoofd op het hakblok, verdoofd van angst, een verlamd slachtoffer. Oscar fixeert de boomstam met zijn blik en ziet uit zijn ooghoeken de middagzon flikkeren in het stalen lemmet. Het wordt licht en onbezorgd in zijn hoofd. Haast willoos ramt hij het mes door de taart, opspringend als het hakblok geraakt wordt. Záf! Het mes heffen. Záf! Springen. Záf. En nóg eens. Záf! Záf!

'Jongen, waar blijf je? Maak eens wat voort!'

Onthutst kijkt Oscar naar het mes in zijn handen, naar de gemutileerde boomstam, naar het stoomwolkje dat de tuit van de theepot ontstijgt. Stukjes boombast kleven tegen de muur, er ligt een donkere kers in de gootsteen en op Oscars bril zitten spetters chocoladecrème. Ook op zijn overhemd, ziet hij als hij de brilleglazen met de theedoek heeft schoongeveegd. Het mes wegleggen. Het colbertjasje dichtknopen. Twee stukjes taart uit het bloedige karkas losprepareren en op glazen schoteltjes leggen. In vorm boetseren. Met de wijsvinger de kers erin duwen. Ruiken: luxe, genot, liederlijke zoetheid. Lepeltjes. Het dienblad. Volgeladen de gang over zeilen, de kamer in laveren, de lading op de loskade zetten. 'Hoe is dat eigenlijk hier in huis? Waar zijn de spullen?' Oscars stem is luider dan gewoonlijk, hij spreekt door zijn angst heen, als een onverschrokken zeeman. 'Spullen, wat voor spullen? Dit is je eigen huis, je bent hier opgegroeid, je weet hier toch alles?' 'Papa z'n spullen.'

Alma gaat achteroverzitten, theekop in de hand. Ze heeft met opgetrokken wenkbrauwen de kopjes aanschouwd en de ruïneuze brokstukken van de taart. De chocolaspatten op Oscars broek en zijn opgewonden gelaatskleur zijn haar niet ontgaan.

'Toen Charles ons verliet,' zegt Alma met lage, rustige stem, 'heb ik zo snel mogelijk al zijn bezittingen verwijderd. Ik wist dat hij niet meer zou terugkeren en dat hij geen prijs stelde op de zaken die hij had achtergelaten. Ik kon daarmee doen wat mij goeddunkte. Als jullie overdag naar school waren kwam Janna hier om mij met het opruimen te helpen. Het grote bed heb ik verkocht aan een veilinghuis, net als de draagbare ezel en alle schildersspullen. En zijn stoel. Janna heeft de kleren ingepakt en naar het Leger des Heils gebracht. Ook de schoenen en de jassen. Alles is verdwenen, er zal geen zwerver meer zijn die nu nog in je vaders laarzen rondloopt. Weg, voorbij. Vraag maar aan tante Janna als je het niet gelooft!'

Oscar laat zijn thee onaangeroerd en kijkt aandachtig naar zijn moeders gezicht.

'En de tekentafel dan, die Johan op de grote kamer mocht hebben?'

'Ja, daar heb je gelijk in, die was inderdaad van Charles. Gloednieuw, hij had hem net aangeschaft om dat decor op te tekenen. Dus ik vond dat dat niet telde, het was geen besmet voorwerp dat hij jarenlang gebruikt had. En voor Johan kwam het goed uit, dus ik heb hem laten staan.'

'Zie je wel dat je tegen me liegt. Je verzwijgt dingen, als ik niets aan je vraag vertel jij ook niets, en niemand, nooit. Waar zijn zijn brieven? Iemand van vijfentwintig heeft toch papieren, oude schoolrapporten, dagboeken, weet ik veel, een schetsboek? Foto's!'

'Verbrand, Oscar. In de kachel. Het was een kille, natte zomer. Ik maakte 's avonds de kachel aan als jullie sliepen en stukje bij beetje heb ik Charles' hele archief opgestookt. Je weet, we hadden geen centrale verwarming toen, alleen een kolenhaard in de kamer.'

Oscar denkt aan de haard met het glimmende gebit en het vuur achter de micaruitjes. 's Avonds, voor het naar bed gaan, stonden Johan en hij ervoor om warm te worden. In hun pyjama's. De hitte schroeide tegen je billen tot het niet te verdragen was. De voorkant kon minder lang. Een grote leren stoel stond bij de haard, met brede, opgestopte leuningen waar ze op zaten, hij en het broertje, hun blote voeten in – waarin? waartussen? Tussen de dijen van de vader! Onder het voorleesboek. Voorzichtig, om de walgelijke blote huid van Johans dikke voetjes niet aan te raken, voorzichtig de tenen bewegen in die heerlijke geheime ruimte; een geur van tabak; een gevoel van opgetogen spanning. Daarna tussen de ijskoude lakens, de deur op een kier omdat Johan bang was in het donker. Luisteren, aandachtig luisteren naar wat? De gehate ademhaling uit het spijlenbedje? Nee, het gevoel is vol verwachting, blij. Vier aangetokkelde tonen, van hoog naar laag: a, d, g, c. Dan voller, twee aan twee gestreken. De onderste toon zweeft op en neer tot ineens de tweeklank glans krijgt. En dan: Het Lied. Johan is in slaap gevallen. Vader speelt alleen voor mij, het mooiste, droevigste lied van de wereld. Voor mij, want ik hoor het, ik hoor de tonen klimmen en weer naar beneden vallen, zo treurig dat je ervan huilen moet; ik wacht op het einde, tot het allerlaatste stukje waar het lied eindelijk naar boven gaat en daar blijft.

'De viool! Waar is de altviool gebleven? Die heb je toch niet in de kachel gekeild? Of wel soms? Waar is papa's viool?'

Oscar is opgesprongen en gebaart woest tegen zijn moeder, de woorden stromen zijn mond uit, ze is een bedriegster, een achterbakse toverheks, hij gelooft niets van haar verhalen, ze moet haar mond houden en hij gaat zelf op zoek, hij wil zelf zien wat er van zijn vader stiekem bewaard is gebleven in dit huis. Blind stormt hij de trap op, de tranen staan in zijn ogen maar deze trap kan hij in het donker bestijgen. Boven is de vloerbedekking nog als vroeger: matting die ineens de driftige voetstappen dempt.

De tegenstrijdige motieven brengen hem in opperste verwarring: elk levensteken van zijn vader wil hij overboord werpen, buiten bereik van de onbetrouwbare moeder, hij wil Charles uit het huis wegvagen zodat Alma nooit meer aan hem denken zal. Maar wil hij niet ook, wankelend op de vlieringtrap, de altviool vinden op de muffe zolder, het instrument tegen zijn borst drukken en ermee naar huis zwemmen als een drenkeling met de reddingsboei?

Achter zich hoort hij Alma de trap op zwoegen; de stok klettert tegen de muur. Ze roept, ze schreeuwt naar hem, Oscar, haar zoon die ineens onbeheersbaar geworden is als een fok aan een gebroken stag.

Met zijn zere kop duwt hij het vlieringluik open. Het valt met een klap omver. Stof wolkt op. Alma schudt aan de ladder: 'Laat dat! Kom naar beneden!'; ze port met haar stok tegen zijn billen, de onderhelft van zijn lichaam verkeert in chaotische omstandigheden. De bovenhelft echter geniet totale rust: als de ogen aan het gedempte licht gewend zijn geraakt ziet Oscar rechte planken zover de blik reikt. Een lege vloer, bedekt met een teer stoflaagje.

3 Vluchtwegen

Nog houdt het land de zomer vast. Het water ligt rimpelloos tussen de grazige oevers, de koelte van de nacht wordt zonder morren binnen een half uur opgegeven zodra de zon de nevel heeft weggeruimd. Alle groen is donker en de lenteschakeringen, geelachtig, zilvergrijs, lichtgroen, zijn allang verdwenen in de volle bomen. Het uitgeslagen blad neemt genoegen met de dauw en denkt nog niet aan roesten, de sappen terugtrekken, afstoten.

Ook op de grond heerst rustige weelde: bolle graspollen met lange, vette sprieten; grote, behaarde bladeren aan de kruipende planten waaronder courgettes en oranje pompoenen schuilgaan; de sla is uit de krop gebarsten en doorgeschoten.

Uit het slaapkamerraam kijkt Lisa over de boomgaard heen naar de rivier, waar een fuut zo stil als een papieren bootje voorbijglijdt, naar het dampende grasland daarachter. Zij zit een kwartiertje met haar ellebogen op de vensterbank, zich verliezend in onsamenhangende ochtendgedachten. De lange, vrije dag die voor haar ligt geeft haar een loom en tijdloos gevoel. Geen aankleeddwang, geen make-up, geen agenda! Het huis achter haar rug is nadrukkelijk en heerlijk leeg.

In haar lange ochtendjas gaat zij naar beneden. Ze loopt blootsvoets door het vochtige gras onder de bomen, naar de rivier, terug langs de overdadige en verwaarloosde moestuin, naar het terras waar het onkruid tomeloos tussen de tegels groeit. Over de ton gebogen ziet zij in de diepte langzaam de grote slome zwemmen, met minimale beweging van de staart. Ze zet een stoel tussen de stokrozen en bekijkt de veelstammige vijgeboom. Tientallen vruchten dit jaar, alsof de rivier de Middel-

73

landse Zee is. Lisa plukt er een, de boom laat hem moeilijk los. Zoet. Vakantiegeur.

Zitten met koffie en de krant van gisteren. Het is nog niet warm of koud, de temperatuur is volstrekt lichaamseigen. Rust, rust, rust.

Lisa heeft de voorkant van het huis zo ontoegankelijk mogelijk gemaakt: de gordijnen dichtgedaan en het hek gesloten. Over een uur beginnen de mensenstromen op gang te komen, dan gaan de dorpelingen boodschappen doen en in hun voortuintjes op de spades hangen, hongerig naar samenspraak. Dan komen er uit de stad groepen mannen op racefietsen met glimmende zwarte broeken over hun kont en helmen op hun hoofd. Ze slaken waarschuwende kreten als ze op topsnelheid door de dorpsstraat stuiven, rakelings langs het statig voorttrappende echtpaar met boodschappentas aan het stuur, onzedelijk dicht langs de wandelende dames in hun schotsgeruite broekrokken. Zweetlucht, lichaamswarmte voelbaar tegen de damesarmen, drie meter verder een theatrale spuugklodder in de berm. Dan zal ook de vlakke waterspiegel gebroken worden door de vloot motorboten, door de ongeduldige zeilers die voor de sluis moeten wachten op hun doorvaart naar het meer, door de omgekeerde roeiers die het niet uitmaakt waar ze gaan.

Lisa zit veilig in haar tuin. De telefoon durft ze niet af te zetten: de kinderen zouden kunnen bellen, en het gaat ook te ver. Ze wil zich niet isoleren maar ze wil nee kunnen zeggen. Asociaal, denkt ze. Ben ik bang voor mensen? Ik zeg altijd dat het door het werk komt, de hele week hoor ik mensen aan, moet ik me in hen verplaatsen, met hen mee of voor hen uit denken, vormgeven aan een gesprek, steeds bedenken welk effect mijn woorden zullen hebben, alsmaar beschikbaar zijn.

Onzin, geklets. Het ís wel zo maar je zou voor hetzelfde geld een omgekeerde redenering kunnen opzetten waarin de patiënten dienstbaar allerlei interessant materiaal komen aandragen om Lisa's vernuft te vermaken.

Als ze door het dorp loopt sluit zij haar gezicht zodra iemand aanstalten lijkt te maken om haar aan te spreken. Het gedwongen met een ander mens in een kleine ruimte verkeren kost haar geen enkele moeite als het een patiënt betreft doch put haar volstrekt uit als het gaat om iemand in een lift, een medewachtende voor de bakkerstoonbank of een minder gewenste bezoeker in haar eigen huiskamer. Aan tafel moeten zitten met mensen die niet haar intieme vrienden zijn is het allerergste. Gedwongen zijn om te luisteren naar de eetgeluiden – slurpen, smakken, kauwen, slikken. Dat verdraagt ze slechts door uit zichzelf te treden en zich zo ontoegankelijk te maken als de voorgevel van haar huis. De heftigheid van deze afkeer maakt haar bang, maar zo is het: Lisa moet vluchten voor alles wat verwijst naar bijten, vermorzelen en verzwelgen.

Om half tien, zodra het met enig fatsoen kan, belt Ellen. Haar geldt Lisa's afkeer niet. Zelfs het in één huis wonen samen met haar vriendin is voorstelbaar en zou slechts minimale moeite kosten, denkt Lisa. Minder moeite dan het samenleven met een man.

Ellen klinkt onrustig. Het is of de opwinding van het stadsleven door de telefoonlijn de stille keuken binnenstroomt.

'Heb je plannen vandaag, moet je iets?'

'Helemaal niets. Ik wil wel naar buiten, zullen we een eindje lopen?'

Ellen en Lisa zijn wandelaars. Zij lopen lange afstanden, soms dagen achtereen in vreemde landen, zij dragen hun kleren in een rugzak mee en overnachten in landelijke herbergen. Door het jaar heen maken zij regelmatig een dag vrij om, ongeacht het seizoen, in vervaarlijk tempo de stad uit te lopen naar een bushalte of treinstation een kilometer of veertig verderop.

'Ik kan niet echt, vandaag,' zegt Ellen. 'Ik wil in de middag terug zijn, er is zoveel te doen nog, voor morgen. Ik heb geen rust. Maar een rondje om de plas, vanochtend, dat kan.'

'Kom maar hierheen, dan zien we wel.'

Ellen heeft de wandelschoenen achter op haar fiets gebonden, Lisa heeft ze al aan. Het zijn prachtconstructies van stevig leer, zodanig gevouwen en dicht te snoeren dat er geen water doorheen komt, oprijzend vanuit een drievoudig gelaagde zool. Het profiel geeft houvast op steen, op hellingen bezaaid met fijne dennenaalden, in ondiepe rivieren. Het lopen op deze schoenen is een vreugde: iedere gezette stap geeft ruim krediet voor de volgende, de voeten voelen zich recht gedaan en peinzen er niet over om blaren te ontwikkelen. Het aandoen van het loopgerei alleen al veroorzaakt een bescheiden innerlijke vreugde.

Lisa sluit af. Zij stopt twee kleine plastic emmers in haar rugzak; langs de plas groeien bramen die zij plukken wil.

Ze lopen zwijgend het dorp uit en beginnen pas te praten als er gras onder de voeten is.

'Ik geloof dat Alma niet goed bij haar hoofd raakt,' zegt Ellen. 'Niet dat ze dementeert of zo, maar de spanning wordt haar te veel, ze doet vreemd. Sinds ze weet dat Johan Charles heeft geschreven gelooft ze echt dat hij komt. Al meer dan veertig jaar leeft ze zonder die man, en weet je wat ze doet? Ze tut zich op, ze maakt zich mooi, ze gedraagt zich als een verliefd schaap van vijftien.'

'Hoe weet je dat, heb je haar gesproken?'

'Ze belde gistermiddag. Totaal van streek. Johan was woedend weggelopen, ze hadden ruzie gehad over dat artikel van Oscar, ze liet nog even vallen dat hij niet bij haar diner wilde zijn, maar dat waren allemaal kleinigheden. Ze had het uitsluitend over Charles. Dat die in de stad was en haar wou zien. Ze ratelde, met een hoge stem, ze was zichzelf niet. Ik schrok ervan. Hele verhalen over wat ze áán zou trekken, wat ik haar adviseerde, of ik nog tijd had om iets nieuws met haar te gaan kopen. En de stok, wat ze met die stok moest. Ze kan geen stap zetten zonder! Wat hij zou denken als hij zag dat ze niet goed kon lopen, of ze de hele receptie op een stoel zou kunnen zitten. Het maalde in haar kop. Dat hij natuurlijk mee moest dineren, ze zou "De Verloren Karper" meteen bellen; moest hij dan naast haar zitten of juist niet – het hield niet op.'

'Jezus, Ellen. Vijfenzeventig jaar. Je moet dus altijd blijven oppassen. Er zou een leeftijdsgrens moeten zijn; daarna kan het je niet meer schelen hoe je eruitziet, dan ben je niet meer ontvankelijk voor mannensignalen. Eigenlijk zou dat allemaal moeten ophouden met de vruchtbaarheid. Dan heb je daarna nog de helft van je leven echt voor jezelf.'

'De kapper! Ze wilde naar mijn kapper. Terwijl ze dat altijd geweigerd heeft, haar buurtkapper was goed genoeg vond ze. Weet je nog dat ik haar een totale saneringsbeurt wilde aanbieden toen ze zeventig werd? Onzin, zei ze. Ik moest het geld maar aan de walvissenzorg overmaken! Nu moest het op stel en sprong, daarom belde ze me eigenlijk.'

'Nou ja, haar haar lijkt wel van dat ingekuilde hooi,' zegt Lisa peinzend. 'Dus naar een goede haarkunstenaar kan geen kwaad. In dit geval. Kon hij haar nog plaatsen, je haarprins?'

'Nee, maar hij perst haar vanmiddag in het rooster. Hij hoorde zeker aan mijn stem dat het me hoog zat, de schat. De jongens hebben een afspraak met haar, erna. Ik heb zo'n gevoel dat ze moet worden opgevangen en in de gaten gehouden, door de familie.'

'Het is nog steeds jouw familie, hè?'

'Ja, dat is zo gebleven. Zij is de oma van mijn kinderen, Oscar de oom. Ja. 's Avonds belde ze me weer. Had ze ruzie met Oscar gehad, die was óók woedend het huis uit gelopen! Hij verdroeg het niet dat ze weer contact met Charles had, zei Alma tegen mij. Héb je eigenlijk contact met hem, vroeg ik, want ik zou wel willen weten wat er nu eigenlijk waar is van al die verhalen. Ja, zei ze, Charles had haar 's middags een pakje laten bezorgen van Maison Davina, met een prachtige taart erin. Daarover was Oscar dus in woede ontstoken. Hij had er niet eens van geproefd, zei ze. Ze klonk alsof ze er plezier in had, alsof haar minnaars om haar aan het vechten waren. Ik hoop niet dat ze een hartaanval krijgt.'

'En Johan, heb je hem nog gesproken? Ik kwam hem gister

tegen, we hebben even wat gedronken, hij kwam van Alma vandaan. Ik kreeg niet de indruk dat hij kwaad was, of dwars zou gaan liggen op haar diner. We hebben het over Charles gehad, over Johans herinneringen aan hem. Hij vertelde van de contactpogingen, maar vrij rustig. Johan is vaak weer rustig als hij even geraasd heeft, toch?'
Ellen lacht.
'Daar ben ik nog steeds blij om, dat ik die stemmingswisselingen niet meer van dichtbij hoef mee te maken. Ik denk ook niet dat hij de boel gaat verstoren, nu. Hij heeft een groter belang op dit moment, daarbij vallen die familiewrijvingen in het niet. Hij komt op de tv, en in de krant, hij wordt ineens een gezaghebbende schilder, dáár gaat het voor hem om.
Ik heb hem niet meer gezien na vorige week. Ik moet een beetje afstand houden, je wankelt toch. En ik wil het niet, ik was zo blij met m'n rust.'
'Heb je eigenlijk ooit iets met die vorige baas van je gehad?' vraagt Lisa nieuwsgierig. 'Die houtkoning die zo lief voor je was?'
'Hij vond mij leuk, en ik was verguld dat hij me leuk vond. Johan was zo'n lul in die tijd, ik was heel gevoelig voor iemand die aan me dacht, beleefd was, aardig. Maar fysiek is het nooit echt van de grond gekomen. Wel eens geprobeerd, maar het werd lachwekkend. Met je blote kont op zo'n bureau, in een verlaten kantoor. En hij met die keurige grijze herenbroek op z'n enkels, we schoten beiden in de lach. Dat is ook wel een teken dat er geen sprake is van echte vervoering. Het was wel zo ernstig dat het geprobeerd moest worden. We hebben er later ook nog wel om moeten lachen, maar het kantoorneuken hebben we eraan gegeven. En echt wankelen was er niet bij, dus.'

Ze lopen. Door oeverlanden, tussen riet en over hoge houten bruggen met kippenladders. Mensen zitten op uitgespreide dekens te eten, op meegebrachte klapstoelen te lezen, op steigers te vissen. Kinderen zwemmen, duwen elkaar van autobanden het water in, woest ogende mannen zijn in de weer met surfplanken, midden op het water krioelt het van de zeilboten. Niemand loopt. Het pad verbreedt zich tot een strook grasland tussen twee wateren. Het is omzoomd door hoge braamstruiken. De takken zijn zwaar van de zwarte vruchten. 'Doen?' vraagt Lisa. 'Je raakt wel volstrekt geschramd en bebloed, ze hebben zulke gemene stekels.'

De mooiste bramen liggen in het gras, aan de onderste takken. Ze knielen, buigen de grassen opzij, lichten voorzichtig de tak op en nemen de bramen eraf die zo rijp zijn dat ze in de hand vallen. Verzamelen. Alleen denken aan deze tak, en dan die. Dan de volgende struik. Ellen voelt zich tot rust komen, Lisa denkt niet meer. Er is alleen de zon die hun ruggen warmt, de emmers die geleidelijk gevuld worden, de zoete bramenlucht, het schemeren van de zwarte vlekken voor hun ogen.

Dan met blauwe bekken en geschramde armen naar huis. Zweten. Het heet hebben. De oogst op de tuintafel. Tevreden, met een sigaret, ernaast. Schoenen uit.

'Ik maak jam voor je, vanmiddag,' zegt Lisa. 'Die kom ik je volgende week brengen. Na alles.'

'Goed. Fijn. Lekker.'

Beiden denken aan morgen. Nog even niet. Nog even zo samen in de tuin zitten, geen gezin hebben, geen familie, geen plichten, geen werk. Op de achtergrond van hun gedachten zoeken ze al in hun klerenkast. Moet je kousen aan, heb ik nog een nieuwe panty zo in de zomer; ze zoeken een parkeerplaats, denken aan hoe laat, hoe lang, wie zullen er zijn, wat hangt er eigenlijk, hoe moeten de op drift geraakte familieleden in toom worden gehouden?

'Zwemmen?'

Achter in de boomgaard, uit het zicht van eventuele buren, stappen ze uit hun kleren en laten zich in het bruine rivierwater zakken. De bodem is week, de voeten hangen even in modder. Het koele water vaagt het branden van de horzelbeten weg, de huid trekt strak en laat de vlekken van bloed en bramen gaan.

79

Met dichte ogen ruggelings in de rivier liggen, water in je haar, in je oren. Zachtjes meegezogen worden door de trage stroming, je omdraaien, loom naar de kant zwemmen, linkerwang in het water, rechterwang, links, rechts; en dan je weer met het water mee laten voeren, zonder in te grijpen, zonder angst.

Lisa pakt de grote jampan van boven uit de keukenkast. Ze weegt de bramen in hun verwaarloosbaar lichte plastic bakjes en laat ze in de pan vallen. Vuur eronder, deksel erop. De vruchten zijn zo rijp dat er geen water bij hoeft. Na vijf minuten licht Lisa het deksel eraf en openbaart een gruwelijk tafereel: tientallen witte wormpjes of maden of hoe ze ook heten zijn vanuit hun gezellige braam in doodsnood omhooggekropen toen de hitte toenam. Ze zitten tegen het deksel dat Lisa afspoelt onder de kraan, ze krimpen tegen de hete wanden van de pan (wegvegen met een papiertje; doodgedrukt in de vuilnisbak) en ze richten zich op, heen en weer zwaaiend met het zwarte puntje dat Lisa voor de kop aanziet, geen aanhechtingsplaats vindend, hulpeloos wachtend tot Lisa ze met de lepel uit de hitte verlost. Niet om ze terug te zetten op de braamstruiken in de tuin, maar om ze genadeloos door de afvoer te spoelen.

Doorkoken tot de stevige vruchten gereduceerd zijn tot zwarte velletjes, drijvend in een zee van bloed. Wie onwillig is om zijn vorm prijs te geven wordt met de houten lepel tegen de kant geplet. Dan lukt het wel. Bloedsporen sijpelen naar beneden. De suiker staat al klaar. Ongelooflijk hoe die stinkt als je er echt aan ruikt. Het vruchtesap in de pan krijgt de suiker in grote porties door de strot geduwd. Lisa roert na ieder suikerbombardement krachtig in de pan, tot het ophouden van het krassende geluid aangeeft dat het sap de suiker geassimileerd heeft. Dan de volgende schep. En de volgende.

Langzamerhand voltrekt zich een wonder. Het sap wordt meegaand, laat gemakkelijker de lepel in zich ronddwalen en wint aan soepelheid. De uit de pan opstijgende damp is welriekend en doet het glazuur van de tanden krimpen. Het wonder zit in de kleurverandering. Als alle suiker geabsorbeerd is oogt het mengsel als een warmrood gloeiende zee, helder en fonkelend waar eerst drab en duisternis was. Lisa meet de vloeistofstand. Op twee derde daarvan zet zij met potlood een streep op de lepel. Tot daar toe moet het vocht inkoken om later, bij afkocling, tot de juiste dikte te geraken. Temmen, heersen, kleinkrijgen. Het vuur hoog laten staan. Intussen wast Lisa de glazen potten af en legt ze in heet water. De pan wordt andermaal het toneel voor een wreed schouwspel. De dikke laag vredig vruchtvlees aan de oppervlakte raakt in beweging; de cirkel van de gasvlammen wordt zichtbaar in het patroon van bobbels en bulten in de bramensoep. Als de spanning toeneemt gaan ze één voor één knappen en laten als kleine vulkaantjes hun lava gaan. Heftiger wordt de beweging, hoger de heuvels. De bergen gorden zich aaneen, vormen een massief tegen de pannewand; in het midden verzamelt zich de lava. Twee bergketens keren zich tegen elkaar, duwen elkaar omver, strijden om de heerschappij tot er een verliest en als een aardschol onder de andere schuift. De vulkanische activiteit is zo hevig dat de hete vloeistof stijgt en stijgt in de pan; met knappende luchtbellen, met felrode geiserstralen volvoeren de bramen hun laatste offensief. Als Lisa nu niet ingrijpt door het laag zetten van de vuurbron en het mengen van lucht door het kokende vocht, als ze zo blijft staan met de lepel werkeloos in de rechterhand, de gasknop onbeweeglijk onder de linker, als ze haar ogen niet af kan blijven houden van de agressieve rode smeltkroes – dan zou de boel overkoken en kleverige paarsrode vlekken maken op fornuis en vloer.

Aan haar de keuze: opgaan in het gevecht of sussen van de strijd.

Terwijl de jam rustig pruttelt desinfecteert Lisa de potten en zet ze in het gelid. De druppels die na het roeren aan de houten lepel blijven hangen worden allengs dikker en laten zichzelf moeilijker vallen. Van tijd tot tijd komt er in het midden van de pan een wolkje roze schuim bovendrijven dat Lisa eraf schept zodat het fonkelend rood ongeschonden blijft.

Plotseling verdiept zich de kleur, het rood verdonkert als teken dat de juiste dikte bereikt is. Het vuur kan uit, het vullen van de potten kan beginnen. Als de laatste kookbellen tot rust gekomen zijn roert Lisa een lepeltje natriumbenzoaat door de vruchtenmassa. Het stinkt even. Het is prachtig en diep bevredigend om de natuur gaaf op de keukenplanken te hebben staan, maar het leidt tot intense teleurstelling als bij opening van de jampot een groenwitte deken van schimmel zichtbaar wordt. De overwinnaar zorgt dat de overwonnene zich niet tegen hem keert als hij zich heeft teruggetrokken. Hij laat een bewakingsgarnizoen achter als hij slim is.

Langzaam giet ze de hete jam in de potten. Deksel erop, even omdraaien, wegzetten op het met een natte lap bedekte dienblad. Bedwongen, gevangen en beschaamd staan de bramen daar te blozen. Lisa heeft gewonnen.

*

Alma is begonnen aan een gevecht waarvan zij de omvang met geen mogelijkheid kan overzien. Op het heetst van de dag zit zij op een rieten stoel voor de openstaande tuindeuren. Zij is gekleed in een roze onderjurk. Tegen haar witte blote benen kruipen paarse aderen op als wingerd in de winter; haar voeten zijn begroeid met knobbels, gelig eelt en verkalkte nagels. Leunend op haar stok kijkt zij naar beneden, naar deze ellende die haar nu pas echt als storend opvalt omdat ze er nooit last van heeft.

Een pedicurebeurt lukt niet meer en zelf kan ze er niets aan opknappen. Er zit niets anders op dan alles stevig in dikke kousen te verpakken. Alma heeft een kousenbankje waarop zij haar voeten kan laten rusten tijdens het opstropen van de kous. Zij maakt de kousen vast met jarretelles, dat is gemakkelijker om aan te trekken dan een panty, al is het minder comfortabel in het dragen. Haar hele leven heeft Alma een ijzertje van een jarretellegordel in haar rug gevoeld.

Zij kijkt de kamer rond. Ze heeft er een troep van gemaakt met al die neergeworpen jurken. Een voor een brengt ze ze terug naar de klerenkast. Behalve de blauwe zijden, die wordt op een knaapje daarvóór gehangen.

Ik kan niet in mijn onderjurk naar de kapper. Als ik de blauwe nu aandoe wordt hij misschien vies. Ik zweet. Er komen kleine haartjes in de kraag. Verfsporen. Goed dat ik eraan denk.

Alma neemt een katoenen zomerjurk uit de kast, blauw met witte bloemen. Zij loopt ermee naar haar bed en kleedt zich zittend aan. Elke manoeuvre waarbij voorwerpen verplaatst of meegenomen moeten worden vraagt nauwkeurige overdenking van tevoren. Zij kan niet zonder stok, zij heeft zelfs bij het staan een steunpunt nodig. Door de verhoogde concentratie loopt alles als een trein, maar enige reflectie is uitgesloten.

Een taxi. Ik moet een taxi bestellen. Het nummer van de taxistandplaats is door Oscar zorgzaam bij de telefoon geschreven. Om drie uur zal er iemand komen, zeker, mevrouw, zeker weten!

In haar handtas stopt Alma honderden guldens, zij heeft geen idee hoeveel zij de kapper zal betalen en geen idee wat zij nog meer zal gaan doen. Alles is zo anders geworden. Als zij even voelt hoe het met haar lichaam gesteld is merkt ze een zeurderige pijn in het heupgewricht op en een moe gevoel in de rug. De pijn in de linkerarm is weg; wel voelt de arm vreemd vermoeid aan, alsof hij er niet echt bij hoort. Het lukt nog niet om het haar op te steken.

Straks moet het toch weer los. Ik laat het zo.

In de spiegel van de wc kijkend is ze daar niet zo zeker meer van. Haar bleke gezicht met de benige neus krijgt door de krans van losse haren iets ongezonds, zij ziet er ziekelijk en ronduit onaangenaam uit. Een hoofddoek, een sjaal eromheen.

Heb ik wat gegeten vandaag? Ik moet wat drinken met die warmte.

Alma stommelt naar de keuken waar het een immense chaos is. Op het aanrecht liggen de brokstukken van de stenen taart. Op het fornuis staan pannen met eten van gisteren, het avondmaal voor Oscar dat nooit genuttigd werd. Vuile borden, kopjes met resten koffie erin, een weeë lucht van vies vaatwerk. Zij drinkt een glas water en sluit de keukendeur. Men moet prioriteiten stellen. Met de handtas op schoot en de stok naast zich gaat zij zitten op de stoel bij de voordeur. Zuchten. Het gezicht droogvegen met de witte zakdoek. Tranen? Ja, tranen. Wat ben ik aan het doen, wat is er allemaal ineens? Ik zou ergens achteraan maar waarom? En ik kan niet eens meer rennen. De jongens. Ik heb een afspraak met de jongens!

Die gedachte geeft Alma rust. Haar kleinkinderen komen haar halen van de vreemde kapper. Een vaag gevoel dat het toch in orde is als de familie ervan weet komt over haar. Rustig ademend wacht zij op de taxichauffeur. Zij heeft de huissleutel in de hand, zij zal de deur afsluiten voor zij in de auto stapt. Sleutel en tas links, stok rechts, voeten op de vloer.

Zonder aarzelen stapt Alma binnen bij de kapper en staat in een lichte ontvangstruimte met etalageruiten. Er is een balie waarachter een vrouw zit te telefoneren. Haar hoofd is geschoren, lichte blonde stekeltjes wijzen alle kanten op. De vrouw kijkt in Alma's richting maar praat verder in de telefoon. Voor de etalageruit is een tafeltje met stoeltjes. Daar zit een andere klant, een vrouw van Ellens leeftijd. Een trap gaat omhoog naar het eigenlijke kappersgedeelte, waar schots en scheef spiegels staan opgesteld met hoge stoelen ervoor. Daartussen bewegen zich jonge mannen in zwarte kleding dansend heen en weer. Wanhopige, beukende muziek dreunt door de hele winkel.

Nu bevangt Alma een impuls om rechtsomkeert te maken. Maar de taxi is al weg. Wat moet ze op straat, en ze heeft hier een afspraak, ze zal Ellen in verlegenheid brengen als ze die niet nakomt.

Het is hier zo mogelijk nog warmer dan buiten. Er hangt een

op zich niet onaangename geur van shampoo waar echter een ondertoon van nat haar doorheen zweemt. Misselijk. Kan niet langer staan. Bij het tafeltje gaan zitten? Maar dan weer opstaan als rattekop tijd heeft. Beter even wachten. Toe nu, kijk naar mij!

Rattekop legt de telefoon neer, bladert in een grote agenda en wendt haar gezicht waarin een brede vuurrode mond glinstert eindelijk met een vragende uitdrukking naar Alma.

'Mijn schoondochter heeft een afspraak voor mij gemaakt. Om vier uur.'

De vrouw kijkt verbaasd, haast geringschattend. Het is nog geen half vier. Mensen die ervoor uitkomen dat zij tijd over hebben tellen niet mee, schijnt ze te denken. Ze heeft geen wenkbrauwen, anders waren die omhooggegaan.

'Uw naam?'

Er staat nergens Hobbema in de grote agenda. Zweet prikt Alma in de rug. Pijn ook. Mocht ze maar gaan zitten.

'Wie heeft de afspraak gemaakt?'

'Mijn schoondochter. Ellen Visser. Gisteren.'

Nu gaat de telefoon weer. Ze neemt op.

'Haartechniek goedemíddag?'

'Twee weken. Ja, heel druk.'

'Dinsdag om half twee. Bij Olav. Over drie weken dus. Uw nummer?'

Rattekop schrijft in de agenda en herneemt het gesprek met Alma.

'Wat zei u?'

Alma herhaalt, hoopt, wacht in spanning.

'Ja, u komt tussendoor. Een uitzondering. Edwin zal u doen. U kunt hier wachten. Hij is nog bezig. Wilt u thee?'

Alma laat zich neer in de etalage. Op straat lopen mensen voorbij, als er geen ruit tussen zat kon je ze aanraken. Ze dragen korte broeken en t-shirts zonder mouwen. Op een terras aan de overkant van de straat zitten mensen bier te drinken onder parasols, de benen loom voor zich uit gestrekt.

Dankbaar ontvangt Alma haar thee. Ze durft niet om suiker te vragen. De gedachte aan zoet maakt dat ze ineens honger krijgt, ze is vast vergeten te eten vandaag. Niets aan te doen. Er komt een jongeman de trap af die de wachtende klant de hand drukt. Hij heeft een balletmaillot aan met een zwarte tuniek. De armsgaten zijn zo groot dat zijn blote bovenlijf te zien is. Aan zijn voeten heeft hij hoge zwarte rijglaarzen die lijken op Ellens wandelschoenen. De jongen heeft lang, ongewassen haar dat slordig om zijn schouders valt. Hij neemt de vrouw mee naar boven, met hun hoofden naar elkaar toe confereren ze over het te realiseren kapsel.

Vreemd dat ze zelf zo weinig reclame maken voor hun nering, denkt Alma. Alle mensen die hier werken hebben kapsels waar de honden geen brood van lusten. Een meisje in zwart badpak veegt de vloer. De ene helft van haar hoofd is kaalgeschoren. Op de andere helft zit het haar over haar wang geplakt als de vleugel van een raaf.

'Is Edwin al binnen?' roept Rattekop ongericht naar boven, door de muziek heen. Nee, Edwin is er nog niet. Alma leunt achterover; de rugleuning is te laag. Een blonde man in spijkerbroek komt naar beneden, creditcard in de hand. Zijn gezicht komt Alma bekend voor, van de televisie? Uit de krant? Zijn haar lijkt te druipen van het vet, in saamgeplakte slierten hangt het over zijn voorhoofd. Van achteren is het hoog opgeschoren, het overgaan van gebruinde huid in verse bleekheid is duidelijk te zien.

'Mooi geworden,' zegt Rattekop.

Terwijl de man afrekent komt er gehaast een brede neger de winkel binnen, gehuld in een wijde, soepel vallende harembroek die bij de enkels is samengebonden. Blote zwarte voeten in sandalen, mouwloze trui waaruit stevige bovenarmen steken.

Rattekop fluistert tegen hem en samen kijken ze in Alma's richting. De neger knikt. Hij komt naar Alma toe en steekt zijn hand uit.

'Edwin. Komt u mee?'

Alma ruikt een sterke jeneverlucht. O God, wat gaat er met me gebeuren? Hoe kom ik hier vandaan? Was ik toch gewoon thuisgebleven! Tot haar verbazing helpt Edwin haar zorgzaam de trap op, in een rustig tempo. Hij leidt haar naar een stoel bij een raam. 'We gaan eerst eens kijken wat er gebeuren moet. Gaat u zitten.' De stoel is van canvas, en hoog. Het lijkt wel een kinderstoel, waar Edwin haar in tilt. Zij vindt geen houvast voor haar voeten, de benen hangen hulpeloos naar beneden, de stok heeft Edwin tegen de muur gezet.

Nu kijkt Alma in de spiegel. Zij ziet het hoofd van Edwin, kaal rondom, maar met een stevig grasmatje van haar bovenop. Hij kijkt haar via de spiegel aan. Dan kijkt zij ook naar zichzelf. Schrikt. Bloost van schaamte. Een verwaarloosde oude vrouw. Verwilderd. Een zielige toverheks met onsmakelijk haar. De tranen springen haar in de ogen. Deze onderneming is hopeloos, dit is niet goed, zij moet hier weg.

Edwin heeft een kam uit zijn wijde broekplooien gepakt. Niet erg schoon, ziet Alma, maar protesteren is wel het laatste wat zij zou willen doen. Er zou geen geluid komen als zij probeerde te praten.

De zwarte handen nemen het vuilgrijze haar van haar schouders, voeren er bewegingen mee uit, omhoog, omlaag, met een bocht naar achteren.

'Opsteken is zeker lastig geworden? Wilt u het lang houden?' Nee, schudt Alma in de spiegel, radeloos.

'Weet u, als ik u was zou ik het kort doen. Lekker, nu het zo warm is. En het staat zoveel liever als het om uw gezicht valt.'

Hij boetseert de versleten haren rond haar wangen. Hij ziet iets wat ik niet zie, denkt Alma, hij ziet een lieve oma die haar handen niet meer in haar nek kan krijgen.

'Eigenlijk zouden we het wit moeten verven. Zilverwit. Zou u prachtig staan. Maar het verfatelier is al gesloten, vandaag, dat kan niet meer. Ik kan u kort knippen, een beetje rond, dat het zo tegen de wangen valt. Ja?'

Alma knikt verstomd.

Edwin wil nu eerst haar haren wassen en helpt haar uit de kinderstoel. Achter in het vertrek staat een wasbak, daarvóór moet Alma plaatsnemen, het is een heel gedoe en gestommel met de stok, met handdoeken en de verstelbare stoel tot zij goed zit.

Hoofd achterover, de nek doet pijn, Edwin maakt rustgevende geluidjes en prutst buiten haar gezichtsveld aan een kraan. Hij test de watertemperatuur! Alma geeft zich over.

Haar kloppende oude-vrouwenkeel ligt weerloos geëxposeerd, zij wil niet eens meer vluchten; wat er gebeuren moet zal zich gaan voltrekken zonder inmenging van haar kant.

De man wast het haar van de vrouw. De warme straal, de eerste massage met de geurige zeep. Heel licht wordt de hoofdhuid geraakt, haast speels gaan de vingertoppen over de slapen, néér langs het achterhoofd. Kippevel.

'Koud?'

Alma schudt nee. Het water is precies goed. Spoelen. Nog meer shampoo. Doortastende bewegingen, de zeep wordt stevig maar voorzichtig ingewreven. Beide slapen tegelijk, Alma sluit haar ogen. Oh.

Klodders schuim over haar voorhoofd. De zorgzame hand veegt ze weg. Rillingen van genot als de vingers diep in haar nek drukken. Geen gedachten meer.

'Even intrekken. Dat is goed voor het haar.'

Edwin verwijdert zich. Alma, onbeweeglijk, luistert naar het verre geklep van zijn sandalen, de gedreven muziek (een hoge stem schreeuwt het uit van liefde) en de gespreksflarden die rondom opstijgen.

'De fotograaf wilde het juist de andere kant op hebben, niet goed, dacht ik.'

'Een paar plukjes roodachtig, maar niet meer, vooral niet te veel.'

'Golf kán niet meer, vind ik. Croquet misschien, thuis in de tuin. Maar golf absoluut niet meer.'

De sandalen naderen. Verschaalde sigaretterook gemengd met iets kruidigs. Hasj? Uitspoelen. De grote hand als een beschermende schelp tegen haar voorhoofd zodat de zeep niet in haar ogen komt. Het haar piept als het schuim eruit is. Afdrogen. Rechtop gaan zitten. Beetje duizelig. Edwin drapeert de handdoek als een tulband om haar hoofd. Verhuizen naar de canvas stoel. Spiegel. Een wit gezicht met bevende kin. De wangen hangen in plooien aan weerszijden van de neus. De mond is een rechte, bleke streep. Onder de mondhoeken die verraderlijke plekjes heel oude, heel broze huid. De blik in de ogen komt van erg ver weg.

Ontluistering als de tulband af gaat. Door het natte haar is de hoofdhuid te zien. Het hoofd zelf lijkt zo klein, zo kwetsbaar, alsof ik steeds maar minder wordt en slink tot ik verdwenen ben, denkt Alma.

Edwin is in de weer met de vieze kam en een grote schaar. Hij is gaan zitten op een fietszadel, gemonteerd op een verrijdbare paal, hij peddelt op de sandalen om Alma heen, hier en daar een hap nemend met het zilveren gereedschap. In de spiegel ziet Alma de straat; mensen die aan de verkeerde kant hun auto instappen en op Engelse wijze wegrijden. Met eindeloos geduld snijdt Edwin haar haren af, laagje na laagje, steeds de symmetrie van de compositie controlerend door de haarpunten met beide handen gelijktijdig naar haar kin te brengen. Hij heft een streng haar tussen twee vingers in de hoogte en knipt met de punten van de schaar in de punten van de haren. Zo gaat hij rond, en rond, en rond. Op de vloer liggen antracietgrijze slierten. Om Alma heeft hij een zwarte cape gewikkeld, haar handen liggen daaronder in haar schoot.

Hij kamt het haar vanuit haar voorhoofd naar achteren en laat er een scheiding in vallen. Na drie kwartier pakt hij de haardroger die naast de spiegel op de grond ligt. Al die tijd hebben Edwin en Alma gezwegen.

Met de föhn blaast hij leven in de oude vrouw. Het haar kleurt op tot een lichter grijs, welft zich weg van de schedel, voegt zich om het gezicht.

De ogen gaan glanzen, de lippen stulpen zich tot een glimlach. Als Edwin met een zwierend gebaar de cape wegneemt staat Alma zonder hulp op uit de stoel. Edwin, die het zekere voor het onzekere neemt, reikt haar de stok aan. In de vrije hand krijgt Alma een spiegel, zij draait zich om en ziet haar achterkant. Een prachtige achterkant: het haar, van zwaarte bevrijd, danst tegen de kraag van de zomerjapon. Het glanst, het golft glad en moeiteloos naar binnen. Zij schudt haar hoofd en het haar beweegt mee.

Edwin veegt met de bezem het oude haar bijeen, dan escorteert hij Alma naar beneden.

'Tweeënnegentig vijftig,' zegt Rattekop.

Alma geeft haar honderd gulden en draait zich om naar Edwin die zij ook een biljet van honderd gulden in de hand drukt. Hij kijkt verbluft. Zonder een woord te kunnen uitbrengen stapt Alma naar buiten.

Peter en Paul zijn intussen op het terras aan de overzijde gaan zitten en houden de deur van de kapperswinkel in de gaten. Als Alma verschijnt steekt Paul over om haar te halen. Zij krijgt een stoel tussen haar kleinkinderen in. Talloze jongemannen verzorgen mij, denkt ze, van verschillend ras, met diverse haarkleuren, met of zonder beloning. Morgen zie ik mijn man, die ik liefhad, die mij schilderde. Dat het grote portret verloren is gegaan blijft eeuwig zonde. Ik ben altijd omringd geweest door schilders. Altijd stank van oplosmiddelen in huis, altijd vlekken die er in de was niet uit gingen.

'Wat is je haar mooi geworden, oma, wil je wat eten? Wat wil je drinken?'

De jongens, Johans jongens, op een zaterdagmiddag met oma in de stad. Als vroeger. Poffertjes in de grote kraam op de markt, taartjes in de tearoom, later hamburgers bij McDonald's. En nu zijn de rollen omgedraaid. Het weekend is begonnen, de golf kromt zich op zijn tocht naar het strand, wie mee wil moet zich laten drijven.

'Bier,' zegt Alma. 'Het schuimt zo fraai, en op de glazen parelt het water door de temperatuurvariaties. Kijk toch, hiernaast, wat prachtig. En doe maar een kroket erbij. Ik heb honger. Twee kroketten, met mosterd.'

Zonder blikken of blozen vervullen de jongens haar wensen.

'Ze zijn heet, oma, zal ik ze voor je opensnijden, dan kunnen ze afkoelen?'

De damp slaat uit de warme kroketten, het grote bierglas is inderdaad beeldschoon beslagen en het koude bier is een laving, een beloning, een belofte.

De jongens spreken onderling over wonderlijke visvangsten, over hengels, over namaakinsekten om snoeken mee voor de gek te houden. Zij hebben in de vakantie zalmen gevangen in het noorden van Scandinavië en kijken daar met nostalgie op terug.

Ze zijn altijd samen, denkt Alma. Al vijfentwintig jaar slapen ze in één kamer, maken ze hetzelfde mee, zijn ze nooit alleen. Peter zegt wat Paul denkt. In gesprek met anderen zijn ze altijd teleurgesteld dat de gesprekspartner hun gedachten niet kan lezen en zoveel uitleg nodig heeft. Als ze daarna weer samen zijn is dat een opluchting. Paul is wat kleiner dan Peter. Peter heeft een litteken op zijn wang, waar ooit het haakje van een werphengel in is gezwaaid. Verder zijn ze hetzelfde. Het gevoel dat ik mijn leven lang al ken, het met-jezelf-alleen-zijn, daarvan weten zij niet wat het is. Zijn zij met z'n tweeën alleen? Of zijn ze nooit alleen, bestaat er geen alleen als je met je spiegelbeeld in de wieg ligt?

Misschien hebben ze hele andere gevoelens dan gewone mensen. In ieder geval kennen ze niet die explosieve korzeligheid die er altijd tussen Johan en Oscar was. Toen heb ik nooit zo rustig gezeten, luisterend naar het vredig kabbelen van de conversatie, alle alertheid overboord zettend. Een tochtje naar de stad met z'n drieën was een beproeving waarbij alle partijen elkaar scherp in de gaten hielden en die ieder moment in handgemeen kon uitlopen. Wie bij het raampje mocht zitten in de tram, de ander met een zure kop stuurs wegkijkend. Wie het grootste taartje kreeg in de lunchroom van het warenhuis. Elkaar tegen de schenen trappen onder tafel. Verjaarscadeaus vergelijken, bedtijden, privileges.

Toch had het wat, die strijd om het eigen gebied, het nooit aflatende vechten voor de eigen rechten. Het was fascinerend. Het was griezelig als het eens ontbrak, op een woensdagmiddag, tijdens een vakantie, bij een zeldzame kerstviering die beide kinderen tevreden stemde. Wie ruzie maakt en jaloers is, die leeft.

'Voel je je wel goed, oma?'

Nee, Alma voelt zich opeens verre van goed. Het bier is een koude plas in haar buik, de vette kroket heeft haar misselijk gemaakt en zij voelt vanuit haar schouders een geweldige hoofdpijn opkomen.

'Alles is zo anders. Ik ga toch nooit naar de kapper. Hij was zo aardig, zo een aardige jongeman. Nu ben ik wel erg moe ineens.'

Peter gaat de auto halen en Paul rekent af. Alma blijft in haar stoel zitten. Aan de overkant wordt de kapperswinkel gesloten, Rattekop en Edwin lopen samen de straat in. Alma voelt aan haar nieuwe haar. Het zit er nog.

De jongens gaan mee naar binnen. Paul werpt een blik in de keuken en begint vaatwerk te stapelen en de taartresten weg te gooien. In de kamer mist Peter 'De Postbode'.

'Johan heeft hem opgehaald, hij hangt morgen bij de andere schilderijen. Jullie komen toch ook, meteen al, als het begint?'

'Wij zijn besteld. Moeten we jou komen halen?'

'Ellen zou bij mij langsrijden, gaan jullie maar je eigen gang.'

Ik wou dat ze weggingen, denkt Alma. Uit de keuken klinkt gerinkel van bestek en borden, daarna het geraas van de afwasmachine, geschenk van Oscar.

Als ze weg zijn ga ik op de wc zitten. De kousen uitdoen.
Naar bed. Ga maar, ga dan toch!

De jongens staan aarzelend in de kamer. Buiten zijn er wolken gekomen. Het is broeiend heet, de lucht is klam, er is geen wind.

Alma kust haar kleinkinderen en schuift ze naar de deur; bedankt voor het thuisbrengen, voor de kroketten. De jongens lopen en staan voortdurend vlak bij elkaar zonder tegen elkaar aan te stoten of elkaar in de weg te zitten. Als een dier, met vier benen, gaan ze de deur uit.

Dit is alleen, denkt Alma. Zo, als dit nu, is alleen. Het is verschrikkelijk, maar ik kan niet meer anders. De aanraking van een ander mens maakt mij ziek. De handen van die neger brachten mij buiten mezelf, ik kon er niet tegen. Ging het maar waaien, dat je het voelde.

In de wc bet Alma haar gezicht met koud water. Op de bril zittend wurmt ze de kousen uit en reikt achter zich om de jarretellegordel los te maken. Zij trekt haar jurk uit en loopt in de roze onderjurk de tuin in waar ze gaat zitten tussen de hoge bereklauw.

★

'Oscar? Met Ellen, stoor ik je?'
'Nee, nee.' Oscar krijgt hartkloppingen, klam zweet, trillende handen.

'Ik dacht ik bel je even om te horen hoe het met je gaat. Was het erg gisteren?'

Oscar gaat zitten om zijn ademhaling tot rust te brengen. Was het erg, vraagt ze. Ja, het was erg.

'Alma is zichzelf niet, Ellen. Ik maak me zorgen om haar.'

Hij vertelt over het dramatische bezoek aan zijn moeder en de geheimzinnige verschijning van de taart.

'Ze raakte in een roes. Ik wist niet wat ik moest doen. Ik zei: hij heeft nooit meer aan je gedacht, de taart komt van mij.'

'Hielp dat?'

'Het maakte niet uit wat ik zei. Ze hoorde me niet. Ik heb die koleretaart in de keuken stukgeslagen, Ellen. Zo boos was ik. En ik ben op de vliering geweest.'

'Op de vliering?'

'Ik geloofde niets meer. Dat ze nooit meer contact met Charles had gehad, dat ze niets van hem bewaard had, ik geloofde het ineens niet meer. Ik ging op zoek, ik wilde overal kijken. Het kwam omdat ze zo vreemd deed, ze deed alsof ze een verhouding met hem heeft. En wie heeft die taart gestuurd?'

Ellen is even stil.

'Ellen? Wat denk jij? Was het Charles? Iemand moet het gedaan hebben en ik was het niet!'

'Weet je, Oscar, het zou Johan kunnen zijn. Die heeft haar de taart gestuurd, misschien om haar te pesten, omdat ze altijd zo tegen hem zit door te zagen over Charles z'n schilderkundige vaardigheden, of omdat hij kwaad op haar was. Misschien ook wel gewóón, uit een ingeving, om iets aardigs te doen – hij héét tenslotte Steenkamer!'

Hier heeft Oscar niet van terug. Het raadsel is opgelost maar de opluchting blijft uit. Nu gaat het weer om Charles en Johan en zit hij als een oude schoothond achter Alma's stoel gevaarloos te blaffen.

'Ja, dat zou kunnen. Johan. Natuurlijk.' Oscars stem klinkt vlak. Een grote vermoeidheid bekruipt hem, het is hem bijna te veel om de telefoon tegen zijn oor te houden. Ellen praat, van heel ver weg klinkt haar stem. Ze heeft het over morgen, dat zij Alma zal halen, hij hoeft dat niet te doen; of hij toch alsjeblieft wel bij het diner komt; of hij eigenlijk iets gevonden heeft op die vliering?

'Hij was helemaal leeg. Er stond niets. Er waren planken met niets erop.'

'Wat had je verwacht, dan?'

'Mensen bewaren toch dingen? Ze is vijfenzeventig en heeft altijd in hetzelfde huis gewoond, dan heb je toch troep, spullen van vroeger die je niet weg wil doen, dingen die je bewaart omdat ze ooit weer eens nodig zijn, weet ik veel, wat dan ook – maar er was niets. Ik was op zoek naar dingen van Charles natuurlijk, schetsboeken, misschien brieven, zijn viool. Ik stond voor gek op die ladder, met mijn hoofd in de lege zolder. Ik ben weggelopen. Ik was zo woedend, ik ben niet eens meer blijven eten.'

'Je moet even rust nemen. Zet mooie muziek op, doe je schoenen uit. Het is zaterdag, je bent vrij. Morgen wordt erg genoeg. Is het bij jou ook zo warm?'

'Benauwd. Ik ga de ramen opendoen. Lief dat je belde, Ellen.'

Oscars energie is teruggekomen toen hij zichzelf weer op de vlieringtrap zag staan, in staat tot onverwachte heldendaden. Hij staat op van de grijze kantoorstoel naast de telefoontafel in de gang en gaat zijn woonkamer binnen. De ordelijkheid in deze ruimte stemt hem tevreden. Op de reusachtige grijze tafel liggen papieren en tijdschriften keurig opgestapeld, bij elk van de drie stoelen een aantal stapeltjes. Er is een plek voor de administratie, een voor werkbezigheden en een voor het bijhouden van de muziekcatalogus. Oscar hoeft nooit op te ruimen want het is altijd netjes. Hij eet in zijn keuken en kijkt naar de televisie in zijn slaapkamer. Daar staat ook zijn boekenkast, dan is hij 's nachts niet zo alleen. In de huiskamer staan, terzijde van de tafel, twee lage stoelen bij een geluidsinstallatie. Tegen de wand staan grammofoonplaten en cd's, onder de vensterbanken van de hoge ramen bewaart hij op smalle planken de cassettebanden.

Als concessie aan het weer doet Oscar zijn schoenen uit en zet ze op de schoenenplank in de gang. Het bovenste overhemdknoopje mag open, de stropdas af, mits opgeborgen in de klerenkast in de slaapkamer, evenals het colbertjasje.

Rommelig, al die verschillende geluidsdragers, en steeds weer andere apparaten om ze op af te spelen. Altijd als hij de woonkamer binnenkomt stoort hem de geluidshoek met de veelvormigheid van de voorwerpen. Het verwerven, de inkoop van al dat gerei heeft hem herhaaldelijk duizelingen bezorgd in overvolle, onoverzichtelijke muziekhallen. Zwetend de stapels cd-doosjes doornemen, één voor één, terwijl andere kopers je opjagen, de boel uit je handen grissen en tegen je aan duwen met hun lichamen. Vragen of hij een stukje mag horen durft hij al helemaal niet, hij koopt op geleide van muziektijdschriften en de krant. Een centraal geluidsarchief zou er moeten zijn, waar alle soorten muziek en alle uitvoeringen perfect waren opgenomen. Daar kon je je dan op abonneren, voor jazzmuziek, of koorzang, of meerdere categorieën tegelijk. Wordt wel duurder, dan. De abonnee krijgt maandelijks een blad met de nieuwste aanwinsten, en natuurlijk de catalogus van zijn voorkeurgebied bij ingang van het abonnement. Alle reclame wordt overbodig. Vloekend zoeken op krakende radiozenders is verleden tijd. Via de telefoon (toegangsnummer, catalogusnummer van het werk dat je wil horen) geef je je wens op; vrijwel meteen klinkt de muziek via de luidspreker die aan het systeem gekoppeld is. Nooit meer verwarring, nooit meer iets missen, nooit meer sprakeloos makend contact met gehaaste verkopers. De indeling van de catalogus eist nog wat studie, maar daar komt hij wel uit.

De grote grammofoonplatenmaatschappijen zullen dwarsliggen, dat is wel zeker. Dit plan betekent hun ondergang want de musici komen direct onder contract bij het Centrale Archief. Oscar zucht. Geen muziek nu, er moet gewerkt worden, ingehaald wat gisteren verloren ging.

Hij haalt het directierapport uit de tas en legt het op de tafel, voor de stoel die bestemd is voor zaken het museum betreffende. Sokken ook uit? Nee, beter van niet. Een glas water. De ramen open, de grijze lichtwering neer. Bril af, leesbril op.

Het rapport is gesteld in de wollige, moeilijk te doorgronden stijl die de directeur eigen is. Onderwerp van het stuk is de collectieafbakening tussen het Gemeente- en het Nationaal Museum.

Vanaf de oprichting van het Gemeentemuseum in de jaren

vijftig is er een strijd gaande tussen de brutale nieuwkomer en de bedaagde, ervaren oudgediende die tot dan toe de hegemonie had gehad in het bewaren van schilderijen. Het Gemeentemuseum had geen oude collectie maar verwierf nieuw werk en werd 'modern'. Oude kunst was het terrein van de concurrent, die zich daar echter niet bij neer wenste te leggen en doorging met aankopen. Het resultaat: opgedreven prijzen, twee verhitte directeurskoppen tegenover elkaar op de veiling, schilders die het ene museum tegen het andere uitspeelden en, na enige tijd, een ministeriële interventie.

De directeur had een pesthumeur als hij van de maandelijkse werkgroepsvergadering kwam op woensdagmiddag. Zijn collectie werd aangevreten, die blaaskaak van het Gemeente met z'n opgerolde colbertmouwen tastte zíjn integriteit aan, hij blies liever het hele schilderijenarsenaal op dan dat hij ook maar één doek aan die non-valeur zou overdragen.

'En restaureren kunnen ze al helemáál niet, Steenkamer, ze hebben gewoon geen gevoel voor historie. Alles is nu, meteen. Ze denken er nooit aan dat het voor hun ogen staat te vervallen als je niet ingrijpt. Deskundig ingrijpt! Deskundig!'

Nu is het rapport klaar. Ze zijn er niet uitgekomen, maar er is hoop. Oscar bladert. De directeur van het Gemeente wil fuseren, hij ziet het breed. Alle beeldende kunst onder één beheer, liefst onder één dak, prestigieuze nieuwbouw, uiteindelijk onder één directeur, hijzelf.

Iets te ambitieus gebracht, vindt Oscar, over het verdelen van de directiefuncties had hij beter z'n mond kunnen houden, het schaadt zijn positie. De werkgroepsleden zijn het erover eens dat de noodmaatregel niet fraai is en aanleiding geeft tot onzinnige verbrokkeling van oeuvres. Soms zijn er misverstanden, niet iedere schilder dateert zijn werk even nauwkeurig; er is een fraudezaak geweest met opzettelijk foutieve dateringen zodat de betreffende kunstenaar al zijn werk in het Gemeente verzameld kon zien (de sportief-modieuze Gemeente-directeur keek onschuldig in de lucht toen dat punt aan de orde was); zowel

97

directies, kunstenaars als publiek zijn ontevreden. De regerings-ambtenaar stelt voor om een scheiding aan te brengen op grond van artistieke criteria: moderne kunst hier, oude kunst daar. Er zou een permanente commissie aangesteld moeten worden om uit te maken wat modern was. Oscar geeft zich over aan innerlijk hoongelach. Alles is modern. En niets. Neem Johan, dic zou zijn oude, abstracte werk in het Gemeente moeten onderbrengen en zijn latere figuratieve werk, waar hij beroemd mee is geworden, in het Nationaal! Absurd. Onwerkbaar.

Eigenlijk is de suggestie van Oscars eigen directeur nog het verstandigste: de leeftijd van de schilders als maatstaf nemen en niet die van de schilderijen. Wie vóór 1950 geboren is hoort thuis in het Nationaal, ongeacht het karakter van zijn werk. De jonge schilders vallen onder het Gemeente, daar bemoeit het Nationaal zich dan niet meer mee.

Goed zo, denkt Oscar. Een afgebakende collectie waar langzamerhand een eind aan zal komen. Dan gaat de nadruk liggen op conserveren, bestandsuitbouw in de breedte, opstellingsbeleid. De onbesuisde heethoofden met hun megalomane projecten, in slecht materiaal uitgevoerd, kunnen terecht bij de blaaskaak. Héél goed, heel mooi gebracht ook. Maar Gemeente pikt het niet en dreigt op te stappen. De scheiding moet gelegd worden bij de eeuwwisseling. Niet later. Impliciet geeft Gemeente daarmee aan dat het principe acceptabel is; alleen over het jaartal moet nog gevochten worden. Oscar weet wel zeker dat zijn directeur er niet aan moet denken om al die rotzooi van de nu veertig- of vijftigjarige schilders over de vloer te krijgen. Ze zullen wel uitkomen op 1925, vermoedelijk. Dan hoort Johan definitief bij het Gemeente, en Charles bij het Nationaal.

Charles! De schilderijen van Charles! Het kan toch niet dat die in het Nationaal zijn? 1950. Ruim voor die tijd gemaakt. Het Gemeente bestónd nog niet eens.

Oscar heeft het gevoel dat hij flauw gaat vallen, zijn inval heeft hem totaal overrompeld. Het museum dat hij kent, waar hij zich veilig voelt, dat zijn eigen vertrouwde gebied is, herbergt een bom. Of zou dat kúnnen doen, het is immers geenszins zeker dat Charles' werk in de opslagruimtes staat, geenszins. Zelfs nogal onwaarschijnlijk, want hoe zou het daar terechtgekomen zijn? En hoe zou het zich al die jaren aan Oscars waarneming onttrokken kunnen hebben? Eerst bedriegt mijn moeder mij en nu dit, alles is anders geworden. Ze houden dingen voor mij verborgen, ze vertellen mij niets want ik ben onbelangrijk, ik tel niet mee. Godverdomme. In mijn eigen museum! Dat kán niet.

De onrust van gisteren laait op en heeft bezit van Oscar genomen. Het dossier ligt opengeklapt op tafel, de stoel ervoor staat scheef en Oscar beent mompelend door de kamer heen en weer. 'Gezocht, gezocht naar dingen van papa. En dan onder mijn neus? En niemand ooit iets gezegd? Ik moet erheen. Ik moet het nu weten.'

Hij stopt de sleutelbos in zijn broekzak, doet zijn schoenen aan en holt de trap af. Als hij de huisdeur achter zich dichttrekt valt de broeierige, klamme hitte op hem neer. Hij gaat gehaast, in hemdsmouwen, op weg naar het museum.

De winkels gaan bijna sluiten maar de straat is nog vol mensen. Ze zijn rusteloos, ze moeten nog snel iets kopen, ze hebben geen geduld, hun humeur is slecht omdat de zon weg is, ze botsen tegen Oscar op zonder zich te verontschuldigen. Met gierende remmen stopt een open auto voor hem als hij oversteekt, blinde teringlijer, brekebeen, moet je matten, schreeuwt de automobilist. Voor dovemansoren, Oscar heeft het ene zintuig na het andere op non-actief gesteld en merkt niets.

Bij de museumingang worden de laatste bezoekers naar buiten geloodst waar de bussen op hen staan te wachten. Oscar haast zich de trap op, de portier kijkt verbaasd. Oscar is helemaal van zweet doordrenkt, het overhemd plakt tegen zijn schouders. Jasje thuisgelaten. Stom. Hoort niet.

'Ik ga nog even naar kantoor. Heb iets laten liggen. Moet nog iets nakijken. Ik heb de sleutels bij me.'

Oscar toont de zware sleutelbos. Waarom alles uitleggen, wat gaat het ze aan? Een kind dat verantwoording af moet leggen ben ik. Alsof ik verboden dingen ga doen, alsof ik hier niet mag zijn! Deze formulering sluit aan bij wat Oscar voelt: illegale aanwezigheid, verwerpelijke motieven. Ik hoor thuis te zijn bij mijn stukken. Zij hier hebben recht op aanwezigheid, de jassen-in-ontvangst-nemers, de kaartenverkopers en de suppoosten. Ik niet.

'Het kantoor werkt vandaag!' zegt de portier waarderend. 'Mevrouw Bellefroid is er ook nog, die heeft de hele middag zitten typen.'

Even schrikt Oscar: zal Keetje Bellefroid roet in zijn eten gooien, de uitvoering van zijn plan onmogelijk maken? Durft hij in het registratiesysteem te gaan zoeken als zij erbij is?

Jazeker, dat durft hij. De mogelijkheid om iets te vinden als resultaat van zijn speurtocht naar Charles, om iets van de vreselijke krenking en frustatie op Alma's vliering teniet te doen geeft hem vleugels en heldenmoed. Eigenlijk is het ook wel een prettig idee, Keetje kan hem misschien helpen en het feit dat ze er is legaliseert voor zijn gevoel zijn eigen presentie enigszins.

Ze schrikt zich lam als hij binnenkomt met zijn bleke vogelkop waarin de ogen donker achter de dikke glazen vandaan vlammen. Met de sleutelbos in de vuist geheven staat hij voor haar bureau alsof een reus hem daar heeft neergesmeten.

'Oei ik schrik meneer Steenkamer ik wist niet dat u zou komen. Blijft u even, zal ik een kopje thee maken? Het loopt zo uit bij mij, een nieuw stuk voor de extra vergadering op maandag, de werkgroep met het Gemeente weet u wel, heeft u het dossier al gezien, daar gaat het over, we gaan een voorstel indienen, nou ja, wij, de directeur dan. Hij wil het vanavond nog krijgen, het is veel meer werk dan ik dacht maar ik praat maar, gaat u toch even zitten u ziet er niet bepaald patent uit!'

Keetje Bellefroid is een dame op leeftijd, gezet en gezellig. Haar woorden zijn voor Oscar een lauw, rustgevend stortbad. Hij zet zich tegenover haar terwijl zij water kookt in de elektrische ketel. Thee met veel suiker, Oscar roert gedachteloos. 'Weet je, Kee, ik kom daar niet voor. Maar het is fijn dat je hier nu bent, dan kan ik je wat vragen. Ken je de schilder Steenkamer?'

'Uw broer toch? Die die grote tentoonstelling heeft in het Gemeente? Daar ga ik heen hoor, volgende week op m'n vrije dag, zeker dat ik die ken, Steenkamer. Maar u lijkt niet erg op hem vind ik, je zou niet zeggen dat u z'n broer was.'

'Die bedoel ik niet, Kee. Mijn vader, die was ook schilder. Charles heette hij. Nou ja, zo heet hij nog, maar hij schildert niet meer. Hij woont in Amerika. Hij ging weg toen wij heel jong waren. Ik heb eigenlijk nooit werk van hem gezien. Ik kan me vaag herinneren dat er iets was, een paar schilderijen, maar ik heb geen idee waar die gebleven zijn. Vanmiddag, ineens, bedacht ik me dat ik nooit hier heb gekeken. Maar er zal wel niets zijn, anders zou ik het wel weten.'

'Nou meneer Steenkamer, dat is niet gezegd. Hoe oud is uw vader?'

'Uit 1920, Kee.'

'Nou, dan zie je toch! Zover bent u helemaal nog niet met uw beschrijving. Gegevens uit die tijd hebt u nooit onder ogen gehad. Zal ik eens voor u kijken?'

Kee is helemaal in voor deze romantische opdracht: de zielige, eenzame Steenkamer zoekt zijn vader. Op z'n vrije zaterdagmiddag.

'Steenkamer, 1920,' prevelt Kee terwijl ze naar de kamer loopt waar het oude bestand bewaard wordt. Ze heeft blote benen van wittig vlees, en sandalen vanwege de warmte, witte zomerschoenen met een hakje, boven een wijde bloemenjurk. Oscar kijkt haar met een zeker genoegen na.

'Dat is nu vreemd,' zegt Kee als ze terugdribbelt naar het bureau, 'er zit een kaartje in bij Steenkamer: "zie legaat Bramelaar" staat er, verder niets, ja, vier stuks staat er, hierboven.' Bramelaar, Bramelaar–die naam komt Oscar bekend voor. Hij sluit zijn ogen om het geheugen te helpen, Bramelaar–het lukt niet. 'Ik zou bij de correspondentie kunnen kijken, in het oude archief? Dan ben ik wel even weg, het is een eindje lopen.'

De burelen liggen aan de achterzijde van het gebouw, op de eerste verdieping directie en representatie, op de tweede, waar Oscar en Kee nu zitten, de administratie en op de derde de wetenschappelijke afdeling. Daar is ook Oscars werkruimte. Op de vierde verdieping, onder de immense zolder die opslagplaats is, wordt het archief bewaard.

Oscar wacht en drinkt zijn thee. Hij probeert niet te denken. Als ze iets vindt, is dat dan fijn of juist vreselijk? En wie was Bramelaar?

'Leo Bramelaar Sr. en Jr. vioolbouwers', vermeldt het briefhoofd. Kee reikt hem de brief uit de vergeelde archiefmap. Hij is op een oude machine getypt en met de hand ondertekend, door Junior, in 1949.

De altviool, weet Oscar. Papa speelt op een Bramelaar die meneer Bramelaar voor hem heeft gebouwd. Een glanzend, gaaf instrument met roodgouden lak, het rook speciaal, naar olie, een nieuwe lucht maar toch boenwasachtig, voornaam. Bondig schetst Junior in de brief de situatie: toen Steenkamer vertrok heeft hij de altviool en vier schilderijen bij Senior gebracht. De alt heeft Bramelaar teruggekocht en later in de verkoop gedaan; de schilderijen, waarvan het onduidelijk was of ze geschonken waren of in bewaring gegeven, bleven in de werkplaats staan. Senior is overleden, Junior wil de zaak verbouwen. Wat te doen met de kunstwerken? Mevrouw Steenkamer-Hobbema, tot drie keer toe schriftelijk benaderd, reageerde niet. (De kachel, denkt Oscar, ongeopend het vuur in, uit woede!) In zijn testament bleek Senior bepaald te hebben dat de schilderijen aan het Nationaal Museum in schenking konden worden gegeven als de familie geen belangstelling had. Daarom doneert Bramelaar Jr. nu vier echte Steenkamers aan het museum. Legaat Bramelaar.

Oscar voelt zich wee worden. Heb ik wel gegeten vandaag, zo duizelig ineens. Ja, vanochtend boodschappen gedaan: bananen, melk, het was zo druk in de supermarkt, eieren. In de keuken een pot appelmoes leeggelepeld, staande bij de ijskast. Meneer Bramelaar had een groot leren schort voor; een hoofd met uitstaande krullen als kurketrekkers, een groot hoofd. In de werkplaats lag een viool die helemaal bloot was, daar was nog geen lak op en geen snaren. Er waren zieke violen en een cello zonder hals. Papa speelde op de nieuwe alt die meneer Bramelaar voor hem gemaakt had. Op de grond lagen houtschilfers en achterin was een donkere kamer waar plankjes op een speciale manier waren opgestapeld in vierkante torens. Als meneer Bramelaar tegen zo'n houtje tikte, met de knokkel van zijn wijsvinger, kwam er een toon uit, nog voordat je speelde. Voordat het een viool was wist het hout al wat het ging worden. Papa. De schilderijen. Ze zijn er dus. Vier. In het magazijn, op de zolder. Nooit geëxposeerd, zegt Kee.

'Dan moesten we meteen maar gaan kijken, meneer Steenkamer. Zeker is zeker. Of wilt u alleen gaan, is het onkies? U heeft een sleutel van boven, niet?'

De hele onderneming is onkies, denkt Oscar, het is een verkrachting, een grensoverschrijding die nooit mag plaatsvinden. Laat haar meegaan, ik red het niet alleen. Ik kan ook niet meer op die papiertjes kijken, me oriënteren, ik ben de kluts kwijt, er gebeurt zoveel.

'Ik stel het op prijs als je me vergezelt, Kee,' zegt Oscar plechtig. 'Het is een bijzondere gelegenheid, het grijpt mij wat aan, en die zolder leidt tot verdwaling.'

'Kom,' zegt Kee Bellefroid. Onvervaard stapt zij naar de lift.

Oscar volgt met de sleutelbos.

Op de zolder van het museum ruikt het naar stof. Kee knipt lichten aan maar de lampen geven niet veel schijnsel. Achter de zolderramen is de lucht donker geworden. De schilderijen zijn opgeborgen tegen hoge houten hekken die je uit de rij kan trekken, aan ieder hek kunnen er wel zes hangen. Op de zijkanten van de hekken staan cijfers en letters. Kee heeft een briefje in haar hand en loopt door de ruimte tussen de stellages. Zij weet waar zij heen moet. Oscar loopt hoestend van het stof achter haar aan, bang om haar uit het oog te verliezen. Aan het eind van een soort gang staat ze aan een hek te trekken, hij helpt haar, het lukt, de stellage, behangen met de vier Steenkamers, rolt het gangpad in.

Vier schilderijen, drie kleine en een grote, een rechtopstaande rechthoek. De kleinere zijn vierkant. Meneer Bramelaar in de werkplaats, herkent Oscar. Hij kijkt op van een viool waaraan hij bezig is, als voor een fotograaf.

Een gezelschap mensen met koffers en tassen, ze pakken elkaar vast met droevige gezichten. Op de achtergrond ligt een zwarte boot. Het derde schilderij is zonder mensen, er staat een appelboom op met een tanige, verweerde stam. Grijs en vezelig is de bast, maar in de kroon is het een en al leven, vrolijke groene bladeren en honderden kleine, gele appels. Oscar kan zijn ogen er niet van afhouden, zo vreemd is dat beeld van een stokoud lichaam dat met zijn laatste kracht, alle tijd ontkennend, een vracht rimpelloze appels draagt, alsof er niets aan de hand is.

Kijk, maant Oscar zichzelf, ga ervoor staan en kijk, je hebt het zelf gewild, dit is wat je zocht.

Uit het tedere duister van de stelling kijkt de jonge Alma hem recht aan. Zij heeft een jasje aan van zwart fluweel met lange mouwen en draagt iets in haar armen wat verloren gaat in de donkere onderhelft van het schilderij. Zij kijkt zo ernstig dat Oscar en Kee hun adem inhouden. Onafgebroken dreunt de

plensregen op het dak, onafwendbaar is de blik uit het vrouwen-
gezicht, omkranst door springerig blond haar.

Deel II

Elvira: *'ma tradita e abbandonata provo ancor*
per lui pietà'

4 Dolkstoot van de eindigheid

Het huis van Johan en Ellen staat als een uitgewoond schip boven het stadse water. Alles wat zij en de kinderen eten is de steile trap op gezeuld naar hun domein op de tweede en derde verdieping. Meestal door Ellen. In de grote woonkamer groeien stapels geïntegreerde rommel jaar in jaar uit aan, als in een verwaarloosde tuin. Opruimen betekent herschikken, nieuwe rommel op de oude plaatsen met zo weinig mogelijk tussenruimte. Voetbalplakboeken van de tweeling, tijdschriften met een foto of vernissageverslag van Johan en dozen met speelgoed vormen de onderlaag waarop wekelijks een regen van kranten en bladen neervalt: periodieken met advertenties voor directiefuncties in het middenkader voor Ellen, rocktijdschriften voor Paul en Peter, strips voor Saar. Johan bewaart zijn kunstbladen en een enkele catalogus elders.

Zelf is hij ook vaak elders de laatste tijd en komt niet, of te laat, aan tafel. Johan geeft les aan de academie, waar zijn gedistantieerde en deskundige houding hem een gezocht docent maakt. Als een van de weinige schilders van zijn generatie leeft hij van zijn werk: hij heeft een goed gevoel voor het belang ervan en weet de juiste personen op de juiste manier te benaderen, zonder zichzelf te compromitteren of geweld aan te doen. Zo werkt hij veelal in opdracht; hij geeft vorm en kleur aan bedrijfshallen en stations. Onlangs begon hij met het ontwerpen van decors en toneelbeeld voor een eigentijdse opera. Daarom scharrelt hij op zijn peperdure merkschoenen door de schouwburg. Het is een nieuwe wereld voor hem waar regisseur en componist een kunstwerk zullen tonen dat maar enkele uren standhoudt terwijl zíjn bergen en scheve banken nog tientallen jaren in het magazijn zullen staan. En dan zijn er zangers, en zangeressen. Hij beziet gefascineerd hoe zij hun lichaam, hun ingevlochten instrument hanteren, hij voelt hoe het repetitielokaal de fysieke sfeer van een sauna krijgt. Johan is thuis in het gebied van het lichaam.

Hij zal niet in zijn vaders sporen treden, hij zit achterin en kijkt. Hij denkt in flitsen aan Charles: zo is dat gegaan, hij is opgestaan en heeft die stevige dijen beroerd, pakte die buiken, verschoof die armen en werd uiteindelijk regisseur.

Naast Johan zitten Mats en Zina, leerlingen uit zijn eindexamenklas op de academie. Zij assisteren hem. In vieze jeans mengen ze de verf voor zijn vreemde landschappen; aan het eind van de werkdag verkleedt Zina zich en wordt zij één en al stevig lichaam in zachte, glimmende kleren. Zij is dik en beweeglijk, zij loopt op hoge hakken.

Na het werk vrijt Johan met haar, grommend en snurkend tussen en over het vele vlees. Zina bewijst hem herendiensten want zij hoort bij Mats. De verzwagering met zijn bewonderde docent wekt machteloze woede maar tevens een diepe bevrediging, Mats hoort haar uit en legt zich zuchtend bij de situatie neer. Ook hij kent Johans aantrekkingskracht, als Johan dicht naast hem staat tijdens de les voelt hij hun beider huid en kan hij nauwelijks luisteren. De driehoek staat.

Als Ellen op deze februarimiddag thuiskomt treft zij haar kinderen voor de televisie. Schooltassen en vuile borden staan op de planken vloer. De jongens hebben hun huiswerk op schoot, Saar hangt witjes op de bank. Gelukkig hebben ze geen kat, want de stank van een kattebak zou dit tafereel net over de rand van de viezige verwaarlozing duwen.

'Wat eten we mam. Hamburgers? Pizza? Afval?' vragen de jongens.

'Ik geloof dat er niets is,' zegt Ellen, 'morgen doe ik boodschappen.' Pannekoeken? Ze ziet de blauwe walm al hangen.

Dan liever de blikopener: kapucijners, appelmoes, rookworsten.

'Komt papa thuis?' zegt Saartje.

'Ik weet het niet, hij heeft niets gezegd. We gaan gewoon eten, we zien het wel.'

Visgraatblazer uit, oude trui aan. Schort. Kousen ophalen aan de splinters. Saar kom je helpen? Nee, te moe, liever liggen. De kinderen hebben nooit honger want ze eten de hele dag. Het aanrecht staat vol bekers chocola, bordjes met vegen ei, verdroogde boterhammen. Ellen ordent, wast af, bergt op, dekt de tafel en maakt in tien minuten het eten klaar.

Halverwege de maaltijd komt hij binnen, de vader, de man. Hij schept zich op uit de pan op tafel, lauwe kapucijners met ui en worst. Wanneer ga je weer eens écht koken?

Dit is ons gezin, denkt Ellen, wanneer hoor je er weer eens echt bij? Hoor ik er zelf wel bij? Ik ben gevlucht in vermoeidheid en overbelasting. Omdat hij het doet met Zina en doorgeneukt ruikt als hij in bed stapt. Waarom trap ik hem de deur niet uit?

Peter legt zijn mythologieboek op tafel om een vreselijk schilderij te laten zien: Goya's Kronos die wellustig een kind opeet.

'Dat is pas eten,' zegt Johan, 'jammer dat je te mager bent Saar.'

Het meisje kijkt geschrokken naar de plaat, dan naar haar vaders gezicht.

'Lisa's vissen eten hun kinderen op want ze vergeten dat het hun kinderen zijn. Ha, daar zwemt eten, denken ze dan, maar het zijn hun baby's!'

Paul vraagt naar de opera en Johan vertelt hoe ze vandaag voor het eerst op het toneel gewerkt hebben, dat de regisseur muren en stenen verplaatst omdat de zangers anders niet goed kunnen lopen.

'Jij moet erbij zijn, jij moet zeggen of dat mag, dus jij bent de baas, papa.'

'Saar, je bent een dommie. De dirigent, die is de echte baas. Mogen we erheen, pap?'

Ja, over een week is het zover. Dan lopen we achter Johan aan de zaal in, denkt Ellen. Dan zegt hij: trek nu eens iets moois aan, mooie schoenen en een geil rokje. Kóóp eens wat. Waarom, waarom. Waarom kan ik er niet meer tegen? Ellen verdraagt het niet dat Johan vriendinnen heeft. En ook niet dat hij overal bevestiging zoekt, zelfs de kinderen moeten hem verzekeren dat hij belangrijk is, iedereen moet iets van hem vinden, anders bestaat hij niet. Dat anderen bestaan, op zichzelf, los van hem, dat valt hem niet in.

Morgen heb ik belangrijke sollicitatiegesprekken, denkt Ellen, ik moet iemand uitzoeken met wie ik nauw ga samenwerken; en hij begrijpt niet waarom iemand bij zo'n kutorganisatie wil gaan werken. Totáál te verwaarlozen, niets stelt iets voor als het niet op hém afstraalt. Zij ziet zichzelf: moe, mager, vermorzeld.

In de kleine meisjeskamer valt het Ellen op hoe bleek en lusteloos het kind is. Als ze morgen maar naar school kan, ik kan niet vrij nemen, niet morgen. 'Heb je pijn, schat, heb je koorts?'

Het gladde voorhoofd voelt niet heet; het kind zucht als ze in bed glijdt bij Gijs, de flanellen goudvis met de raadselachtige glimlach. Voorlezen. Ellen zit op het bed, rug tegen de muur, het kind tussen haar benen, tegen haar aan geleund. Niets ruikt zo aards als kinderhaar. De iets te gore lakens vormen een knusse tent over hun benen, het boek steunt op Saars knieën. Ellen leest over de kapitein die over zeven zeeën varen moest, zijn handen zaten vastgeklonken aan het roer en hij riep voortdurend: red mij, red mij; het moedige meisje voerde hem pannekoeken. Slapen was er niet bij en de redding was onzeker want wie zou dat lot willen overnemen? Ellen valt stil. Rustig zitten ze zo bij elkaar, de moeder en het kind, hoog in het huis dat op een schip lijkt.

Iets van die roerloze stemming draagt Ellen mee als zij 's morgens de keukenramen wijd openzet. Het is een tussenseizoen, wat de Duitsers 'Vorfrühling' zouden noemen: geen knop is nog uitgekomen, de takken staan even naakt en zwart tegen de grauwe lucht als in de verstreken maanden; toch is het duidelijk dat het niet meer echt zal gaan vriezen.

In Saars rugzak liggen de gymkleren van gisteren nog te stinken. Ellen legt er een plastic zak met boterhammen voor in de plaats. Saar moest vanochtend gewekt worden, ze lag bleek op haar rug te slapen en ademde licht. Nu hangt ze aan tafel met Gijs in haar arm en eet niet.

'Zal ik je brengen vandaag, rijd je met mij mee?'

Het kind knikt. De jongens zijn al vertrokken op hun fietsen, beladen met boeken en eten doorkruisen ze de stad in een vervaarlijk tempo. Ellen zet de resten van hun reuzenontbijt op het aanrecht. Wat een zegen dat niemand hier Engels is opgevoed en 's morgens gerookte vissen en aardappels wil. Zelf neemt ze koffie. Haar leren tas staat bij de deur; voor de taak van vandaag heeft zij zich gekleed in een grijze zijden bloes met zwarte rok en hele kousen, haar ogen opgemaakt met mascara en zilveren oogschaduw, de visgraatjas geborsteld en uitgehangen. Als de innerlijke orde ontbreekt is het zaak de buitenkant zo goed mogelijk te verzorgen in de hoop dat het verwarde lichaam daar steun aan vindt, dat de benen weten wat lopen is zodra de schoen de voet omvat, dat de rug zich recht onder de zachte zijde. Zo doet zij dat, de vrouw van vijfendertig.

Het glansloze haar kamt ze met haar vingers. Johan zou willen dat ze het verft, hij verdraagt geen neergang. Zelf ziet hij eruit alsof de tijd geen vat op hem heeft. Hoewel hij weinig en onregelmatig slaapt en bij wijlen zeer veel drinkt is daar nooit iets van te zien. Zijn haar is donker, zijn schouders zijn beweeglijk en zijn kont is die van een jongen. Een sterk innerlijk verzet tegen de vergankelijkheid zorgt ervoor dat zijn huid strak gespannen is. De mensen die hij in de schouwburg ontmoet geloven niet dat hij vader is van een vijftienjarige tweeling. Hij onttrekt zich steeds meer aan die rol en het kost hem moeite in de groeiende jongenslichamen met de reuzenvoeten zijn kinderen te herkennen.

Wrakhout, denkt Ellen – we zijn aangespoeld op het strand en de golven die ons hier brachten, prachtige, gelukkige en sterke golven vol passie, zijn allang teruggezogen in de zee en zijn niet meer te horen. Knisterend knappen de schuimbellen om ons heen en we liggen verloren, los van elkaar in het zand. Jezus, het is tijd, zet die kop toch stil.

Tas mee, rugzak mee, jas aan, schoenen dicht, boodschappentassen van de haak, sleutels in de hand, laat Gijs maar thuis, trap af, o, briefje voor Johan op tafel over hoe laat terug, Saars jasje dicht, trap af, trap af, deur uit, buiten. De auto staat dichtbij. Saar leunt tegen het glimmende spatbord als Ellen de portieren ontsluit. Ze glipt naar binnen en leunt languit in de leren stoel, rugzak tussen de smalle meisjesbenen. De zilveren Saab komt in beweging en glijdt als een vis het ochtendverkeer in.

'We zijn een vis, Saar, die zwemmen ook met z'n allen dezelfde kant op.'

'En de fietsen, die zijn de watervlooien. Die eten wij op, straks. Mam, zijn er ook mensen die hun baby's eten?'

O ja, denkt Ellen, die hun kinderen leegzuigen en weggooien. Ineens ziet zij de keuken voor zich waar ze zat met de pasgeboren tweeling: één krijsend op tafel, de ander aan de borst. Hoe groot de ijskastdeur achter het rood aangelopen kind opdoemde, hoe ze schrok van het idee op te staan en het baby'tje in de vrieskou te leggen, de deur te sluiten, het schreeuwen te horen verstommen tussen de melkpakken en de tomaten.

'De wilde mannen eten kapitein Koek op in het boek van Paul. Hij heeft het mij laten zien.'

Ellen zegt dat Cook zijn naam tegen had. En dat dieren en mensen minder geneigd zijn hun jongen op te eten als ze meer en langer voor hen zorgen.

Dan zitten zij wel goed, vindt Saar.

De school ligt aan een parkje. Ellen legt een hand in haar dochters smalle nek en opent het portier. Zij ziet het kind langzaam onder de kale bomen lopen, de rugzak over één schouder hangend. Saar draait zich om en achterwaarts lopend zwaait ze naar haar moeder in de zilvergrijze auto.

★

Het bedrijf waar Ellen werkt coördineert de houthandel in Europa. Zij is er begonnen in de typekamer en heeft vervolgens jarenlang het directiesecretariaat geleid. Het bedrijf groeide, de directeur had een full-time kracht nodig, het aantal werknemers nam toe en Ellen werd personeelswerker. Haar salaris is te laag, want zij heeft de vereiste opleiding nooit gevolgd. Ze werkt vier dagen in de week en heeft de vrijdag vrij voor boodschappen en de was. De directeur heet Nicolaas Bijl. Hij wil dat ze sociologie gaat studeren en zich toe gaat leggen op de bedrijfsorganisatie. Hij zal haar gedeeltelijk vrij geven en de studie financieren, zoals hij haar ook de Saab heeft aangeboden. ('Moet opgereden. Heb ik niets meer aan.')

Ellen aarzelt. Zij is thuis een ander dan bij Nicolaas Bijl. Als zij naar hem toe rijdt recht zich haar ruggegraat en merkt ze dat haar achteruitkijkspiegel te laag staat. Hoe kan ze naar avondcolleges gaan, tentamens voorbereiden en werkstukken maken te midden van de kinderen, onder de afkeurende ogen van Johan? Als ik het echt wilde dééd ik het wel, denkt ze. Dan was ik niet zo gevoelig voor zijn geringschattende blik en stapelde ik de standaardwerken op in de huiskamer. Geen punt.

Maar het is wel degelijk een punt, vooralsnog. Zij durft nog niet omdat zij, na moeizame schooljaren, haar verstand niet vertrouwt. Zij voelt zich door Bijl overschat op grond van haar efficiënte gedrag op kantoor, wat voor haarzelf meer van doen heeft met het draaien van een huishouden dan met het opzetten van onderzoek. De plannen blijven echter in haar gedachten en iedere zomer vraagt zij de universitaire studiegids aan.

115

Hout. Aan het gebouw, dat geheel uit staal en kunststof is opgetrokken, zie je het niet af. Bijl wil de aanbieder van Bosnisch grenen niet voor het hoofd stoten met een tafelblad van blanke Noorse berk. Ellen denkt dat de afwezigheid van hout de concentratie op het zuivere handelen gemakkelijker maakt. Troep en gedoe worden buiten de deur gehouden. Rillend ziet zij op een computerscherm de verscheping van grote houtvoorraden van Helsinki naar Antwerpen, in november (misthoorn, sneeuwjacht). Het stemt tevreden dat daar niemand bij hoeft te zijn. De personen die over de transacties komen spreken doen in geen enkel opzicht aan hout denken. Nooit komt er een rauw zingend gezelschap brede kerels binnen, met hun bonkige schoenen schoppend tegen de plastic plinten, een geur van mos en rottend loof meevoerend in hun manchester broeken, zwaaiend met bijl en zaag. Met attachékoffers, snelle colberts, discrete reukwaters moet Ellen het doorgaans doen, opgewekt en waakzaam converserend aan de conferentietafel van gewapend matglas.

Aan de wand van de vergaderzaal hangt een zwart-witfoto, twee meter breed, van een Zweeds berkenbosje, een doorzichtige wolk van tere stammetjes. Bijl is met de fotoverzameling begonnen, Ellen heeft hem uitgebouwd. De oudste onderdelen van de collectie gaan over hout in zijn oorspronkelijke staat: een bloeiende kastanje in een Engels parklandschap, een solitaire Duitse eik met bladerloze verwrongen armen. Ellen ging verder en verwierf een door de bliksem getroffen Scandinavische meelbes en een gefossiliseerde antarctische palmboom. In de benedengang hangt een montere Rotterdamse kerstboomverkoper, de sparren als neergestreken donkere vogels aan zijn voeten. Bijl heeft op zijn kantoor een gigantische liggende beuk waar de bosarbeiders trots omheen staan. De houtvester moet voor de overwinnaarspose zijn been iets te hoog heffen om zijn voet zelfs maar op een zijtak te plaatsen en ziet er wat ongemakkelijk uit.

De toepassing van hout is de volgende stap: trots poseert een Zuidduitse vioolbouwer voor de kruiselings gestapelde, wigvormige stukken esdoorn die zijn kapitaal vormen. Er is een nautisch archeoloog bezig met de restauratie van een achttiende-eeuws zeilschip; een beeldhouwer snijdt een schaakspel uit jeneverbestakken.

Bosaanplant en zaadhandel horen bij de nieuwe bedrijfslijn en komen tot uitdrukking in sterk vergrote beelden van een pereklokhuis en een pas gekiemd sparretje. Er wordt keihard vastgehouden aan het zwart-witprincipe, ook als relaties met prachtige kleurenfoto's komen aanzetten.

De personeelsleden kiezen de foto's uit die in hun blikveld hangen; het is de bedoeling dat er eens per kwartaal onderling geruild wordt maar omdat men zich snel en hevig hecht aan een zelfgekozen tafereel komt dat er weinig van. De enige foto die Ellen nooit aan iemand heeft kwijt gekund is een portret van een doodskist in blank geschaafd eiken. Die hangt nu in het voorraadkamertje bij de bloknoots en de potloden.

Ellen gooit de deur van haar kamer open. Foto's van de kinderen aan de muur, geen bos. Ooit gaat zij de ultieme bosbrand aan de wand hangen. Bijl komt in de deuropening staan terwijl zij de sollicitatiepapieren uit haar tas pakt. Hij is een reus in een lichtgrijs pak. Zijn haar is kortgeknipt en plakt nat tegen zijn schedel.

'Zo meisje. Wij gaan een flinke assistent voor je uitzoeken. Jij werkt hem in en dan ga je doorleren. Luister naar Klaas.'

Ellen lacht. Hij schept om haar heen een sfeer waarin zij bloeit, zonder achterdocht en zonder schuld; een vader die schommel en tuinhek controleert: hier ben je veilig.

'Luister naar Ellen! We gaan niet aan die grote glazen tafel zitten maar in jouw kantoor.'

Bijl loopt met haar mee terug, ze plaatsen en verplaatsen stoelen en koffiekopjes tot ze een goede opstelling gevonden hebben. Samen voor iets zorgen, zonder strijd naar iets streven, elkaars wensen en eigenaardigheden respecteren, waarom kan dat met Johan nooit? Dat is een gedachte die snel weer wegwaait; tobben en twijfelen past niet in deze werksfeer. Hier vindt men haar hoogstens bedachtzaam en nooit besluiteloos.

Vriendelijk en geconcentreerd voert zij de gesprekken, op tijd de vloer latend aan de voorzitter van de OR, ruimte makend voor de spontane erupties van Klaas. ('Hout!! Hoe verhoudt u zich tot hout?! Wat was uw eerste houtherinnering?') Na afloop gaan ze gedrieën een boterham eten buiten de deur.

Terug op kantoor, tegen tweeën, vindt ze een brief bij haar telefoontoestel: 'School heeft gebeld, Sara ziek, terugbellen, spoed!' De telefoniste heeft het nummer van de school opgeschreven en dat is maar goed ook want in de agenda van het lopende jaar heeft Ellen de minder gangbare telefoonnummers niet overgenomen.

Trillend staat ze voor haar bureau, boos om de verstoring van haar werkritme, zich schuldig voelend omdat ze anderen voor haar kind laat zorgen, ongerust als ze aan het witte gezichtje van Saar denkt.

Staande belt ze de school, alsof ze zichzelf duidelijk moet maken dat ze hier niet zomaar een beetje rondhangt, maar in looppas, hijgend haar zware werk doet. Via een achtergebleven overblijfmoeder ('Bent u ouders? Ik weet niet of u mag storen. Het is nu les.') en de conciërge, die begint uit te weiden over zijn caravan en zijn honden, wordt ze doorverbonden met Saars onderwijzeres, de strenge Mara. Deze vegetarische feministe kleedt zich in grauwe lappen en wijde broeken, zij kent geen make-up, geen bh's, geen genade. Zeker niet voor vrouwen die hun ogen sluiten en langzaam uitademen als zij met naakte schouderbladen tegen een mannenborst geleund staan. Ze leidt de schoolklas zonder humor maar met grote, verbeten rechtvaardigheid. Haar levenswaarheden (zonder gestrikte veters nooit naar buiten; ook zonder klok altijd op tijd zijn voor alles; huidskleur en land van herkomst doen niet terzake) worden meedogenloos in de tienjarige hoofden gebeiteld. Wat Mara zegt is bagage voor later. In haar klas hoeft niemand zich belachelijk te voelen. Maar gelachen wordt er zelden. Toen Saartje op haar tiende verjaardag de klas op negerzoenen trakteerde kreeg ze een verhandeling over discriminatie en seksisme over zich heen. Woedend was Ellen toen ze aan het verjaarsdiner het verhaal te horen kreeg. Omdat het nóóit en nóóit goed is, omdat zo'n vrouw per definitie niet tevreden kan zijn zolang er ook maar ergens onrecht bestaat. Had het kind versierde worteltjes meegenomen dan was dat beschouwd als verdrukking van het lesbische volksdeel, of als blinde liefde voor het koningshuis.

Ellen blijft op afstand, zij probeert de verhouding met hen die haar kinderen verzorgen goed en open te houden en neemt daarom genoegen met zaken die ze anders niet zou accepteren. Ze laat de kinderen zelf de kastanjes uit het vuur halen, stookt ze soms op tot tegenspraak, tot het volgen van hun eigen ingevingen.

Korzelig en kortaf, maar met een oprecht bezorgde ondertoon in haar schuurpapieren stem, staat Mara haar te woord.

'We konden u niet bereiken. Uw man was óók niet thuis. Gelukkig wist Nadja van de kleuterafdeling nog waar u werkt. Maar daar was u óók niet.'

Ellen proeft het verwijt en verbijt haar fel opvlammende ergernis. Had ik thuis gezeten dan was ze kwaad geweest dat ik niets deed terwijl zij zich met de kinderen afbeult. Het mens heeft toch zelf óók een baan? Ben ik verantwoordelijk voor de bereikbaarheid van Johan? Waarom belt ze de schouwburg niet, het staat elke dag in de krant dat hij daar aan het werk is. Zeg wat er is met mijn dochter, ik neem alle schuld op me, ik sta in de boetehouding, het hoofd gebogen, maar trappelend van ongeduld.

Saar is naar het ziekenhuis gebracht.
In de klas werd zij steeds witter en witter, ze deed niet mee

met zingen en gleed langzaam op de grond tijdens het kringgesprek. Ze heeft op de stretcher gelegen in het kantoortje van het hoofd van de school; Stanley, een grote Surinaamse neger die vóór zijn onderwijzerschap verpleger is geweest, zag dat ze blauwer werd en weinig leek te horen van wat hij tegen haar zei. Op zijn aandringen is er gebeld, naar huis, tevergeefs; naar het houtkantoor, tevergeefs; naar een dienstdoende huisarts die, zonder de patiënt te zien, onmiddellijk de ambulance belde toen hij hoorde dat het kind buiten bewustzijn was.
Saar is naar het ziekenhuis gebracht.

Stanley heeft zijn klas in de steek gelaten en heeft naast Saars hoofd gezeten in de ziekenauto, haar rugzakje met boterhammen op zijn schoot. Hij heeft haar 'm'n hondje' genoemd, heeft haar koude hand vastgehouden maar ze heeft het niet gemerkt. De schamele gegevens van het laatste onderzoek van de schoolarts (Sara Steenkamer, gewicht 34 kilo, voetstand g.b.) heeft hij meegenomen. Ellen verstaat Mara's woorden en voelt niets.
Saar is naar het ziekenhuis gebracht!

★

Op weg naar het Zuiderziekenhuis is Ellen gedesoriënteerd. Niet wat de rijrichting betreft – de grote borden langs de ringweg geven de afslag naar het ziekenhuis duidelijk en ruim van tevoren aan – maar in de tijd. Het is of de schotten in haar hoofd, tussen de verschillende compartimenten van haar leven, in elkaar geramd zijn. 's Middags om een uur of drie hoort zij zich ongecompliceerd te voelen, veilig op het werkterrein in de tuin van Bijl. Het voorliggende gevoel is ergernis. Zij voelt zich lastiggevallen, de rugzak met huiselijke plichten en conflicten is te vroeg weer op haar schouders terechtgekomen.

Waarheen? Neurologie? Interne? Eerste hulp? Kinderafdeling natuurlijk. De onzegbare angst die aan de specialismen gekoppeld is lijkt te worden tenietgedaan door de toevoeging 'kinder'. Dáár is niets aan de hand, daar moet het gezellig zijn. Nu parkeren, veel te ver van de ingang. Tegen de koude wind in naar de grote draaideur, die tergend langzaam beweegt. Langs de portier, het portiersteam, ze zitten met z'n zessen koffie te drinken en met bezoekers te kletsen, petten op de balie, jasjes over de stoelen. Informatiebord, stilstaan, kijken, nadenken. Hoogste verdieping. Pijl naar liften. De liften. Ik moet naar de liften. Het lijkt hier wel een mediterraan plein, mensen zitten aan tafeltjes, hebben glazen en asbakken voor zich, geroezemoes van gesprekken. Wat veel wit: de doktersjassen, de gipsbenen, de lakens in de aangeschoven bedden. Onrustige kinderen die op de beeldhouwwerken klauteren, een moeder die scherp roept. Kinderafdeling, ik moet naar de kinderafdeling.

Voor de liftdeuren staat een groep mensen: patiënten in kamerjas, bezoekers met volle plastic tassen en complete bloemstukken, een schoonmaker met een soort ijskar vol reinigingsapparaten, artsen met openhangende jas. Als er een lift stopt dringt men goedmoedig naar binnen, Ellen deinst terug voor het volle kamertje hoewel een vriendelijke donkere vrouw plaats voor haar maakt. Uit de volgende lift komen twee mensen in rolstoelen. Behendig maken ze de bocht naar de hal, ze roepen naar elkaar en lachen. Ellen gaat de lift in, een kamer met gesloten wanden en een knoppenpaneel als enige uitweg. Ze drukt op de bovenste knop en gaat achterin tegen de wand staan. Mensen die binnenkomen drukken ook hun knop in, stellen zich op om geduldig te wachten. Allen kennen de regels. Er komt een vrouw binnen met kinderen die haar stil vasthouden aan de zoom van haar jasje. Twee assistenten met vermoeide gezichten staan leunend tegen een wand te spreken over een zeiltocht in het weekend. Een laborant komt naast Ellen staan. Zij heeft een stapel dossiers in haar arm. Bovenop ligt een plank waar een geel papier op vastgeklemd is. Patiënt Sneefhart. Dokter Baudoin. Een lijst laboratoriumuitslagen. Als je je kon concentreren zou je Sneefharts toestand en prognose tot je kunnen nemen. Er zijn geen geheimen. Op de polikliniek, waar Ellen voor de hooikoorts van Paul en Peter wel geweest is, werden de meest intieme patiëntengegevens op een soort televisiescherm aan alle geïnteresseerden geopenbaard. Luidkeels werd er over bloedverwantschap ('Is dat ook de biologische vader?') en al dan niet voorbije geslachtsziekten gesproken. Er zijn geen geheimen. Behalve het geheim. Kent Sneefhart zijn eigen diagnose? Zal Baudoin hem het gele papier overhandigen, hem geduldig de betekenis van cijfers en symbolen uitleggen? Rekken met dossiers staan op de gang, ter inzage voor de passant. Zullen ze vertellen wat er is met Saar? Ze? Ineens merkt Ellen dat haar benen trillen alsof ze de oorlog in moet.

De lift stopt. Als de deuren openglijden staat daar een hoog bed dat nog hoger lijkt door de erop gemonteerde infuusstandaard. Als stuurman en matroos staan de verplegers aan weerszijden. De passagier ligt met zijn hoofd opzij. Er komt een slang uit zijn mond. Zijn handen zijn vastgebonden aan de nikkelen bedstangen.

Alle mensen gaan vlug de lift uit. Zieken hebben voorrang, mits te bed. Ellen schuifelt achter de anderen aan. Hematologie, staat er op de muur tegenover de lift, verdieping vijf.

Haar keel voelt dik en haar ogen prikken. Dit is helemaal niet goed. Dit is een soort hel waar je mishandeld wordt en misleid en waar je nooit, nooit meer uit komt. Is er geen trap? Met knikkende knieën de traptreden overmeesteren zou nog iets van zelfwerkzaamheid, een sprankje illusie van macht teweegbrengen. Ellen zoekt achter de deuren van verdieping vijf, hematologie. Geen trap. Het glazen trappenhuis achter in een gang is afgesloten. Een verpleegster met een mondmasker voor wijst met een blote arm naar het groepje mensen voor de liftdeuren. Dáár is je plaats. Blind stort Ellen zich in de volgende lift, tussen een Surinaamse familie met zakken vuile was, met halve roti's op kartonnen schaaltjes. Het ruikt naar de markt, naar kermis. Er is geen niets-aan-de-hand-muziek, alleen het geluid van kauwgum kauwende kaken, een hoestende man, de smakkende roti-eters.

Als ze haar ogen opendoet staat Ellen weer in de hal met de

tafeltjes. Kwart over drie, op de grote klok zonder cijfers boven de uitgangspoort. Ze onderdrukt de impuls om het ziekenhuis uit te rennen en gaat even zitten op een bankje terzijde van de hal. Er staat 'Stiltecentrum' op een witte pijl.

Langzaam zakt de paniek weg uit hoofd, schouders, maag, knieën en maakt plaats voor een hevige ongerustheid. Nu wil Ellen weten waar haar kind is. Ze neemt een lift en stijgt naar de bovenste verdieping zonder één keer te stoppen.

Saar ligt in een onderzoekkamertje. Er zijn geen ramen. Fel licht uit een tl-buis aan het plafond. Het bed staat geklemd tussen een onderzoektafel met wit papier erop en een schrijftafeltje langs een wand met een wasbak en kastjes daarboven. Er staat een stoel tussen de tafel en de wasbak. Daar zit een jong meisje met een boek op schoot.

Ellen wringt zich tussen onderzoektafel en bed. Haar dochter ligt hoog in de kussens. Achter haar komt een slang uit de muur die zuurstof haar neus in suist. Als Ellen haar hand langs de koude wang legt kijkt Saar haar aan en glimlacht.

'Stanley heeft mij gebracht. In de ziekenauto. Hij ging mee. En de rugzak heeft hij aan gedacht. Ik ben gevallen, ik had zo'n slaap alsmaar. Mara zei ga maar liggen.'

Stil maar, spaar je woorden maar. Nu komt alles goed. Of gaat het nu pas echt mis? Wat is er aan de hand? Wat doen we hier?

Het meisje is verpleegkundige. Van witte jassen worden de kinderen bang, daarom draagt ze een spijkerbroek en gymschoenen, een geruit bloesje. De dokter die Saar onderzocht heeft, Baudoin, zal zo meteen komen. Hij is gewaarschuwd, hij weet dat de moeder is gearriveerd. U kunt hier blijven, hij komt zodra hij klaar is.

'Baudoin?'

Ken ik die naam? De snelle zoektocht door het geheugen loopt anders dan anders; Ellen komt niet verder dan een vaag gevoel van herkenning.

'Cardiologie,' zegt het meisje. 'Consulterend kindercardioloog. U heeft geluk, hij is hier alleen op maandag en donderdag. Tenzij voor spoed natuurlijk.'

Nu komt Sneefhart bij Ellen bovendrijven en veroorzaakt wurgende angst, want in haar liftfantasie liep het slecht af met deze geel-papieren patiënt.

Saartje lijkt ingeslapen, Ellen gaat op de gang zitten en wacht.

'Verschrompelde hartkleppen?'

Niet-begrijpend herhaalt Ellen de vreemde woorden. De binnenkant van haar kinderen is soepel, met gladde organen, rekbare zenuwen als nieuwe elastiekjes – niets is daar vergroeid, verstopt, verstijfd.

Of het in de familie zit, vraagt Baudoin, misschien aan vaderskant?

Hij is een brede, korte man met een vriendelijk gezicht achter dikke brilleglazen. Als hij in z'n papieren kijkt legt hij de zware bril naast zich; hij doet hem weer op om Ellen aan te zien. Deze dokter heeft wel een witte jas aan. Korte mouwen, blote behaarde armen, brede handen met wortelachtige vingers, schone, recht geknipte nagels.

Zwart, wat vettig haar hangt over zijn boord. Als hij zich over Saars status buigt is de bruine schedelhuid door het dunnende haar zichtbaar.

Met soevereine concentratie registreert Ellen de miniemste details in het voorkomen van deze man die de sleutel heeft tot het binnenste van haar dochter. Korte zwarte haartjes op de onderste vingerkootjes. Gele eeltplek aan de buitenzijde van de top van de linkerpink. Grijs en zwart borsthaar dat omhoogkruipt uit een groezelig t-shirt. Volle wangen met fijne rode aderlijntjes boven het geschoren gedeelte. Let op wat hij zegt, let op.

Over bloedstromen gaat het, liters per minuut, het moeras van de haarvaten, pomp en kleppen, kleppen. Buisbekleding.

Een waterleidingdeskundige zit hier voor mij. Maar hij draagt een witte jas, er steekt een stethoscoop uit zijn borstzak. Ik eet hier genadebrood, mijn kind is onklaar geraakt, let op, let op, luister!

Geen hartlijden in de familie. Wat heeft ze zelf niet ondraaglijk aan haar hart geleden toen ze verliefd werd op Johan, een verslindende en gek makende liefde die haar arme hart opjoeg en uitputte en brak. Maar dat is hier niet bedoeld. De tweeling, door Baudoin erbij gehaald, is kerngezond op de hooikoorts na. Is Saar ziek geweest toen ze klein was, hoge koorts die niet door een kinderziekte werd veroorzaakt? Elke kinderarts overschat het mentale apparaat van de moeder. Met zijn vraag roept hij herinneringen wakker aan doorwaakte nachten, aan de opwindende warmte van een koortsig kinderlijf, aan de lucht van geperste sinaasappels en hoestsiroop. Ellen weet het niet.

De telefoon zoemt priemend door hun gesprek heen, Baudoin blaft in de hoorn.

Hij zal Saartje onderzoeken morgen. Foto's en metingen zullen uitwijzen waarom zij haar zuurstofvoorziening op een zo gebrekkig peil houdt. Hij spreekt over opereren, over door mensenhanden gemaakte hartkleppen van kunststof. In kindermaatjes?

Ze staan op. Ellen is verbaasd dat hij een kop kleiner is dan zij. Hij reikt haar de hand en verwijst haar vriendelijk naar de hoofdzuster, ze moet immers haar man bellen, rustig vanuit het kantoortje, bespreken wat Saar van huis nodig heeft, de huisarts zal hij zelf wel op de hoogte stellen, niet te veel zorgen nog maken mevrouw Visser, ik zie u morgen.

De volgende dag ligt Saar op een grote zaal in haar bed aan het raam, nog steeds gekoppeld aan de voedende zuurstofslang. Het bed naast haar is leeg. Tegenover haar, ook voor het raam, ligt een dik meisje met een kaal hoofd. Zij wordt voorgelezen door haar moeder, die sprekend op haar lijkt maar die rechtop zit en stevige bruine krullen heeft. Het eerste wat Ellen ziet is echter de negerjongen in het bed naast de deur. Aan zijn voeteneind is een hoge stellage opgericht waar een ijzeren draad overheen loopt met gewichten eraan. De draad loopt uit op een beugel die een stalen pen omklemd houdt. De stalen pen is door huid, vlees en botten van de jongen zijn bruine bovenbeen gedreven. Hij ligt te lezen. Hij leest Donald Duck. Ellen moet braken. Ze proeft de verzuurde zalm van vanmiddag. Vermant zich. Niet denken nu. Ze trekt een krukje onder Saars bed vandaan en kijkt naar haar dochter. De ronde vrouw van de overkant bespiedt haar, Ellen hoort het aan het voorleestempo, aan de aarzelingen. Ze draait haar rug naar het kale kind en kijkt Saar recht aan.

'Je moet hier een paar dagen blijven, ze gaan kijken wat er met je is.'

'Hoe kijken ze dan?' vraagt Saar. 'Gaan ze mij openmaken?'

Ellen vertelt van de foto's, het ECG-apparaat, van blazen in ballonnen en het prikken van bloed. Niet van narcose, van operatietafels, van flinterdunne, doorzichtige, zelfgemaakte hartkleppen.

'Ben ik wel terug voor papa z'n opera dan? En ik heb de rekentaak voor Mara nog niet af. Moet ik hier slapen? Alleen?'

Dat moet. De hoofdzuster, een gejaagde vrouw met een vermoeid grauw gezicht boven haar half dichtgeknoopte vest, heeft Ellen verteld dat ouders tegenwoordig ook 's nachts bij hun opgenomen kind mogen zijn. Maar dat geeft meer werk dan dat het bespaart, had ze verzucht. Als het kind erg klein is, erg in de war, of als het geen enkele taal machtig is die door het personeel gesproken wordt, en als het kind erg bang is de nacht voor een grote ingreep, dan mag het. Maar gewone gezonde kinderen die in het ziekenhuis liggen, zonder taalproblemen en zonder angst, die moeten het zonder ouders doen. De grijze spreeuw had voorgesteld dat Ellen voorlopig maar thuis slaapt. Als Saar bang wordt en niet gerust te stellen is, of als er wat gebeurt (wat?) zal Ellen gebeld worden en kan er een bed worden bijgeschoven. Er is ruimte genoeg op zaal, vooralsnog.

Ellen ziet zichzelf zwetend op een brancard naast Saar liggen, op twee meter van het kale kind en de ronde moeder, met de dreiging van de stalen tractieconstructie in haar linker blikveld. O, Jezus. En als het tot een operatie komt, maandag, dan praten we verder. Aldus de spreeuw. Nu zal Ellen naar huis ('Moet ik dan hier eten, mama?'); vanavond komt ze terug met de tandenborstel, de aardbeipyjama en *De kleine kapitein*. 'En Gijs wil ik, die moet je brengen.'

Ellen belt Johan in de schouwburg en krijgt hem door haar vlakke en kortaffe toon meteen aan de lijn. Hij klinkt verstoord en ongelovig, alsof een kind van hem onvatbaar is voor ziekte en gebrek. Hij komt naar huis, nu, over een kwartiertje en zal Chinees meenemen want boodschappen is er niet van gekomen. Ze belt Bijl om verslag te doen. Om te zeggen dat ze niet weet of ze maandag present zal zijn. De nieuwe kan meteen komen, zegt Klaas. Werk hem maar telefonisch in als het nodig is. Zorg dat je wat eet, een kind in het ziekenhuis kost twee kilo's per week.

Ellen bedenkt hoe heerlijk het zou zijn om nu hulpeloos te huilen bij een Bijl-achtige vader die haar zegt: stil maar, stil maar, alles komt goed en je kan er niets aan doen, het is niet jouw schuld. Haar ogen zijn echter droog; zij zet een kruis door Bijl op het lijstje en draait het volgende nummer. Lisa. Lisa is nog bezig met een eind-van-de-middag-patiënt. Lawrence hoort Ellens verhaal aan, leeft mee, zal doorgeven, ze nemen contact op, sterkte, sterkte, groeten aan Johan, benieuwd naar de opera volgende week. Kay en Ashley praten op de achtergrond, er is televisiegeluid. Doodmoe legt Ellen de hoorn neer. Waar zijn haar eigen kinderen eigenlijk?

Ritmisch gebonk op de bovenverdieping geeft haar het antwoord zodra ze de gang opkomt. In de slaapkamer verkleedt Ellen zich in weekendkleren: spijkerbroek, trui over een oud T-shirt. Dan gaat ze naar de jongenskamer, waar Paul met een koptelefoon op zijn hoofd op zijn bed ligt en Peter voor de dreunende radio aan het bureau zit. Als Paul het apparaat van z'n hoofd haalt bij Ellens binnenkomst klinkt er identieke muziek aan die uit de radio, met een maat verschil. Ellen verbaast zich al lang niet meer over zulke dingen, registreert het hoogstens geamuseerd als een illustratie van hoe zij zijn, haar zoons uit één, per ongeluk gespleten, eicel.

Haar zwangerschap betrof het embryo van een reus, leek het. Ellen had zo'n geweldig uitgezette buik dat ze haar lichaam uiteindelijk niet meer als het hare kon voelen. De bevalling kwam als een bevrijding; in een waarachtige verlossing zou zij aan zichzelf worden teruggegeven. En aan Johan, die 's nachts achter haar rug lag te verkommeren en de buik aantrof van welke kant hij zijn vrouw ook maar benaderde. Ze zou weer diep kunnen ademen, op haar buik liggen, een trap lichtjes oplopen. De dubbele wieg stond klaar, de extra pakken luiers lagen eronder.

Het werd een langdurige marteling; uiteindelijk zette de gynaecoloog de schaar in haar geteisterde kut en trok Peter met de vacuümpomp naar buiten. Ellen, schor van het schreeuwen, zei geen woord meer van pure angst. Paul volgde zonder moeite, zoals hij ook later vanzelfsprekend zijn broer in alles nadeed.

Ze lag op de verlostafel, een met bloed besmeurde baby in elke arm. Peter had een grote, gezwollen bloeduitstorting op zijn hoofdje. Johan en de dokter stonden getweeën naar haar te kijken. Ze rammen met hun hongerige pikken op je in, van voren, van achteren, tot je opzwelt en van binnen in beroering bent en dan trappen ze het kind je buik uit zodat je niets meer hebt, niets meer. Ze was aangeslagen, ze was zich kapot geschrokken van het gemak waarmee de vreemde man in vlees knipte dat hij zelf niet kende. Dan denk je dat soort dingen, niet weloverwogen, niet eerlijk. Even heeft zij zich van alles en iedereen verlaten gevoeld, daar bij de twee grote en de twee kleine mannen, liggend op haar rug.

Het hobbelige littekenweefsel zat haar nog maanden dwars. Poepen met moeite en pijn, neuken met de tanden op elkaar, de kinderen optillen met maximaal gespannen sluitspieren. Ze concentreerde al haar energie op de tweeling en kon daarbuiten geen opmerking en geen aanraking velen. Johan verbeet zijn razernij, zijn teleurstelling om het verlies van zijn lichte liefdespartner, zijn groeiende jaloezie op de krijsende jongetjes. De dagen op zijn atelier werden steeds langer, hij stelde het tijdstip waarop hij het allengs vervuilende en naar zure melk stinkende huis moest betreden zolang uit tot hij beschonken naast zijn uitgeputte vrouw in bed kon vallen zonder het licht aan te doen. Als Ellen de energie had gehad om op te letten, en geïnteresseerd was geweest in Johans bezigheden, dan had ze geweten dat hij in die periode begonnen was met zijn modellen te rotzooien. Maar Ellen lette niet op en merkte niets. Op de schaarse momenten dat de tweeling gelijktijdig en verzadigd lag te slapen zat ze uitgeput op de bank en voelde een intense ongerustheid. De gedachten daarover waren niet meer dan een vage notie van een basaal tekort: het allerbelangrijkste, datgene dat hen onverbrekelijk aan elkaar zou moeten binden, dreef hen uiteen. Johan rende panisch weg voor de kinderen die zijn scherpe neus en Ellens tengere lichaamsbouw in zich verenigden.

Ellen stond er alleen voor en klaarde de zaak door maar half te leven. Wat er achter de haastig in haar hoofd opgetrokken schotten schuilging was onzegbaar. De droom over de onstuitbaar voortrollende bal van onheil die haar verpletteren zou was de enige boodschap die zij zichzelf zond uit het verlaten gebied.

De tweeling dwong haar niet tot extreme betrokkenheid, zoals een enig kind misschien wel zou doen. De jongetjes hadden vaak genoeg aan elkaar en vroegen van haar slechts voeding en verzorging. Toen ze in latere jaren wat meer bij bewustzijn kwam was het te laat en kon zij de cirkel van geheime communicatie rond de twee kinderen niet meer binnenkomen.

Zittend op Pauls bed vertelt ze wat er gebeurd is. De jongens zijn geschrokken, Paul slaat een arm om haar heen. Zij schrikken meer van Ellens strakke gezicht dan van het ziekenhuisverhaal. Een jongen van vijftien die net plezier in zijn grote lichaam is gaan krijgen (tennis, twee keer per week scheren, het wonder van de masturbatie, telkens weer) kan zich bij lichamelijk lijden noodzakelijkerwijs niets anders voorstellen dan een puistje langszij de neus. Iets aan het hart is voor oude mensen; nooit hebben ze zich afgevraagd waarom het bloed in hun slapen en liezen klopt.

Ze horen Johan thuiskomen en gaan naar beneden. Hij zet plastic bakjes met bami en saté op tafel; weer kan Ellen ternauwernood haar braakneiging onderdrukken. Johan kijkt stuurs. Ze eten. Ze praten over zakelijke dingen: hoe de dokter heet, wie de spullen straks gaat brengen (Johan), wat hij mee zal nemen (Gijs), op welke kamer Saar ligt (bij de kale, bij de geketende), hoe laat het bezoekuur is (straks, numeteen), of de jongens mee zullen (ja).

Dan zijn ze allemaal weg, Peter zwaaiend met de plastic zak waarin Saars pyjama en toilettasje zitten, Paul met Gijs Goudvis onder z'n arm. Ellen zit aan tafel bij de half leeggegeten bakjes vet eten. Ze legt vorken en lepels in de gootsteen en wikkelt alles wat op tafel staat in het vieze tafelkleed, een huwelijksgeschenk van Alma. De strak opgevouwen buidel duwt ze in z'n geheel de vuilnisbak in. Op de schone tafel trekt ze de telefoon naar zich toe; ze gaat verder met haar lijst.

Mara's telefoon wordt door een man opgenomen, het laatste wat Ellen zou verwachten. Mara zelf zuigt hoorbaar de sojavezels uit haar kiezen maar klinkt gewoon aardig. De klas zal brieven schrijven en tekeningen maken. Ellen geeft haar het kamernummer, bedankt voor de alerte aandacht, voor Stanleys lieve zorg. Kruis door Mara.

Roken. Koffie zetten. Telefoon: Lisa.

'Ik kom naar je toe. Lawrence is thuis, die kan de kinderen in bed doen. Zie je zo.'

De vrouwenvriendschap is mijn redding, heeft Ellen vaak gedacht. De wandelingen en gesprekken met Lisa hebben haar gered in de jaren na de geboorte van Peter en Paul. Aan een vriendin hoef je niets uit te leggen. Je hoeft niet op te letten of je te veel tijd neemt bij het vertellen van je verhaal. Je hoeft niet te zorgen dat je door elke mededeling over jezelf een dosis bewondering voor de ander mengt. Je hoeft niets te ondernemen. Je hoeft niet geestig te zijn. Je hoeft gewoon niets. De enige verhouding die enigszins in de buurt komt is de relatie met een dochter, maar daar mis je de verwantschap van de gelijke ervaring – en misschien ook het keuze-element. Ellen en Lisa hebben elkaar niet gekozen, denken ze. Ze zijn elkaar tegen het lijf gelopen en weten niet eens precies meer wanneer en in welke omstandigheden. Beiden lopen jaarlijks talloze vrouwen tegen het lijf, dus gekozen is er wel degelijk. Zonder veel woorden, vanzelfsprekend.

Zo zitten ze ook nu bij elkaar aan de kale tafel.

'Ik heb Alma's kleed in de vuilnisbak gemieterd. Het werd me even te veel.'

'Heb je haar al gebeld?'

'Mag Johan doen als hij terugkomt.'

Ze giechelen als meisjes.

'Het kán,' zegt Lisa, 'een hartklepdefect als gevolg van een vroege infectie. Wacht nu maar eerst af wat ze morgen gaan doen. Wie heb je gesproken? Het zou ook een allergische reactie kunnen zijn, of iets aan de luchtwegen wat nu speelt. Het is nogal heftig om meteen over nieuwe kleppen te beginnen. Was het een snijliefhebber? Moest hij scoren?'

'Een aardige man. Wel menselijk ook, voor een dokter. Maar één telefoontje tussendoor. En hij zei nog iets over rustig aan, en dat ik kon bellen. Nee, aardig. Wel geil op die kleppen, maar meer als heilbrengende vondst, leek het. Baudoin heet hij. Nogal behaard en met zo'n jeneverglasbril. Hij speelt cello, denk ik.'

Lisa kent hem vaag, uit de tijd dat ze co-assistent op de kinderafdeling was. Hij is inderdaad muzikant. De patiëntjes zijn dol op hem en hij is een gewetensvolle arts.

'Zijn vrouw is vorig jaar gestorven. Kanker. Een snelle melanoom waar niets aan te doen was. Vreselijk.'

Ellen denkt aan de vieze boord, de groezelige kleren onder de witte jas. Ze zuigt alle informatie over deze hoeder van haar kind naar binnen alsof ze het lot van Saar kan beïnvloeden door zich volstrekt met de dokter te vereenzelvigen. Over de mogelijke diagnose wil ze niet veel horen, over de steller ervan alles, alles, alles.

Lisa pakt Ellens hand. Zo zitten ze samen te zuchten en zachtjes tegen elkaar te vloeken als de anderen thuiskomen.

Gesprekken, door elkaar gepraat over Saar, over de zaal, al snel over Johans opera en de aanstaande première. Alma wordt gebeld, Peter en Paul gaan naar boven, Johan trekt een fles open, Ellen gaat haar jongens goedenacht kussen omdat het zo'n vreemde avond is. Ze zijn veel te vroeg naar bed gegaan. Ze reageren nauwelijks op haar vragen maar barsten los in onverstaanbaar gebrom zodra ze op de gang staat.

Saars kamerdeur staat open. Als Ellen naar binnen kijkt, het weggeslagen dekbed ziet, de stapel strips op de grond, de rode maillot over de stoel, voelt ze de innerlijke rolgordijnen naar beneden donderen. Beheerst sluit ze de deur en loopt ze naar beneden.

Dat weekend proeft Ellen de machteloos makende hel van het ziekenhuis tot de bodem.

Vrijdagmiddag, bezoekuur: op de plek van Saars bed is een grote leegte, omringd door bloemen van Lisa op het nachtkastje en ansichtkaarten van klasgenootjes aan cellotape boven het verdwenen hoofdeinde.

Saar is weggereden voor onderzoek, zegt Spreeuw. Of Baudoin vanmiddag nog langskomt, iets zal vertellen? Spreeuw weet het niet, het zou kunnen, maar ook niet.

'Hij heeft wel dienst dit weekend, u ziet hem zaterdag of zondag vast wel.'

Wachten. Beneden op het plein naar het winkeltje gaan. Iedereen loopt rond met identieke gele boeketten. Wat doe ik hier?

Naar boven. Wachten. Rondhangen voor de afdelingsbalie. Baudoins naam hangt aan het prikbord. Zijn presentieschema daarachter is net te klein gedrukt om te kunnen lezen. Bijna zes uur, ik moet naar huis. Ik moet Saar zien. Waarom duurt het zo lang? Ze kijken naar me alsof ze denken: mens ga toch weg. Dat denken ze vast ook. Dit is allemaal niet waar. Waarom word ik niet wakker. Sigaretje in de rookkamer aan het eind van de lange gang. Volle asbakken met oude peuken. Laten ze het expres vervuilen om rokers te ontmoedigen? Zelfs de ramen zijn smerig, er zit bruinige aanslag op.

Saars bed wordt de lift uit geduwd. Sigaret uit, tas over de schouder, zaal op. Een verpleger sluit de zuurstofslang weer aan. Saar ziet blauwig en moe. Ze heeft een grote pleister aan de binnenkant van haar elleboog en een gaasje tegen haar bleke vingertoppen.

'Hoe was het?'
'Gaat wel.'
'Honger?'
'Nee.'
'Wil je iets?'
'Weet niet.'

Er komt een blad met eten. In cellofaan verpakte boterhammen, boter in plastic, kaas in een zakje met verborgen sluiting. Saar wil niet eten en niet drinken.

Ellen consulteert Spreeuw in haar kantoortje. Pen in de hand, streepjes zettend op grote lijsten.

'We kijken het even aan, mevrouw Visser. Ze is nu moe van de onderzoeken. We laten haar vanavond wat drinken en vroeg slapen. Morgen zien we verder. U kunt het beste zelf wat gaan slapen.'

Slapen? Verstijfd ligt Ellen naast de ronkende Johan in bed. Als ze nu eens Baudoin zou bellen? Voor hem ging koken in zijn eenzame huis? Huilend kruipt de dikke dokter in haar armen, ze streelt zijn uitvallend haar heel voorzichtig. Ik zal alles doen om je kind te redden zegt hij, als jij hier komt wonen en de boel een beetje bijhoudt, de stofzuiger staat daar achter 't gordijn.

Toch even geslapen, dus.

Zaterdag is geheel gewijd aan familiebezoek. Als Ellen op zaal komt zit er een grote Surinaamse vrouw naast het bed van Marlon, de geketende. Open tassen staan aan haar voeten; twee kleine zusjes met tientallen vlechtjes en roze zomerjurkjes over wollen truien zitten met de armen over elkaar naar hun grote broer te kijken.

Marlons moeder heeft een televisietoestel voor haar zoon gehuurd, het staat op een standaard aan het voeteneind gemonteerd, naast het martelwerktuig. Het staat aan. Hard. Ze heeft barras voor hem meegenomen, en zelfgemaakte pom in een bakje. Nonchalant ligt Marlon in het eten te prikken.

'Waar is pa?'

'Die zegt niet waar hij is! Die gaat met zijn vrienden en laat mij met de bus! Die zegt niet of hij komt, die geeft mij geen geld voor de taxi. Die pa van jou die gaat zien, zeker weten, hij gaat zien hoor!'

Ellen heeft met de jongen te doen. Afgezien van de verschrikkelijke pijn die hij moet hebben is er ook de vernedering van het niets meer zelf kunnen doen. Marlon plast in een urinaal dat hij zelf niet kan pakken. Poepen is pure ellende. Dan gaat het gordijn rond het bed dicht en wordt hij door twee verpleegsters heel voorzichtig op de steek gezet terwijl hij zich vastklemt aan de halter boven zijn bed. Omdat hij zich niet kan draaien is het een kunst om zijn kont schoon te wassen. Een jongen van dertien die door een verpleeghulp van achttien gewassen wordt? Niet best, denkt Ellen.

Er komen oma's binnen, en vrolijke buren. Het is feest rond Marlons bed, de moeder straalt, de zusjes waarschuwen iedereen dat ze niet tegen de gewichten mogen stoten.

Eten, kletsen, lachen, het lijkt wel het Kwakoe-festival. Ellen let op. Ze luistert zelfs naar het televisiegeluid. Haar ogen en oren laat zij vollopen met alles behalve Saar.

De vader van het kale meisje komt. Al weken wonen zijn vrouw en zijn dochter in het ziekenhuis. Hij komt met schone was en met een levensgrote babypop die griezelig veel op het kale kind lijkt.

Naast elkaar liggen de haarloze koppen op het kussen, nauwelijks van elkaar te onderscheiden. De vader is een keurige man in overhemd en das. Hij draagt een broek met scherpe vouwen en een colbertjasje met een vreemd stukje ceintuur op de rug, vastgezet met knopen. De man maakt de indruk alsof hij helemaal van plastic is gemaakt en nergens naar ruikt. Hij is aardig, hij kust zijn ronde vrouw en aait de dochter over het gladde hoofd.

'Dag Winnie z'n vader,' zegt Marlon, 'ik heb een tv gekregen!'

Winnies vader drukt Marlon en diens moeder de hand. Dan komt hij kennis maken met Ellen. Saar is te lodderig om een hand te geven. Het lijkt hier wel een jeugdherberg, denkt Ellen, we zijn allemaal gek, niet goed bij ons hoofd, en niemand doet er iets aan. Mensen die zich aan elkaar voorstellen, een praatje maken, wat eten en om de televisie lachen. Maar er steekt een slang uit de muur, er zit een pen door een levend been, er puilt een oog uit een meisjesgezicht.

In de rookkamer zit de moeder van Winnie met rode ogen en strepen mascara over de wangen. Zij zit recht op een stoel, de voeten naast elkaar. Zij houdt haar grote handtas op haar ronde, vlezige knieën. Als Ellen tegenover haar gaat zitten begint ze toonloos en snel te praten. De oogzenuw in Winnies rechteroog is niet goed aangelegd. Met dat oog heeft ze nooit kunnen zien. Het linkeroog leek steeds groter te worden. Door het overmatig gebruik, dacht ze eerst en het bewoog ook, en het andere, dode oog niet. Maar het was een gezwel zei de dokter. Bijna drie jaar was ze toen, als ze op straat liep liep ze schuin, diagonaal. Ze viel ook vaak, thuis was het moeilijk want Conrad is zo netjes, mijn man. En altijd blauwe plekken, ik was wel eens bang dat ze zouden denken dat we haar sloegen. De tumor hebben ze bestraald, ze lag vastgebonden en alleen in de stralingsruimte en niemand mocht erbij. Haar haar is uitgevallen, zij vindt het niet erg maar ik wel, ze had bruin krulhaar. Ik vond de krullen op het kussen, iedere ochtend. Als ze haar oog maar goedmaken dacht ik, ik koop wel een pruik voor d'r, het geeft niet. Het is niet gelukt. Het gezwel blijft groeien. Haar oogkas zit vol. Maandag gaan ze het weghalen. Het oog ook. Het kan niet anders. Dan ziet ze helemaal niets meer. Dat kan je niet uitleggen aan een kind van drie. Van de week hebben ze het besloten. De dokter vertelde het ons, we moesten samen komen. Conrad heeft gehuild. Nu kan ze ons nog zien. Overmorgen niet meer. Je kan het je niet indenken hoe dat is. Zelfs de dokter vond het erg.

Ellen denkt het zich wel degelijk in. Kapotmaken wat gaaf is is haar privé-nachtmerrie. De baby in de ijskast. De wesp niet het raam uit laten vliegen maar doormidden drukken. Het ergste, het meest onvatbare eraan is de lust. Niemand vertelt haar dat ze haar kind moet bevriezen, zij bedenkt het zelf, het komt in haar op en dus wil ze het ook, ergens van achter de schotten in haar hoofd. Hoe dat kan? Het vleesmes en het gekartelde broodmes borg ze achter in de keukenla, uit angst dat de kinderen erbij zouden kunnen. Welnee, die waren daar veel te klein voor. Uit een andere angst.

Fantaseren thuis, in je eigen keuken, met je kinderen gezond en gezellig aanwezig, is één ding. Fantaseren in deze horrorfilm waar elke witjas een scalpel achter z'n rug houdt, waar in alle rust een plan wordt ontworpen om een goed oog uit te rukken en bij het afval te gooien is heel wat anders.

Het verpletteren van een gave, strakke sachertaart, dwars met de tuinschep door het schuldloze glazuur, is één ding. Het doelbewust afzagen van een levend been, nadenken over wáár de zaag te plaatsen, hoeveel druk uit te oefenen, zich in positie te stellen, in positie! Dat is wat anders.

Saar heeft last van het lawaai.

'Mag de televisie uit, mama?'

Steeds als ze even in slaap is gevallen schrikt ze wakker van de bulderende lach van Marlons buurman, van Winnie die een glas van het nachtkastje stoot, van roepende mensen die de zaal binnenkomen.

Spreeuw komt kijken. Saar mag verhuizen naar een kamer alleen, die is vanochtend vrijgekomen. Baudoin is gebeld, hij komt straks even langs. Saar drinkt niet genoeg, Spreeuw vouwt het laken naar beneden, doet het pyjamajasje omhoog en duwt tegen Saars buikvel met twee vingers.

'Rimpels. Ziet u wel? Zij krijgt niet genoeg vocht binnen.'

Mijn dochter eigent zich de elementen onvoldoende toe, denkt Ellen als Spreeuw weggetript is. Lucht en water worden met geweld in haar gespoten, men komt met vuur als zij verkild is. Wat is het vierde element? Mijn geheugen werkt niet, ik kan er niet op komen.

Aardedonker is het buiten als Baudoin eindelijk het eenpersoonskamertje binnenkomt waar Saar nu ligt. Ellen herinnert zich haar droom over de stofzuiger en glimlacht. De arts lacht terug. Hij staat even stil, de handen in zijn rug. Ze kijken naar het slapende kind. Een zuster komt binnen met een infuusstandaard. Zij hangt er twee doorzichtige plastic zakken aan. Uit elke zak komt een buis. De buizen komen bijeen in een y-stuk.

Baudoin prikt een bloedvat aan in Saars onderarm. De naald in het vat wordt aangesloten op de plastic buis die, voor hij bij de y komt, door een soort rekenstation loopt. Rode cijfers lichten op uit een zwart scherm, worden de druppels geteld? Het apparaat gaat piepen, steeds drie piepjes gevolgd door een roffeltje. Het ritme is net te langzaam om er een liedje van te maken.

'We geven haar vocht, dat heeft ze nodig. En meteen ook iets om het hart wat op te peppen.'

Het felle licht gaat uit als ze weg zijn. Ellen zit naast het bed en heeft Saars rechterhand vast. De linker is vastgebonden aan de beddestang. Het kind slaapt. Ellen luistert naar het infuus. Het is zaterdagavond, het is elf uur. Het is tijd om te gaan.

De volgende morgen is Saar minder blauw. Ze heeft een halve beker yoghurt gegeten, met één hand. Ze luistert naar de radio via een schelp op haar oor: geestelijke liederen gezongen door het personeelskoor in de hal beneden. Onder het grijze wolkendek ligt tot de einder het polderland uitgestrekt. Hier is water geweest, golven die de schepen droegen of verslonden, die wrakhout het strand op dreven en soms het land binnenkwamen. Een woeste, eigengereide zee is langzaam ingeperkt: de dijk die zich krom door het land wringt bracht het watervlak tot rust. Leeggezogen en uitgedroogd toonde het zo ontstane meer capitulerend zijn bodem. Wat in het water leefde stierf. Gras mag er nu groeien tussen de recht op elkaar staande sloten waarin het water nog glimt als toen. Een polder is een samengebalde, ziedende woede-implosie, een gevaarlijk landschap.

'Heft op uw hoofden, poorten wijd. Wie is het die daar binnenschrijdt? Een koning, vol van heerlijkheid!'

Saar laat Ellen meeluisteren. Ze lachen als bij deze tekst Baudoin binnenkomt. De koning vol heerlijkheid heeft een wijde spijkerbroek aan met verkeerde, van gespen voorziene schoenen eronder. De witte jas is dichtgeknoopt.

Dat de arts op zondagochtend al zo vroeg visite maakt kan Ellen op geen enkele manier met de toestand van haar kind verbinden. Nee, hij is overgewetensvol; hij heeft thuis niets te doen; hij ontvlucht de kamers vol pijnlijke herinneringen aan zijn overleden vrouw; hij is voor Ellen gevallen en grijpt elke gelegenheid aan om met deze fascinerende moeder samen te zijn.

Hij neemt haar mee naar buiten. In een doodlopend stuk van

de gang staat een witgeschilderde houten bank voor het raam. Daarop zitten ze naast elkaar, de moeder met haar hoofd vol rommelige, radeloze noodliefde, de dokter met een nauwgezet uitgedacht plan. Morgenochtend vroeg wil hij Saar opereren. Hij geeft haar de nieuwste kunstkleppen, de mooiste die hij vinden kan. Daar zal ze een jaar of vier mee voortkunnen, afhankelijk van de groei-snelheid. Als ze veertien is zijn ook hart en vaten breder en gro-ter geworden, dan moeten er nieuwe in. Geef mij een nieuw hart, denkt Ellen. Zong het koor dat toen ze vanmorgen door de hal liep op weg naar de liften? Morgen-ochtend wordt er bij Winnie een oog uit gehaald, bij Saar iets toegevoegd. Ik moet luisteren wat hij zegt.

'Met kapotte kleppen lekt de pomp, weet u, net als in de pol-der daarbuiten. De operatie op zich is wel ingewikkeld maar we hebben er grote ervaring mee, ook bij kinderen. De bedding, de stroomsnelheid van vocht, drassigheid, droogte, irrigatie – het is een fascinerend gebied.'

Zeker een zeiler. Of zoon van een dijkgraaf. Twee zwanen vliegen op uit een sloot en wieken statig omhoog op hun brede vleugels. Mijn benen dragen mij waarheen ik wil, ook al ben ik moe, ook al prikken mijn voeten in de nauwe schoenen. Mijn dochter is tien jaar. Het is zondagochtend. Haar hartkleppen zijn verschrompeld en ik wist het niet.

Samen gaan ze naar Saar. Baudoin legt uit wat er met haar hart aan de hand is, waarom ze moe is en vaak duizelig en hoe hij het kapotte orgaan gaat repareren. Dat de zuster haar vanavond gaat scheren.

'Zoals Winnie? Word ik dan kaal?'

Haar borstkas, onder haar armen. Heel kleine haartjes groeien daar en die moeten weg. Als je opereert moet alles heel schoon zijn. Dan wordt ze naar de operatiekamer gereden en maakt een dokter haar in slaap. Dat kan makkelijk door het gaatje in haar arm, ze hoeft geen nieuwe prik.

Saar zal hem ook nog even zien, maar hij heeft dan een badmuts op, een groene. En een lapje voor zijn mond, zodat zijn bacteriën niet op haar komen. Als ze in slaap is maakt hij de nieuwe kleppen.

Deze taal verstaat Ellen. Een ijzige paniek groeit nu in haar. Het is ernst.

'Okee,' zegt Saar. 'Ik vind het goed.'

Tijdens het bezoekuur (Lisa, Johan met de jongens en oma Alma) slaapt ze. Als de mensen weg zijn herneemt het infuus (pr, pr, pr, prrrrt) de geluidsstructurering. De zuurstofslang blaast een generale bas.

Vannacht blijf ik. Ik laat je nooit in de steek. We hadden hier nooit moeten komen. Ik blijf tot we eruit mogen. Weet je nog hoe we een keer verdwaalden bij het bessen plukken? Ik wist dat het meer in de diepte lag, had het gezien toen we op de berg waren geklommen. De emmer met bessen lieten we staan, we klauterden dwars door het bos over dode sparren en gladde stenen tot we bij het pad langs het meer kwamen, dat we kenden, dat gewoon ons eigen pad was.

De rookkamer. Een sigaret. Nog een. Grote neven van Marlon zitten shag te roken en te kaarten. De vader van Winnie knikt Ellen vriendelijk toe. Om vier uur gaan ze allemaal weg en laten Ellen alleen in de rook achter. Ze kijkt naar de vlijtig heen en weer lopende mensen in de lange gang; zet de deur open om de rook te verdunnen en om wat te horen. Bezoek neemt afscheid, zwaait in de deuren. Verpleging loopt rond met po's en infuuszakken.

De zuster met het geruite bloesje van de eerste dag heeft nu een uniform aan. Ze loopt de gang af en opent elke kamerdeur om te zien of de rust is weergekeerd.

Bij een deur in het midden van de gang gaat ze naar binnen. Ze komt snel weer buiten en roept goed hoorbaar, met beheerste toon, eerst naar rechts en dan naar links: 'Assistentie graag!'

Kennelijk is dat een wachtwoord, denkt Ellen. De verpleegkundigen op de gang zetten de voorwerpen die ze op dat moment dragen neer op de grond. Een loopt snel naar de balie en telefoneert. Twee broeders komen aanrijden met een karretje met slangen erop. Met vier man gaan ze de deur binnen waarboven een rood licht begint te knipperen.

Ellen strekt zich, de armen boven haar hoofd. Even Saar dagzeggen, dan naar huis om te eten (Alma, wéér Chinees) en spullen te pakken voor vannacht. Traag loopt ze over de verlaten gang, voorbij het knipperlicht, de kamer binnen. Marlon met zijn been in de lucht. Winnie met haar moeder. Op de plek van Saar een nieuw kind.

Weer de gang op. Uit de knipperlichtkamer wordt nu het karretje weer naar buiten gereden. De bloesjeszuster heeft tranen in haar ogen. Waarom hangen al die mensen hun armen zo naar beneden? Ze wijken terug tegen de muur om Ellen door te laten. De kamer is fel verlicht. De kamer is doodstil. De cijfers op het infuus zijn gedoofd. De zuurstofslang zwijgt. In het bed ligt een meisje van tien dat geen adem haalt.

5 Genadige vorst

Ellen heeft ergens gelezen dat werkelijke wanhoop nooit langer duurt dan twee dagen, want daarna begint de mens te eten. Wanhoop is ook niet wat zij voelt gedurende de eerste maanden na de dood van het kind. Zij is ontwricht. Zoals de aardkorst niet hoort te splijten om een bergmassief in zich op te zuigen, zo horen kinderen niet te sterven voor hun ouders verdwenen zijn.

Er is een aardbeving geweest, een watersnood, een verslindende orkaan die alles meesleurde, vernietigde en op vreemde plaatsen weer neerkwakte. Maar als zij haar kastdeur opent hangen haar kleren daar zoals altijd. De trap heeft eenentwintig treden, toen en nu; het uitzicht uit het keukenraam is exact hetzelfde gebleven.

Ellen is niet wanhopig, niet somber, niet opstandig, niet ten einde raad. Zij voelt helemaal niets behalve de structuur van haar lichaam. Zij is een houtachtige constructie geworden, een bouwwerk van oude spanten en balken die een zwoegend geluid maken als zij tegen elkaar wrijven. Haar lichaamsbesef is teruggebracht tot de gewrichten, die zij altijd voelt. Het buigen van de knieën, de stand van de elleboog en de halsrotatie, dat zijn de gegevens die Ellen doorkrijgt in de geschokte centrale van haar hersenen. Geen berichten over de huid, want de schram die een uitstekend ijzerdraadje aan Peters fiets op haar arm maakt voelt zij niet. Zij heeft het niet warm, niet koud. Geen berichten over de inwendige organen, zij heeft geen honger en merkt pas dat zij moet plassen als zij op de wc zit.

De stand van haar lichaam is het enige waar zij zich bewust van is, tot in de kleinste details: de haarwortels vertellen haar middels vlijmende pijn in de hoofdhuid van minuut tot minuut in welke hoek de haren in de schedel verankerd staan. Het instand houden van de ademhaling is een taak die al haar energie in beslag neemt. In, met het licht uitzetten van de borst, het nauwelijks heffen van de schouderpartij; en uit, waarbij er iets zakt in de richting van de buik, iets wat tegengehouden moet worden; even wachten; weer in, weer uit, weer wachten, weer in.

Zij eet als zij aan een eettafel zit en iemand een bord voor haar plaatst. Gedachteloos, een paar happen, zonder op voedselcombinaties te letten en zonder iets te proeven: spaghetti zonder saus, een stuk brood zonder boter. Zij slaapt omdat zij 's nachts haar lichaam languit op een matras legt en alle gewrichten uitklapt. Na een paar uur wordt zij verstijfd wakker; als het licht is staat zij op. Het lichaam is niet zo graag uitgestrekt.

De zachte lichaamsdelen doen niet van zich horen, zeker als zij geen botten bevatten. Zij zijn ook stilaan aan het verdwijnen: veel buik heeft Ellen nooit gehad, maar nu ontstaat er een negatieve buik, haar vel is als een zeiltje opgehangen tussen de bekkenbeenderen. De billen slinken en de borsten worden slap.

In de bedompte stilte van de schedel gaan zo nu en dan gedachten om die wetenswaardigheden rond het rouwproces betreffen. Onbeweeglijk op de bank zittend (knieën én ellebogen in rechte hoeken, de tenen gekromd, vuisten gebald) zocht zij in haar innerlijk landschap naar tekenen van woede of schuld, ondertussen lettend op de cadans van haar adem. Had haar nooit naar school mogen laten gaan; nooit geweten dat ze een ziekte heeft gehad, zeker te druk geweest met ongelukkig zijn over Johan; verwaarloosd; wat een egoïstische moeder; ik ging zelf zeker voor; in dat rookkamertje had ik toch niet moeten blijven zitten; aan haar bed, toch? Dan had ik het wel gezien, dan was het niet gebeurd?

Ze duwt de lucht uit haar longen en zuigt nieuwe lucht naar binnen. Boos, woedend zou ze moeten zijn.

Op dat kutwijf Mara? Ze had te laat in de gaten dat er echt iets mis was, ze heeft Saar uitgeput met rekentaken en haar angst aangejaagd om kinderachtig te zijn, om te klagen. Maar het witte gezicht van Mara roept een vaag soort verwantschapsgevoel op, geen ergernis, geen vuur. Zij stelt zich voor hoe zij dokter Baudoin te lijf zou kunnen gaan, de bril van zijn kop rammen, een scalpel in zijn keel steken, hem in zijn buik schoppen; met ijzeren vuisten zou ze hem breken omdat hij haar kind heeft laten wegglippen. Uit, wachten, in. Het is een geluidloze tekenfilm in haar hoofd, de hulpeloze dokter met de furieuze vrouw die hem achtervolgt tussen de dossierkasten, opjaagt rond zijn bureau. Ellen verzet haar voeten. Er loopt vocht uit haar ogen. Ze snuit haar neus in de zakdoek die zij nu steeds bij zich draagt. Zelfmoord is geen serieuze optie, Ellen overweegt dat niet, het is niet aan de orde. De ademhaling is aan de orde, en de stand van de rug. Haar goed bewaakte adem is zurig en bedorven, haar urine ruikt naar aceton.

Het enige gevoel dat Ellen kent is irritatie bij het verstoren van haar concentratie. Harde huisgeluiden: de voordeur slaat, er is een crescendoroffel op de trap, de deur wordt opengegooid en knalt tegen de muur, 'mama, mama!' roept Peter, een schilderij in de deurlijst. Dan denkt ze: laat me met rust. Als Paul vraagt wat hij zal koken sluit zij haar ogen. Hij leidt haar af, hij moet dat laten.

Het ergste is Johan. Hij komt dichtbij met een lichaam dat warmte uitwasemt, hij vouwt hete armen om haar heen en perst haar hoofd tegen zijn schouder. Hij wil dat ze hem streelt, hem vasthoudt. Hij kruipt tegen haar aan in bed, hij bestookt haar met zijn thermische uitstraling. Gierend ligt hij te huilen, hij slaat met zijn vuisten op zijn kussen en kreunt. Zo heeft Ellen de grootste moeite om op haar schouders te letten, hoe die recht tegen het laken liggen, parallel aan de knieën. Lucht naar binnen zuigen, naar buiten persen, niet te ver, even wachten, laat hem ophouden met dat warme gewoel, adem in, ga weg, ga weg, en uit, rustig, kalm, kalm, koel.

'Je bent in de war,' zegt hij haar, 'je moet pillen nemen om eens echt goed te slapen, dit gaat zo niet langer.'

Om eraf te zijn neemt Ellen de aangeboden medicijnen in, zij wordt echter niet door de verlossende slaap bezocht maar door verontrustende geluiden die niet kunnen bestaan. Er gaat een telefoon die stil naast het bed staat, de dichte deur klapt open, afwezige mensen roepen hard en dringend haar naam. Rechtop in bed zittend verweert Ellen zich tegen het wegvallen; zij wacht tot de pil is uitgewerkt.

Het huishouden is overgenomen door de tweeling. Zij doen de boodschappen en dwalen in de supermarkt samen langs de stellingen, op zoek naar produkten die zij kennen. Ellen kan hun geen advies geven, zij is sprakeloos als het op eten aankomt. 's Avonds dekt Peter de tafel, vier borden, terwijl Paul eieren bakt en ongewassen sla opdient zonder saus. Lisa komt een paar keer en doet de jongens voor hoe ze saucijzen en karbonades moeten bakken: boter in de pan, het vlees zo nu en dan omdraaien, vuur wat lager, ondertussen de aardappels alvast. Er is geen toiletpapier meer en Peter zet de servettenhouder op de vloer in de wc. Johan blijft steeds vaker en langer weg; hij is in het atelier, hij werkt. Hij eet buiten de deur omdat hij zich thuis geen raad weet.

Het huiselijk leven desintegreert. De tweeling spijbelt, de schoolleiding maakt er, gezien het recente verlies, geen werk van zodat Ellen en Johan het niet weten. Alma weet het wel, Peter en Paul zitten overdag bij haar. Zij drinken warme chocola en eten gebakken kaasboterhammen. Urenlang spelen ze met hun grootmoeder monopolie. Soms spreken ze over Saar. Alma heeft uit de bibliotheek een medische encyclopedie voor de leek gehaald en daarin zoekt zij de hartziekten op. Zij leest de jongens voor: geen incantaties of klaagzangen maar feiten. Het verlies van haar enige vrouwelijke nakomeling draagt zij stoïcijns en licht verbitterd, maar zij draagt iets, er ís een verlies, er is iets gebeurd waarover gepraat kan worden en waaromtrent men vragen kan stellen. Dat lucht de jongens op, zij zoeken in de encyclopedie naar klepdefecten en erfelijkheid; ze zijn geschokt maar toch ook tevreden als Alma een tekening van Saar, goudvissen in een doorzichtige vijver met waterplanten, laat inlijsten en aan de muur hangt. Alma huilt niet en laat hen ook niet huilen, maar door de onbegrensde openstelling van haar huis, onder schooltijd, maakt zij haar kleinkinderen duidelijk dat er iets ernstigs aan de hand is, en mag zijn.

Ellens houtachtige gevoelsverlamming is meteen na het sterven van Saar ingetreden en heeft haar beschermd tijdens de week van organisatorische rompslomp die daarop volgde. Zij was aanwezig tijdens de begrafenis, zij hoorde Saars klas een lied zingen, Lisa een verhaal vertellen, Johan een dankwoord spreken. Zij keek naar de kleine kist. Zij hield de handen van Peter en Paul vast, of de jongens de hare. Zij had een zwarte jurk aan, die had Lisa uitgezocht. Het was lente, de bomen op de begraafplaats waren net uitgeslagen. Ochtend, in de ochtend was het, en heel veel mensen liepen achter hen aan. Ze brachten de kist naar een speciale afdeling van het kerkhof, een kinderafdeling met kleine gedenkstenen en minder plaats daartussen dan bij de volwassenen. 'Onze zonnestraal', las Ellen op een steen, en: 'Evertje'. Zij lieten Saar in de grond zakken en iedereen legde bloem bij dat indecente gat. Johan schokschouderde aan haar zijde, ondersteund door Lawrence. Er kwamen wel honderd mensen haar hand drukken, haar kussen. Ze zag hun monden bewegen. Baudoin was erbij, Mara, Stanley. Allemaal spraken ze tegen Ellen die niets verstond. Klaas Bijl, met rode ogen, omhelsde haar. Daar werd Ellen duizelig van.

Na afloop was er eten bij Lisa en Lawrence. De boomgaard zat vol mensen. De jongens gingen rond met glazen en koffiekopjes. Lisa had sandwiches laten brengen, men had honger. Ellen keek over alles heen naar de boomkruinen met het nieuwe blad. Er

147

was een aangename lentezon maar hoog in de lucht joegen wolken langs de hemel. Dit is, dacht ze, dit is. Lisa heeft haar naar boven gebracht en op het bed neergelegd. Later kwam Johan haar halen en leidde haar naar de auto, reed haar naar huis. Ellen boog haar gewrichten in de richtingen die haar werden voorgeschreven en dacht aan de ademhaling. Het was donderdag.

Van de zondagnacht daarvoor kan Ellen zich niets herinneren. Waren ze bij Lisa met het hele gezin? Op maandagochtend heeft Ellen enkele uren geleefd. Johan en de jongens lagen nog te slapen, bij Lisa thuis. Ellen heeft Lawrence gevraagd om haar naar huis te rijden. Als een chauffeur wacht hij in de auto als zij naar binnen gaat.

Een glas water uit de kraan. Plastic zak uit de la. In Saars kamer gaat Ellen op het bed zitten en denkt na. Het aardbeienondergoed, hemdje en onderbroek met een geliefd patroon. De vissentrui die Alma vorig jaar voor haar gekocht heeft. De nieuwe spijkerbroek, van een echt merk. Sokken? Warme sokken zonder hiel, die altijd passen. Ze zijn versleten maar er zitten nog geen gaten in. De mooie gymschoenen.

Ellen zoekt de kledingstukken uit de kast, de gympen van onder het bed, de sokken uit de stapel schone was. De vissentrui ligt in de huiskamer op de bank. Zij vouwt alles op en pakt het in de plastic zak. Bovenop legt zij een kleine verfdoos, een cadeau van Johan voor Saars achtste verjaardag, en een beertje dat de jongens voor Saar kochten toen ze één werd.

Ik ga mijn dochter begraven, denkt Ellen. Het voelt of haar beide handen zijn afgehakt, een pijn die niet te beschrijven is, gemengd met de ontzetting over botsplinters tussen bloed, met het besef voor altijd onherstelbaar verminkt te zijn en nooit meer, nooit meer iets vast te kunnen houden.

Hijgend zakt Ellen tegen de deurpost omlaag en blijft liggen, de plastic zak tegen zich aan geklemd. Zij hoort zichzelf een vreemd geluid maken, een soort gebrul. Zij voelt haar eigen nagels in haar wangen.

Lawrence roept door de brievenbus, of ze komt, of het gaat, of hij iets doen kan? Ze kruipt overeind, houdt haar gezicht onder de keukenkraan, loopt de trap af en gaat in de auto zitten met de zak op schoot.

Bij het ziekenhuis zet Lawrence haar af. Hij kust haar, wenst haar sterkte en rijdt weg. Ze zwaait hem na met de vrije hand. Rituelen, rites, oude gewoontes om dit nieuwe, dit absurde, dit onwerkelijke mee te omringen.

Op de kinderafdeling is alles anders. Dat komt door de lichtval, het is vroeg in de ochtend en de zon maakt licht op plekken waar Ellen dat nog niet gezien heeft. Er loopt geen bezoek rond, alleen mensen die beroepshalve daar moeten zijn wandelen door de gang en staan voor de balie. Een schoonmaker is bezig de vloer te dweilen met een machine en een oudere dame rijdt rond met een koffiekar.

Aan het eind van de gang ziet Ellen in de rookkamer de hoofden van Winnies ouders. Zij kijkt snel weg. Jaloers op ouders wier kind op dit moment wordt blind gemaakt, dat gevoel is zo verwarrend dat ze het er niet bij kan hebben. Ze zou niet met hen kunnen meeleven en ze zou hun compassie met haar niet kunnen verdragen.

'Mevrouw Visser, fijn dat u er bent. Komt u even mee naar het kantoortje?'

Hoofdzuster Spreeuw drukt haar de hand, gaat haar voor, sluit de deur. Het kantoorkamertje heeft geen ramen naar buiten; het enige raam dat er is geeft zicht op de balie waarachter twee verpleegsters zitten die samen een lijst doornemen. Ze hebben pennen in de hand en een stapel statussen ligt tussen hen in. Zij zitten daar samen over gebogen, zij zorgen dat de kinderen op tijd geopereerd worden en weer in bed komen, zodat ze beter worden en weer naar huis mogen.

'Wilt u koffie, mevrouw Visser?' vraagt zuster Spreeuw met de thermoskan geheven. Ellen recht haar rug. Zij heeft de plastic tas bij haar voeten gezet en accepteert een beker koffie.

'U mag hier wel roken, hoor, als u wilt, ik heb er geen last van.'

Spreeuw schuift een asbak over het bureau naar Ellen toe en kijkt haar aan. Haar gezicht staat vermoeid en ernstig.

Nu geen toespraak, denkt Ellen, geen medeleven en geen afdelingsexcuses.

Zuster Spreeuw weet wel beter. Zij beperkt zich tot de concrete dingen die gedaan moeten worden. Zij geeft Ellen vuur. Zij sluit de vitrage voor het balievenster.

'De zuster is uw dochter aan het wassen. Zij is nog even bezig en komt u halen zodra ze zover is. U krijgt van haar de dingen terug die nog hier zijn.'

Tandenborstel, denkt Ellen, pyjama, kaarten, tekeningen. De resten. Het bewijs dat zij hier was. Afleggen, heet het, een lijk afleggen. Slagwerkers leggen hun stokken op het aflegtafeltje, de prinses legt haar bontstola af voor zij de dansvloer opgaat, de zuster met het geruite bloesje en het geschrokken gezicht legt mijn kind af.

Er zijn papieren te ondertekenen, er is administratie af te werken. Zuster Spreeuw doet dat kalm en duidelijk, zij spreekt met een rustige stem. Ellen luistert, doet wat er gevraagd wordt, drinkt haar koffie en rookt. Er wordt geklopt, Ellen neemt afscheid van Spreeuw en gaat met de zuster die haar is komen halen de gang op. Hoe heette ze ook alweer, vergeten, wat stom. Ellen kijkt zijdelings naar het naamkaartje dat de verpleegster aan haar schouderband heeft geprikt: Paula. Zuster Paula vertelt dat zij Saar heeft gewassen, Saar ligt op de badkamer, daar gaan zij nu heen, hier is het, hier gaan we naar binnen, heeft u de kleren meegenomen?

Een deur gaat open, Ellen ziet een kamerscherm. De zuster gaat haar voor, om het scherm heen de fel verlichte badkamer in. Er staat een badkuip langs de muur, er staat een fietstoestel, een droogkap, een looprek, een bos van infuusstandaards. Er staat een brancard met een laken erover.

'Hier is Saartje, mevrouw Visser.'

De zuster kijkt Ellen onderzoekend aan. Ellen knikt. Het laken pakken en voorzichtig oplichten, terugvouwen, weghalen. Het blote kind zien. Het kind zien. Het dode kind zien. Zelf kijken naar het kind, naar het dode kind. Een wondje op de knie van de gymnastiekles van vorige week. Voetzolen met eelt. Saar heeft een luiertje tussen haar benen en onder haar billen. Haar oogleden worden gesloten gehouden door witte plakbandjes: een clownsgezicht met bleke lippen. Onder haar kin heeft de zuster een dikke opgerolde handdoek gedrukt zodat de mond dicht blijft. Ellen legt haar hand op Saars haren, die voelen nog hetzelfde; op Saars voorhoofd, dat is koel maar niet koud. Wel on-levend, zonder verborgen beweging, nog niet een ding maar wel op weg daarheen.

Zuster Paula trekt een grote plastic schort aan, en handschoenen. Zij vraagt of Ellen ook handschoenen wil maar dat wil Ellen niet.

'Dan moet u naderhand goed uw handen wassen,' zegt Paula. 'We gaan Saar nu aankleden, dat lukt wel met z'n tweeën.' Ze blijft doorpraten terwijl Ellen de plastic zak uitpakt en de kleren klaarlegt op een smalle tafel naast de brancard.

'Met het broekje beginnen, als we nu allebei een voet nemen, erdoorheen, dan til ik even de benen op en kunt u het broekje naar boven schuiven, zo ja. Als u haar nu vasthoudt zorg ik dat de luier er mooi in komt, ja, nu leggen we haar weer neer, toe maar.'

Ellen heeft haar koude kind in de armen als Paula de broek over de billen trekt. Ze denkt intens aan het verschil: gisteren warm, vandaag koud. Gisteren voegde Saar zich in de omarming, vandaag geeft zij niet mee. Gisteren roze, vandaag geel. Ellen denkt dat het mogelijk zijn van deze verschillen het allerergste is wat er bestaat. Het moeten meemaken van deze verschillen, het hebben van een geheugen en van een waarnemingsapparaat, het moeten toepassen daarvan op de variërende condities van het eigen kind – dat is erger dan alles wat je ook maar bedenken kan. Mijn handen, mijn geheugen, mijn ogen doen mij dit aan. Ik merk op. Ik ben er nog en ik moet waarnemen en onthouden.

'Bij het hemd doen we eerst de armen, ja, beide kanten tegelijk, en dan til ik haar hoofd op en doe ik het hemdje daaroverheen; nu kunt u het over de rug naar beneden trekken.'

'Zo deed ik het ook toen ze een baby was, in één beweging over het hoofd, dat was niet zo eng en je had vast de handjes door de mouwen. Nu de sokken zeker?'

Oude sokken van de jongens zijn het. Saar droeg ze graag. Ze trekken ze hoog op over de smalle schenen. Nu de spijkerbroek. De stof is stug, ze moeten sjorren en trekken om hem goed op z'n plaats te krijgen.

'Het lijkt oneerbiedig,' zegt Paula, 'maar het is belangrijk dat ze de goede kleren aan krijgt, daarom doen we het zo. De trui is het lastigste.'

Ze rekt de halsopening zo wijd mogelijk open. Eerst de mouwen over de rechte armen die niet meer buigen kunnen. Het lukt niet om het hoofd door de boord te krijgen. Paula pakt een schaar.

'Ik ga de boord vanachter inknippen, dan gaat het makkelijker. Het is wel jammer maar je zult het niet zien.'

Nu kunnen ze de trui over Saars hoofd schuiven en omlaagtrekken. Paula wentelt Saar naar Ellen toe en plakt een pleister over de inkeping. Ellen gelooft niet wat er gebeurt maar het gebeurt wel. De gympen. Het strikken van de veters.

'Wilt u haar haar kammen? De plakkertjes laten we nog op de ogen zitten. Heeft u een kam, de toilettas staat dáár?'

Ellen pakt haar eigen kam uit de handtas en kamt het haar van de dochter. Dan doet zij het gouden kettinkje af dat ze altijd draagt en maakt het vast rond Saars hals. Zij legt Gijs Goudvis in Saars ene arm en het beertje in de andere. De verfdoos ernaast.

Paula pakt de plastic tas in met Saars overgebleven spullen.

'Wilt u zelf zometeen het laken terugleggen? Dan laat ik u nu even alleen, ik zie u zo op de gang.'

De tl-buis zoemt en trilt, zo hevig hangt hij licht uit te stralen. Het kind is in rust, gekleed in de liefste kleren, vergezeld van de dierbaarste dingen. Een golf van razernij komt op in Ellen die ernaast staat: dat háár ogen open moeten zijn, dat háár geheugen voortaan plaats moet bieden aan wat zij het afgelopen half uur heeft meegemaakt, dat háár benen haar straks het ziekenhuis uit zullen brengen, dat zij bestaat en het kind niet meer. Zij wacht. De woede ebt weg. Zij kust het kind, legt het kettinkje goed, aait het haar. Zij durft niet te praten nu ze alleen is. Ze kijkt rond in de idiote ruimte, glimlacht, pakt het laken en legt het over Saars benen. Ze neuriet een liedje, een slaaplied, een kinderlied, maar ze zingt niet hardop, niet met woorden.

'Saar, ik laat het licht aan.'

Zij trekt het laken over de brancard en gaat zachtjcs de badkamer uit.

★

Dat de lente doorzet en overgaat in een warme zomer valt Ellen niet op. Narcissen schieten de grond uit en de oevers van de rivier zijn bezaaid met de gele sterren van het speenkruid. De ramen van de huizen gaan open, er klinkt muziek door de straat, mensen wassen hun auto's, snoeien hun heggen en staan met elkaar te praten. Als het regent is dat een streling voor het land, weldadig en zacht. De stad geurt met de geheime lucht van nat asfalt aan het eind van de middag, stof raakt gebonden, huid glimt, fietsbanden suizen. Johan komt fluitend thuis.

Er ligt een brief van de rector van het gymnasium, geadresseerd aan 'de ouders van Peter en Paul Steenkamer'.

'Op deze ongebruikelijke wijze', schrijft de rector, 'wil ik u voorbereiden op het feit dat uw beide zoons dit jaar zullen blijven zitten. Ongetwijfeld hangt dit samen met de droevige gezinsomstandigheden en niet met een eventueel te kort schietende intellectuele begaafdheid van de jongens, die zich immers vóór het overlijden van hun zusje hebben laten kennen als geinteresseerde en hard werkende leerlingen.'

De rector gaat er dan ook van uit dat met het herstel van het geestelijk evenwicht ook de oorspronkelijke motivatie weer terug zal keren en dat er daarmee een einde komt aan de lange reeks gespijbelde uren, 'ongeoorloofde afwezigheid, die wij, overigens met alle respect en begrip, natuurlijk niet kunnen tolereren maar waarover wij u tot nu toe niet hebben willen lastig vallen. Ik vertrouw erop dat u een en ander met uw zoons zult willen bespreken en zal er mijnerzijds zorg voor dragen dat Peter en Paul ingaande het nieuwe schooljaar wederom in de derde klasse geplaatst worden. Met vriendelijke groet.'

'Godverdomme,' zegt Johan.

Hij smijt de brief op tafel en kijkt Ellen aan.

'Wist jij daarvan? Dat ze nooit op school zijn? Nu blijven ze zitten, dat is toch een afgang, dat hoeft toch helemaal niet, ze zijn toch niet stom! Die lul zegt het zelf! Het is jouw schuld, je had het in de gaten moeten houden, Ellen. Jij zit hier maar niets te doen, je kan niet eens je eigen kinderen controleren. Spijbelen! Waar slaat dat nou op, ik werk toch ook?! En wat dóén ze dan, zitten ze te blowen in een koffieshop of wat? Hè?'

'Ja,' zegt Ellen traag, 'ik weet er wel van. Ik denk ook wel dat het mijn schuld is, ik heb geen aandacht voor ze. Ik heb er niet op gelet.'

'Doe er dan wat aan! Ik heb er genoeg van zoals dat hier gaat. Het is een troep, niemand is ooit thuis en jullie hebben allemaal zúlke gezichten.'

Hij trekt een uitgestreken smoel. Gaat aan de tafel zitten. Veegt kranten en post opzij.

'Ze hebben bij Alma gezeten, ze zijn niet aan de drugs. Ze roken niet eens voor zover ik weet.'

'Maar jij weet niet veel. Bij Alma! Waarom in godsnaam?'

'Ik weet niet, gezelligheid denk ik. Iemand die gewoon doet, die er is. Ze hebben spelletjes gedaan, zei Paul.'

'Spelletjes, ja. En nu blijven ze zitten. Mijn kinderen blijven zitten! Ik ga die rector eens de waarheid vertellen, weet je dat.

Met een beetje bijles halen ze het zo weer in en dan gaan ze gewoon naar de vierde. Niks uitzondering, niks bijzondere omstandigheden. Ze gaan over, zoals elk normaal kind. Wat denkt die slijmbal wel, ons een beetje zitten betuttelen met z'n coulantie, z'n droevige gezinssituatie. Bah!'

'Ik denk eigenlijk dat het wel goed is, Johan, zoals hij het wil regelen. Het is niet zo erg dat ze een jaar overdoen, het duurt ook een tijd voor de dingen weer gewoon zijn geworden. Dan is het toch wel prettig voor ze dat er op school niet zulke hoge eisen aan ze worden gesteld? Ik zal wel met ze praten, dat ze weer naar school gaan en een afspraak met de rector maken om te overleggen.'

'Weet je dat ik niet goed word van dat softe gedoe? Tijd nemen, verwerken, overleggen, ik kots ervan! Het moet veranderen, er is niets meer aan de hand, er is geen enkele reden om thuis rond te hangen. Voor hen niet en voor jou niet. Afgelopen moet het zijn, afgelopen. En ik wil ook dat je Saar d'r kamer opruimt.'

Johan schrikt van wat hij gezegd heeft en is even stil voor hij weer op volle kracht uitvaart: 'Ik kan er niet tegen dat jij als een half lijk door het huis schuifelt. Je moet gaan koken, je kan je wel weer eens opmaken, iets leuks aantrekken en naar de kapper, weet ik veel. Het heeft lang genoeg geduurd. Het moet nu maar eens over zijn en als je dat niet op kan brengen dan ga je maar. Dan ga je maar weg. Dat verdriet van jou zit me tot hier, dat moet ophouden!'

Eigenlijk is het nog maar net begonnen, denkt Ellen. Verdriet. Hij heeft gelijk, ik ga de kamer opruimen, Saars spullen in dozen doen, het bed afhalen.

Ellen komt langzaam in beweging. Lisa helpt haar met het kamertje van Saar en daar, op het smalle bed, in de armen van haar vriendin, krijgt Ellen haar eerste echte huilbui. Johan staat in de kamerdeur en kijkt recht in Lisa's gezicht, een ontzet gezicht met wijd opengesperde ogen. Lisa heeft haar armen om Ellen heen, die met haar hoofd in Lisa's schoot ligt.

Zonder iets te zeggen gaat Johan naar beneden. De voordeur knalt dicht.

Het is zomer, het is vakantie. Ellen gaat een week met de tweeling naar Terschelling. Johan blijft thuis, hij wil werken. De jongens rennen over het brede strand en zwemmen in de golven. Ellen zit op het terras van het gehuurde huisje en laat zich bijten door de zon. Zij huilt en de zon doet de tranen verdampen. Zij voelt het prikken van haar huid; 's avonds gloeit haar verbrande vel en vertelt haar dat zij bestaat. Op de laatste dag van hun verblijf is er een felle oostenwind opgestoken. Ellen fietst het eiland over naar de oostpunt, waar een huis ligt dat Finisterra heet. Met de grootste inspanning trapt zij tegen de storm in, zij klampt zich vast aan haar stuur en verovert meter voor meter het schelpenpad. De wind blaast de tranen uit haar ogen tot wittige korsten langs haar gezicht. Ik ben er weer, denkt Ellen, ik heb weer benen, ik heb een stem. Ik heb een verlies. Ik heb een dochter gehad. Op de terugweg laat zij zich duwen door de wind. Zij heeft honger. Ze eten pizza's in het dorp.

Als ze terugkomen in de stad gaan de jongens werken bij de supermarkt. Zij vullen de vakken en vegen de vloer. Ellen doet er boodschappen om ze te zien en te weten waar ze aan tafel over praten.

'Die bedrijfsleider, met dat cowboyhaar weet je wel, die lééft voor de winkel!'

'Hij is er al 's ochtends om zeven uur! En van vakantie wordt hij gestoord, dan komt hij toch!'

'De soepen zijn het ergste om te vullen, zoveel soorten die allemaal op elkaar lijken, shit, ik deed maar wat vandaag.'

'We zijn één grote familie, zei hij. Tussen de middag mag je een magnetronmaaltijd uitzoeken maar niet de duurste.'

'Alleen van het huismerk. Niet te vreten zo lekker. Proppen! Heien!'

Johan komt soms thuis eten. Hij heeft een bed in zijn atelier waar hij 's avonds naar teruggaat zodra Ellens gezicht op huilen staat. Hij weigert met haar te praten over iets anders dan het huishouden of zijn werk. Heel korte gesprekken worden dat.

'Het Gemeentemuseum heeft een schilderij aangekocht.'

'Leuk voor je.'

'Er komt een artikel over mij in het *Museumblad*.'

'Wat fijn.'

'Jezus.'

Stilte.

Ellen belt Klaas Bijl. Hij heeft haar de afgelopen maanden regelmatig opgebeld maar is er, afgeschrikt door Ellens grenzeloze apathie, mee opgehouden. Hij betaalt haar salaris door, hoewel Ellen gevraagd heeft of hij haar onbetaald verlof wilde geven.

'Je bent in de ziektewet, kind. En daar blijf je.'

Hij is opgetogen dat ze belt. Natuurlijk kan ze weer komen werken, niets liever, meteen.

'Als je nu eens begint met een losse klus die geen haast heeft. En niet te veel uren maar wel elke dag. Je moet de foto's opnieuw indelen, je bestelling van vorig jaar is aangekomen. We hebben de boel voor jou laten staan. Mooie prenten, heel fraai.'

Elke dag gaat Ellen een paar uur naar kantoor. Daar zit ze op haar kamer op de vloer met de foto's om zich heen. Zij leunt tegen de muur en huilt. Na een uur komt Bijl binnen en neemt haar in zijn armen.

'Kom maar kind, toe maar.'

Schutterig geeft hij haar zijn zakdoek. Iedere dag. Dan staat Ellen op en gaan ze koffie drinken. Op de foto's staan werktuigen afgebeeld die in verband met hout gebruikt worden: een trekzaag, ijzeren klimschoenen, een prachtige kleine vioolbouwersguts, een bijl. Het laatste uur verzamelt Ellen gegevens uit het correspondentiearchief voor een stuk dat Bijl wil schrijven.

'Nu naar huis, kindje, kom morgen maar weer terug.'

'Ik wil er niet meer over horen,' zegt Johan. 'Je gaat maar bij Lisa klagen, of bij weet ik wie, zoek maar een therapeut, als je tegen mij maar ophoudt. Voor mij is het over, begrijp je dat?'

Bedoelt hij ons huwelijk, denkt Ellen, waarom schrik ik dan niet? Vind ik het niet erg als hij bij me weggaat? Was de zomer maar voorbij, ging het maar waaien. Ik ben niet goed bij m'n hoofd. Niets kan me meer wat schelen.

Johan is doorgegaan met praten: 'Ik heb succes, eindelijk verkoop ik wat en schrijven ze over mij. Ik ga meetellen, ik krijg opdrachten. Dáár moet je eens aan denken, niet steeds aan wat er gebeurd is. Het leven gaat door.'

Hoe krijgt hij het z'n strot uit. Hij heeft altijd gelijk. Zijn leven ís ook doorgegaan. Hij is geschokt geweest, hij heeft verdriet gehad maar het is weg, hij doet er iets mee waardoor hij het niet meer merkt. Hij wordt razend als anderen hem eraan herinneren. Hij is bruin, hij ziet er goed uit. Hij heeft een nieuw jasje gekocht. Wat schildert hij, ik ben in geen maanden in zijn atelier geweest, waar is hij zo gedreven mee bezig?

'Johan, wat ben je aan het maken?'

'Een piëta. Geloof ik. Ik kan daar niets over zeggen en ik wil het ook niet laten zien. Verder moet ik een fresco maken voor het postkantoor, daar werk ik aan. Bemoei je nu maar met jezelf, ik red me wel.'

De nachten dat hij thuis slaapt zijn dramatisch. Als Ellen naar bed is gegaan drinkt Johan whiskey tot hij voldoende moed heeft om bij haar te gaan liggen. Hij neukt haar willoze lichaam. Als ze iets voelt gaat ze huilen. Het is onverdraaglijk voor beide partijen. Het komt steeds minder voor.

Hij heeft een vriendin, denkt Ellen. Daarom zorgt hij voor zichzelf en gaat hij elke dag hardlopen. Vind ik het erg?

'Vind je het erg als het zo is?' vraagt Lisa.

'Ja, natuurlijk, verdomme. Geen stijl is het toch? Eigenlijk kan het me geen bal schelen. Het maakt het makkelijker voor mij, nu. Hij kan zo vreselijk aandacht eisen, Johan, hij zuigt het van je weg. Dat is nu minder. Nee, ik vind het niet zo erg. Maar wat betekent dat, dat is toch vreselijk?'

Ze wandelen. Een tocht die de hele dag duurt, over dijken en grasland. Door polders, langs ondiepe sloten. Er staat een stevige wind die de conversatie bemoeilijkt. Ellen loopt achter Lisa aan, het tempo met moeite bijhoudend. Pas de laatste weken merkt ze hoe volstrekt uitgeput ze is, een intense moeheid die zij herkent van de periode vlak na een bevalling.

'Je moet het eruit lopen,' zegt Lisa. 'Zullen we de waterroute doen, zondag? Kan je het hebben?'

Ja, eigenlijk is het lekker. De wind briest om haar kop, haar benen malen het land weg en zij denkt alleen aan het lopen, alleen aan het volgen van Lisa's rug. In de luwte van een bomenrij stappen ze naast elkaar voort.

Er zit beweging in de sloot waarlangs zij gaan. Grote vissevinnen komen aan de oppervlakte, één, drie, twintig. Ze cirkelen rond elkaar, ineens zijn er tekenen van gevecht, waterspetters, de slag van een staart. Tientallen reusachtige karpers op een oppervlakte van twaalf bij twee meter; de rest van de sloot is stil.

'Er zal hier wel een afvoer zijn,' zegt Lisa. 'Aardappels, oude melk, wat de boerin kwijt wil. Of warm water, een tropisch vissenparadijs in de polder. En als Johan weg zou gaan, als jij gewoon in het huis kon blijven met de kinderen?'

Aan het eind van de sloot klimmen ze de dijk op waarachter wijd water ligt. De koude wind en de zon geven een gevoel van schoongebeten worden, geloogd. Ze lachen. Maar toch.

Het meer is een brede riviermonding geworden. Het pad gaat tegen de stroom in, er ligt een dorpje in de verte.

'Daar kunnen we misschien een verversing kopen,' hoopt Lisa. 'Vind je niet dat er wel erg veel hengelaars zitten, vandaag?'

Hoe dichter ze het dorp naderen, hoe hoger de concentratie vissers. Op het laatst zitten ze man aan man. Elke visser heeft één eigen groene paraplu, waar hij onder zit als was het de luifel van een tent, maar meerdere hengels. Veelal een in de hand en een bij de voet, twee dobbers in het water. Ze zitten op een soort naaidoos in de vorm van een vierkant krukje. Daar zijn laatjes in aangebracht waar haken, dobbers, wormen en andere benodigdheden in opgeborgen kunnen worden. De hengels liggen met hun zwarte uiteinden dwars over het jaagpad waar Ellen en Lisa lopen, springen, een hordenloop uitvoeren. Sommige vissers kijken verstoord op, zeker als Ellen met haar schoen een hengel raakt. Uitwijken naar de berm is lastig; die wordt ingenomen door de aanmoedigings- en ravitailleringsploegen, daar zitten de vissersvrouwen in kampeerstoelen en op bierkratten, met tassen broodjes, gekookte eieren en thermoskannen vol koffie tussen hun benen. Ze kijken misprijzend naar hun lopende zusters. Hier en daar zit een visserskind naast de vader aan de waterkant en mag het grote schepnet vasthouden waarin soms al een vis hangt. Als er een hengelaar opstaat omdat hij beet heeft rijst ook de bijbehorende vrouw achter hem omhoog en roept: ja, hoei hoei, vooruit, hup, hoei!

Op een zijweg staat een kampeerbus met spandoeken erboven: Grote wedstrijd om het kampioenschap! Hengelsportvereniging 'Nooit Genoeg'! Leer Uw Kind Vissen!

Op de veertig hengelaars hooguit twee vrouwen: een oude dame met een zuidwester op zit in de kerngroep, waar het het drukste is. Zij heeft een gezellig fluisterend contact met haar buurmannen. Aan het eind van de lange rij, als ze al bijna voorbijgewandeld zijn, zien Lisa en Ellen nog een vrouw zitten, een stukje bij de anderen vandaan. Zij is jong en heeft kortgeknipt haar rond een ontevreden gezicht. Haar schepnet is nog leeg. Zij praat met niemand.

'Nooit genoeg,' zegt Lisa.

Als ze het dorp uit lopen maakt de rivier een bocht en slaat de wind hen recht in het gezicht. De zon is gezakt en geeft geen warmte meer. De boerderijen en huizen waar ze langskomen hebben oude fruitbomen in de tuin met hoekige takken waar de peren nog aan hangen terwijl het blad al verkleurt, al loslaat, al meegaat met de wind. Al die versiering moet weg, denkt Ellen, al die bloemen en vruchten, al dat gekleurde blad. Weg ermee.

Als de herfst eenmaal gevestigd is wordt het land duidelijk, het is niet meer verhuld. In de stad is het dan ook beter, met echt verschil tussen binnen en buiten. Het kost moeite om het huis uit te gaan, je merkt het.

De wind is gaan liggen nu het avond wordt, de spieren zijn opgewarmd en ingelopen, moeiteloos tilt Ellen haar voeten over de weg, zonder inspanning zweeft ze vooruit en ziet zichzelf voor een kort moment op hoge hakken door een vergaderzaal lopen (opgestoken haar, een goed mantelpak) met een strakke aktentas aan haar hand, met een omlijnd gevoel van welbehagen van binnen.

★

Eind november zet de winter in, een straf seizoen dat van geen wijken weet. De verwarming, die dag en nacht staat te loeien, kan de kou op de gang niet verdrijven en als de ramen in de grote kamer opengaan om te luchten duurt het een uur voor het weer enigszins warm is. De autoruiten zijn 's morgens beijsd en moeten schoongekrabd worden. Het aanslaan van de motor is een genade.

Er komt geen sneeuw, het land ligt onbeschermd onder de scherpe wind; de vorst nestelt zich in alle oppervlakten. Buiten de stad zijn de velden en weilanden bevroren tot diep in de grond. De groeven die tractors en karren in de herfstmodder maakten zijn gestold tot keiharde landbouwgetuigenissen. De bomen staan de koude te verduren. Zij hebben hun blad afgeworpen en hun sapstromen stilgezet. Zij concentreren zich op de uiterste punten van hun wortelsysteem, diep onder de grond in de koude aarde. Grachten, waterlopen en plassen liggen onder een dikke ijslaag die elk verrotten en uiteenvallen uitstelt. In de stad worden vuilniszakken en halfvolle patatbakjes geconserveerd, hondedrollen, hamburgers. In het zwarte ijs op de plas zitten verstilde vissen gevangen, wordt levenloos riet rechtop gehouden en vriezen vogels vast in de wakken.

Peter en Paul gaan via waterwegen op de schaats naar school. In de weekenden maken ze lange tochten met hun klasgenoten waar ze blakend van thuiskomen met rijp in hun haren en bevroren zweet in hun trui. Op de grond in de kamer liggen wekenlang schaatsen, handschoenen en potten vet. Johan schaatst niet maar schildert. Hij kleedt zich daarvoor in een bergbeklimmerskostuum dat de lichaamswarmte vasthoudt want het hoge atelier is niet warm te krijgen. Hij heeft er geen last van, hij heeft veel lichaamswarmte: de ambitie brandt, de passie laait en de wraakzucht smeult. Ellen schaatst evenmin, hoewel het haar hartstocht is. Zij kan zich nog niet vinden in de gemakkelijke voortbeweging, haar hoofd staat niet naar glijden; zij lijkt eerder op zoek naar de weerstand, naar de moeite die het kost om de auto binnen te dringen en aan de praat te krijgen, naar het knagende gevoel in de knieën als de voet steeds neerkomt op grond die niet meegeeft. Zij maakt geen gebruik van de winter maar van het verzet ertegen. Dat helpt haar om haar eigen verzet te voelen. Zij is lang genoeg meegaand geweest.

In deze periode denken de leden van het uiteenvallende gezin (de vorst houdt de verrotting tegen en verhult de zwakke structuur) weinig aan het smalle graf en zo min mogelijk aan wat daar onder de grond plaatsvindt. Gegeneerd geeft Paul aan Ellen toe dat hij het zielig vindt voor Saar: 'Alsof ze het koud heeft, ze is niet thuis. Maar dat kan niet hè? Stom hè?'

Johan heeft over zijn voornemen om een gedenksteen te ontwerpen niet meer gerept. Ellen wacht. Een steen zou nu misschien uit elkaar vriezen, of, tijdens de vorst geplaatst, in de lente weer verzakken. Toen het zomer was is Ellen bij het graf geweest om daar planten in de aarde te zetten: bosbessen, wilde aardbeien en kaasjeskruid. Zij had een plastic gieter meegenomen, een schep en handschoenen. Een vriendelijke opzichter is met haar meegelopen naar het graf; het was Ellen niet gelukt om het in haar eentje te vinden, ze dwaalde een half uur lang door de rustige laantjes en keek naar de grote variëteit aan grafinrichting; de onrust groeide toen zij de kinderafdeling niet lokaliseren kon en uiteindelijk is ze teruggelopen naar het administratiekantoor, beladen met haar planten en haar instrumentarium. Het is vlakbij, het is gemakkelijk te vinden, naast Zonnestraal, naast Evertje.

Ellen voelt zich bekeken. Er zijn mensen in de buurt aan het werk zoals zij, ze hebben een lage kartonnen doos met afrikaantjes op het pad gezet en poten die, zittend op hun hurken, op een graf. Ellen durft niet naar de jaartallen op de steen te kijken. Twee wat oudere mensen zijn het, een echtpaar. Ze knikken Ellen vriendelijk toe. Ze zet haar ontoegankelijke wandelgezicht en pakt de planten uit.

Hier moet gepoot worden, nagedacht over groeisnelheid en uiteindelijke omvang van de planten, hier moet niet gesproken worden met de begraven dochter, niet gedacht over de toestand waarin spijkerbroek en gympen nu verkeren, niet gedacht, niet, niet.

Ook kan er beter niet op het graf gelopen worden zodat de voet ineens in zachte aarde zinkt tot de enkel en het hart opspringt in de keel, het bloed wegtrekt uit het hoofd, angstige duizeligheid tot zitten dwingt, waarop? Op de brede rand langs Evertjes grafje. Eventjes.

Water haalt Ellen uit een centrale drukpomp, ze ruikt eraan: het is rivierwater. Zij begiet de planten rijkelijk, zonder te denken aan de weg van het water.

De plantage is in vorst gevangen. Later, als ooit de lente komt, valt te bezien hoe de planten zich gered hebben en of zij een kiem van leven hebben kunnen bewaren. Nu is er niets te doen.

Kerstmis, in godsnaam wat te doen met Kerstmis? Drie hele dagen ook nog, dat alles doods en stil is, dat je binnen moet zitten en je aan gezelligheid overgeven, hoe ongezellig je je ook voelt. Geen werk, geen school, geen winkels. Wat deden we vorig jaar? Saar kreeg van Alma de vissentrui. De kinderen voerden een quiz op, Saar was assistente en liep op Ellens hoge hakken met haar kontje te wiebelen. Johan brulde van het lachen. Ze dronken champagne. Het was gezellig.

Dit moet dus niet, deze herinneringen moeten zich koest houden. Een huisje op een eiland? Wintersport? Iets geheel anders?

Ellen overlegt met Johan.

'Ik ga naar Parijs. Ik ben er niet.'

'O?'

'Ik ga met Mats en Zina. Misschien nog een paar andere leerlingen ook. Een soort schoolreis, we gaan musea bezoeken, dingen bekijken. En ik wil wat materialen kopen.'

'Naar Parijs?!'

Paul en Peter zijn verrast.

'Gaan wij mee? Gaan jullie samen? Wij gaan toch wel mee? En oma dan?'

'Johan gaat zelf. Met zijn leerlingen. Wij gaan niet mee.'

Paul kijkt naar zijn moeder.

'Is dat naar, mam? Hebben jullie ruzie?'

Nu, denkt Ellen, nu zou het goed zijn als ik een opinie had, als ik iets vond. Wat vind ik?

'Nee, we hebben geen ruzie. Johan wil het graag, naar Parijs. En ik vind het eigenlijk wel gezellig om met jullie thuis te zijn.'

Laf, laf, laf. Wat ik tegen de kinderen zeg is tot daar aan toe, maar tegen Johan zou ik uit moeten varen. Dat hij er niet meer in komt als hij het zo laat afweten, dat hij in die hotelkamer met z'n leerlingen kan blijven liggen wippen tot hij blauw ziet, dat ik er geen zin meer in heb, dat ik niet meer wil. Niet meer.

Ellen vaart niet uit. Koel kijkt ze Johan na als hij in z'n auto stapt om Zina op te halen. In z'n nieuwe jasje. Banden doorsteken? Suiker in de benzinetank? Ach, laat maar. In de keuken had hij Ellen hulpeloos aangekeken. De koffer stond al bij de trap. Achter zijn ogen dacht hij alweer aan iets anders, zag ze.

'Ellen, ik kan het niet. Nu hier zijn, bedoel ik.'

Je bedoelt dat je het niet kan laten om je te verliezen in een nieuwe liefde, je bedoelt dat je verliefd bent, dat je een ordinair slippertje gaat maken, in Parijs nog wel! Je bedoelt dat je alles doet in ruil voor bewondering. Dat denkt Ellen. Maar het ook zeggen is iets anders.

'Nee. Ik zie het.'

'Als ik terug ben moeten we praten.'

'Ja.'

'Ik weet niet wat ik zeggen moet.'

'Ga maar.'

Als een speer schiet hij naar de trap, grist zijn koffer mee en stormt naar beneden, bevrijd.

Op kerstavond kijkt Ellen met de kinderen naar een detective-film op de televisie. Ze eten broodjes met hamburgers erop, en chips met cola; later maakt Ellen chocolademelk. De volgende dag is er kerstdiner met cadeautjes. Alma komt 's middags al, met een taxi. Zij speelt monopolie met de jongens terwijl Ellen in de keuken staat. Het feit dat Johan op reis is gegaan heeft ze voor kennisgeving aangenomen maar voor Ellen neemt zij een schitterende bos rozen mee. Ze staan te gloeien in een hoek van de kamer, dieprood.

Oscar reageerde gespannen toen Ellen belde om hem uit te nodigen.

'Ik geloof dat ik iets anders, ik dacht een andere afspraak, dat het niet uitkomt.'

'Johan is er niet, die zit in Parijs.'

Ze vermoedt dat Johans aanwezigheid een belemmering zou vormen maar haar tactische benadering pakt helemaal verkeerd uit.

'Dat ik dan juist moet komen bedoel je? Wat erg nou, wat lastig.'

'Nee, dat bedoel ik helemaal niet, Oscar. Als je wat anders hebt, of geen zin, dan kom je niet. Het hoeft niet. Ik dacht alleen dat je het leuk zou vinden, vandaar.'

'Ik vind het leuk om jou te zien, dat wil ik graag. Kunnen we niet iets anders afspreken, de dag erna, tweede kerstdag?'

Wat zou hij doen, denkt Ellen, Gay Christmas? Kerst-in voor alleenstaanden? Zichzelf een dag zonder familiestress gunnen? Wat het ook is, hij wil het niet kwijt.

'Goed. Nationale wandeldag is dat, daar voel ik niet zoveel voor. Jij?'

'Nee, ik kom dan 's middags bij je en we blijven binnen. Ik neem iets moois mee om naar te luisteren. Ik haat wandelen in parken. Het is ook veel te koud, mijn bril kan dat niet hebben en mijn oren gaan aan flarden als ik niet een muts opzet. Het spijt me van het kerstdiner, Ellen. Vooral nu, je weet wel, na, ik bedoel vorig jaar was alles zo anders, het is moeilijk. Ik dacht jullie gaan misschien wel weg, met het gezin. Om niet thuis te zijn, nu.'

'Ja. Ik weet het niet. De jongens vinden het wel best om thuis te blijven. Alma komt, we gaan spelletjes doen.'

'En jij?'

'Ik heb een plumpudding gekocht. Die ga ik feestelijk flamberen. Ik zal je de restanten serveren als je komt.'

'En je vrienden,' zegt Alma, 'waarom zijn die er niet? Die vieren toch Kerstmis?'

'Ze zijn in Engeland, bij de ouders van Lawrence. Een echte Engelse kerst voor de kinderen. Lisa belde vanochtend, het is daar steenkoud in het hotel en het hele land stinkt naar kolendamp. Ze staan de hele dag koekjes te bakken om warm te blijven.'

Met oudjaar zullen ze er weer zijn, maar dat vertelt Ellen er niet bij. Ze gaat sla maken en de aardappeltjes bakken. De biefstukken kunnen straks. Pommes parisiennes. Jezus. Wat vind ik? Hij is een lul, hij vernedert mij, ik ga weg als hij terugkomt. Maar eigenlijk is het wel goed zo. Fijn alleen met de kinderen. Geen last van dat rothumeur van hem. Niet verstijven als ik de voordeur open hoor gaan. Alleen aan mezelf denken. Dat ik de dag doorkom zonder Saar. Dat kaartje van Mara op Saars verjaardag; vreselijke dagen zijn dat, net als nu. Je kan beter geen kinderen hebben. Je kan beter dood zijn. Straks aan tafel zal het weer gaan. Bezig met de biefstuk, met de plannen van de jongens, met Alma's verwarmingsproblemen. Praten. Opletten. Meedoen. Maar het is een gesprek in een vreemde taal. Meedoen en weten dat het mijn taal niet is, dat ik niet gewoon, vanzelfsprekend ben zoals ik me van binnen voel: uitgeblust. Verbrande aarde. Verlaten slagveld.

Pathos. Ik moet ermee ophouden. Het is net of ik nog niet kan leven, alles wat mooi is maakt me aan het huilen, ik kan er niet tegen. Alsof het zonde is, nu zij er niet mccr is. Mooie luchten, bomen, muziek. Níet genieten, dan geef ik haar op. Als ik het slagveld verlaat ben ik m'n dochter voorgoed kwijt. De aardappels gaan te hard. Net op tijd gered. Alma is lief voor de jongens. Haar zonen leven allebei. Maar ze zijn er niet, ze zijn hem gepeerd, ze hollen hun hartstochten achterna. Oscar is gestoord, nooit gemerkt dat hij vrienden heeft, hij gaat alleen met vakantie. Als hij al gaat.

De biefstukken. Hopelijk komt Alma erdoorheen met haar oude tanden. Was wel een goede slager.

Als ik zo oud ben als Alma nu zal ik nog steeds een dode dochter hebben.

De gedachte slaat bij Ellen in als een bliksemschicht, zij moet even gaan zitten op de keukenstoel. Wat er gebeurd is gaat nooit over. Zoals het nu is, dat is niet een wachten op herstel maar een nieuwe uitgangspositie. Zij is een ander mens geworden, iemand die ooit zo oud als Alma zal zijn misschien, iemand met een gruwelijk litteken. Hopen op reparatie slaat nergens op en leidt tot niets. Erkennen dat de situatie veranderd is geeft een ongekend gevoel van opluchting, hilarisch, oneerbiedig: hoera, ik ben een invalide geworden!

De messen glijden soepel door het vlees, de saus is goed gelukt, de Parijse aardappels worden allemaal opgegeten. Dan gaat het licht uit. Peter houdt de soeplepel vol cognac boven de gasvlam, Paul staat paraat met de lucifers en Ellen met de dampende, zwartpaarse plumpudding. Het vuurwerk wordt ontstoken, verhit en lachend paraderen ze gedrieën de donkere kamer in. De blauwe vlammen dansen over de zwarte berg. Dat we dat ook nog op moeten eten, niet te geloven, denkt Ellen. Uitblazen. Kaarsen aan. De room vergeten, vlug naar de ijskast. Dit is leuk, dit is niet lekker maar wel gedenkwaardig.

Een kerstboom is er niet dit jaar. Johan deed of het geen Kerstmis werd, de kinderen hebben niet om een boom gevraagd en Ellen wilde er niet over denken. In de Engelse winkel waar ze de plumpudding kocht heeft zij op het laatste moment een plastic miniatuurboompje aangeschaft. Er zitten batterijen in, je kan het aanzetten en dan gaan de kaarsjes branden, weerklinkt er een kerstlied en voert de boom zelf een langzame rotatie uit. Het wonder staat op tafel tussen de borden en de schalen. Van tijd tot tijd zet iemand het aan en sproeit er een vleugje kerstsfeer door de kamer.

De cadeaus zijn bij gebrek aan boom neergelegd bij de grote vaas waar Alma's rozen in staan. Er is een groot pakket bij dat Paul voor Alma uit de taxi moest halen. Het is voor Ellen. Het is een cd-speler.

Waarom is ze zo lief voor mij? Iets wat ik zo graag wil hebben; te beroerd was ik om het voor mezelf te kopen. Hoe weet ze dat ik zoveel geef om muziek?

Johan vond het onzin, ze hadden toch de platenspeler, bovendien luisterde hij nooit naar die herrie, en duur ook, die dingen. Zeker alles opnieuw kopen, nee hoor, moderne onzin, een slimme truc van de fabrikanten om geld te verdienen, daar liet hij zich niet door inpakken.

Allemaal waar, maar toch zou ik er wel een willen, had Ellen gedacht, vroeger, voordat, toen. De jongens juichen, Ellen bloost van verlegenheid en ontroering om zo'n mooi cadeau. Ze kust haar schoonmoeder, de oude vrouw die heeft nagedacht over dingen waar ze de echtgenote van haar zoon echt een plezier mee kon doen en iets heeft uitgezocht wat helemaal goed is.

Ze wil mij bedanken omdat ik haar haar zoon ga teruggeven, flitst het door Ellen heen. Ik doe afstand, ze mag hem weer hebben, van mij zal ze nooit meer last ondervinden en daarvoor beloont ze mij. Wat een gemene gedachte, hoe kom ik erop? Ze heeft gedacht dat ik een moeilijke tijd doormaak en wil mij troosten, dat kan toch ook? De oude vrouw zit rechtop te kijken naar het opgewonden gedoe. Peter is het apparaat aan het aansluiten, Paul leest hardop voor uit de gebruiksaanwijzing. Alma's ogen glanzen. Ellen glimlacht naar haar. Het is allebei waar, dat ze mij wil troosten weet ze, dat ze mij bedankt voor het retourneren van haar lieveling weet ze nog niet. Het is allebei waar. Ellen zet de kerstboom aan. Het is feest.

De volgende dag gaan Peter en Paul schaatsen in de waterige winterzon. Ellen ontvangt haar zwager, die met zijn rubber overschoenen de lange trap opstommelt, zicht biedend op het gebogen hoofd dat bedekt is door een lederen muts met gevoerde oorkleppen. Zijn bril is beslagen, ontredderd staat hij in de gang–jas, das, handschoenen, waarheen, hoe intussen het pakketje vast te houden dat in de hand geklemd zit, Ellen te kussen? Ze pelt hem uit tot op zijn keurige witte overhemd, zijn glimmende kostuum. Zij informeert niet wat hij gisteren gedaan heeft maar zet hem neer op de bank, tegenover de rozen, naast het nieuwe muziekapparaat.

'Mooi hè? Ik wist het, ik ben met Alma mee geweest om het te kopen. Ik heb cd's voor je meegebracht, waar zijn ze? Ik had ze vast toen ik binnenkwam, en nu?' Ellen reikt hem de plastic zak aan. Wat een verwilderde vogelkop heeft hij toch, wat een magere nek, wat een hulpeloze, blinde blik. Ze drinken thee en Oscar eet met smaak een portie koude plumpudding. Zijn ogen zijn slecht, zonder bril ziet hij vage vlekken en zijn motoriek zou passen bij een blindenstok, zo weinig vertrouwen heeft hij in zijn visueel vermogen. Op het terrein van zijn gebrek, dat in een schildersgezin ronduit een handicap geweest moet zijn, heeft hij zichzelf overwonnen en voert hij nog dagelijks strijd.

Hij is een beschouwer van kunst geworden, iemand die werkt bij de gratie van het kijken, maar het is tweede keus, opgedrongen door het milieu van herkomst.

Ellen kijkt naar zijn oren: grote, fraai gevormde oorschelpen die nog wat rood zien van de kou. De oorlellen staan los van de nek en hebben precies de juiste graad van vlezigheid. Hoe was dat, een orenkind met ogenouders?

'Het duurde altijd even voor ik door had waar ze het over hadden. Johan was daar veel vlugger in, al was hij drie jaar jonger. Ze vonden het lastig dat ik lawaai maakte. Ik zong in bed, ik maakte liedjes voor mezelf met verschillende geluiden. Johan begon dan te krijsen, hij kon er niet van slapen. Osser, hij noemde mij Osser. Dichtdoen, zei hij dan. Ik pestte hem door enge verhalen te vertellen in het donker, met griezelige liedjes erbij. Dan werd het huilen en kwam Alma boven om mij op m'n lazer te geven. Ik was de oudste, ik moest beter weten. Ik deed de slang na die onder zijn bed zat, mij zou hij niet pakken want ik kon spelen op de fluit en daarmee kon je gevaarlijke slangen bezweren, ik siste steeds harder, tot Johan in bed piste van angst. Nee, dichtdoen, Osser!'

Oscar grinnikt. Het is een zoete herinnering.

'En de fluit,' vraagt Ellen, 'ben je daarmee doorgegaan?'

'Ik wilde vioolspelen. Papa had een altviool en dat was het mooiste wat ik wist. Als hij 's avonds studeerde lag ik in bed te luisteren. Een enkele keer speelden ze Mozart-kwintetten met twéé altviolen. Prachtig, prachtig. Alma had het niet graag, ik geloof dat ze meestal ergens anders oefenden. Dan ging Charles weg met de viool onder zijn arm en wilde ik dat ik mee mocht. Ik denk dat ik een muzikaal kind was, ik zong na wat hij speelde. Hij heeft me een blokfluit gegeven, ik was een jaar of vier. Ik ontdekte zelf hoe je erop moest spelen. Dat hout, dat geoliede hout van de fluit, dat vond ik zo mooi en dat rook zo lekker.

Charles zei dat ik te klein was voor een altviool. Ik zou een viool krijgen als ik kon lezen en schrijven en op de grote school zat. Maar tegen die tijd had hij andere dingen aan z'n hoofd.'
'En Alma dan, kon die je niet naar vioolles sturen?'
Terwijl ze het vraagt denkt Ellen al: nee. Alma was blij dat ze verlost was van de strijkersklank, ze kon geen viool meer horen. Als Oscar erom zou vragen was het alsof hij naar zijn verdwenen vader vroeg en dat mocht niet, dat kon niet. Maar Johan dan, die bleef toch ook zijn vader trouw met zijn tekentalent?
'Ja,' zegt Oscar, 'dat kon op de een of andere manier wel. Dat weet ik nog, hoe ze naar Johan keek als hij zat te verven. Ze hing zijn tekeningen op aan de muur en liet ze zien aan mensen die op bezoek kwamen. Ik heb mij altijd vervreemd gevoeld van het schilderen, maar ik zag alles. Ik stond er bij en ik keek. En ik dacht na: waarom hij wel en ik niet? Waarom stond iedereen bewonderend voor Johans tekeningen te juichen, Alma voorop, en luisterde niemand naar mijn liedjes op de fluit? Ik had een boekje gekregen van tante Janna waar de grepen in stonden en de noten. Ik leerde allerlei melodietjes spelen, ongetwijfeld weerzinwekkende Hollandse volksliederen. "Tietje mijn bietje wanneer zal het zijn?" en "Er was een sneeuwwit vogeltje". Achter in het boek stond echte muziek, wat ik dan echt vond. Een sarabande van Händel, een courante van Chédeville, zo droevig, zo mooi. Maar ik had er niet veel succes mee in de huiskamer.'
Zielig, denkt Ellen. Was Alma een kreng van een moeder, die haar jongste voortrok en op alle mogelijke manieren stimuleerde terwijl ze de creatieve impulsen bij de oudste meedogenloos uitdoofde? Zo ziet het eruit, zo lijkt het, maar is het ook zo?
'Charles is weggegaan voor ik de viool kreeg. Hij nam ons mee naar boven op een avond, Johan had hij bij de hand, ik liep erachter aan. Op de grote slaapkamer liet hij ons zijn schilderijen zien, heel vreemd eigenlijk, waarom zou hij dat doen? Johan was stil, hij stond aandachtig te kijken naar elk schilderij, heel lang. Ik keek naar papa. Ik voelde me ongemakkelijk, alsof er

iets ergs ging gebeuren. Dat was natuurlijk ook zo. Ik weet er niets meer van, hoe die schilderijen eruitzagen. Jammer. Ik denk altijd dat er een viool op stond, er was een afbeelding van een viool, maar ik weet het niet meer.'

Hij heeft het niet af kunnen schudden, denkt Ellen. Hij is gebleven in de greep van de jaloezie, hij heeft ze niet laten barsten met hun schilderijen en heeft niet kunnen kiezen voor zijn eigen oren.

De zucht tot indelen en verzamelen waar Oscar in zijn beroep zoveel profijt van heeft vormt ook de ruggegraat van zijn grootste, zijn enige liefhebberij. Oscar verzamelt muziek op grammofoonplaten, op geluidsbanden en sinds kort ook op cd-schijfjes. Voor Ellen heeft hij er een paar meegenomen, als kerstcadeau. Over de keuze heeft hij geruime tijd nagedacht. Mahlers *Kindertotenlieder* had hij haar willen geven omdat die muziek het afgelopen jaar zijn thema is geweest en hem heeft geholpen vorm te geven aan het verdriet over zijn kleine nichtje. Mozartkwintetten heeft hij gekocht. Dat is op het randje. Motetten van Monteverdi, ze luisteren daar even naar. Ellen is verrast door de kale, zuivere melodieën die zo fraai door elkaar lopen. Elke frase wordt aan het eind bijeengetrokken als een plunjezak met een koordje. Stilte. Beheersing.

Nu pakt Oscar het gewaagdste onderdeel van zijn presentpakket en duwt het in de muil van het apparaat.

'Zitten, Ellen, en luisteren. Niks zeggen.'

Bèng! Hobolijnen. Bèng. Een hoorn gaat zingen. Vrouwenstemmen, strak, kaal. Een koor barst los: exaudi, exaudi! Ellen zit op de bank genageld, verpletterd door de muziek die precies uitdrukt wat zij voelt. Streng, met opgeheven hoofd wordt hier gezongen vanuit een trotse wanhoop. De *Psalmensymfonie* van Strawinsky. Oscar legt het informatieboekje op haar schoot en Ellen leest de tekst mee terwijl de muziek op topsterkte door de kamer knalt: remitte mihi, remitte mihi prius quam abeam et amplius non ero!

Luid, het slotakkoord blijft hard, geen elegante afsluiting maar een aanhoudende schreeuw.

De tranen lopen Ellen over de wangen. Laat me met rust, laat me gaan zodat ik nog een leven heb voor alles voorbij is, voordat ik er niet meer zal zijn.

6 Lege huizen

Johans atelier is oorspronkelijk een hoge garage geweest, vanuit nostalgie als een koetshuis gebouwd aan de linkerzijde van een uitgestrekt gazon, dat geleidelijk oploopt vanaf het straathek naar de terpachtige verhoging waarop de villa staat waaraan dit alles toebehoort. Het ouderwetse, ruime huis draagt een dak van blauwachtig geglazuurde pannen en wordt dan ook door Peter en Paul 'Het blauwe huis' genoemd. De eigenaar bewoont de villa samen met zijn echtgenote. Zijn auto (een donkerblauwe Rover) stalt hij in een later aangebouwde garage rechts van het huis, dat hij van daaruit binnendoor betreden kan. Hij is een zestigjarige hoge ambtenaar bij de Posterijen, met een groot eigen vermogen dat besteed wordt aan zijn passie: zeezeilen. In het reusachtige, onhandige tuinhuis waar Johan zijn schilderijen maakt heeft de zeiler jarenlang een werkplaats gehad. Geholpen door getaande mannen in pilobroeken bouwde hij een schip, dat na voltooiing op een trailer naar zee werd gereden. De voorgevel van het tuinhuis moest ervoor afgebroken worden, het straathek neergehaald; de buurt liep juichend uit, de zeiler dacht: nu begint het leven. De vreemd lege botentempel werd hersteld en aan Johan verhuurd, niet uit financiële noodzaak maar uit een behoefte om het tuinhuis een kraamkamer voor mooie dingen te laten blijven. Meneer Blauw, zoals de kinderen zeggen, 'Bob' voor Johan, kende de kunstenaar vanuit zijn functie in het postwezen, dat Johan ooit een opdracht verleende voor een schilderij in de directiekamer. Er was een bescheiden receptie op de middag van de aflevering, opdrachtgever en artiest raakten aan de praat bij vrij goede sherry, Ellen was charmant, de kinderen allerliefst en Sally, Bobs Amerikaanse vrouw, nodigde hen allen uit voor de barbecue op het gazon bij hen thuis. Johan haat het gekauw op ongare of juist bitter verbrande stukken vlees, gedoopt in vette saus en gegarneerd met zure sla; hij verfoeit de onrust van het primitieve eten waarbij nooit alle onderdelen van de maaltijd gelijktijdig klaar zijn, maar dat pakte bij Sally en Bob heel anders uit. Daar was een comfortabele tafel, met stenen borden gedekt. Een tafelkleed. Iedereen kreeg tegelijk een perfect door Bob geroosterde biefstuk. De volwassenen konden ontspannen zitten praten terwijl de kinderen speelden op het gazon. Zo is het gegaan.

Sally, een kleine, stevige vrouw die altijd in leggings met zijden blouses rondstapt, was in Johans besluitvorming omtrent het huurderschap een punt van overweging. De kop is weliswaar oud doch altijd perfect opgemaakt. De wreef en de enkels zijn ronduit aantrekkelijk. Wat doet zij als Bob zich aan postzaken wijdt? Rododendrons verpoten voor Johans raam, kont omhoog? Naakt op het gazon liggen, het atelier binnensluipen met vers geperst sinaasappelsap? Wat doet hij als ze hem voor de ochtendkoffie in haar keuken noodt? Dit soort zaken zijn gevaarlijk, voor je het weet sta je samen in een te nauwe deuropening, dan is het zoenen of smadelijk de aftocht blazen, vereren of vernederen. Wanneer hij niet reageert als ze haar hand op de zijne legt bij het vuur geven, als ze iets te lang over hem gebogen staat bij het koffie inschenken, verliest ze dan uit verachting haar interesse? Niet leuk. Als hij haar afwijst zal ze gekrenkt zijn, boos, op wraak uit. Nog erger.

Ik moet het zover niet laten komen, denkt Johan, dat is de enige manier. We moeten het er vanaf het begin over eens zijn dat we niets liever zouden willen dan rotzooien in haar damesboudoir maar dat zoiets absoluut niet kan. Zij moet zich begeerd blijven voelen en ik moet rust hebben.

Sally bekijkt hem met een vriendelijk, ironisch lachje. Zij heeft een tuinman die de rododendrons verzorgt en een dienstmeisje dat de koffie inschenkt. Aan haar lijf geen artistieke polonaise.

'Wat is de post nu nog?'

Bob en Johan zitten in de schaduw van een kastanje op het gras, in rieten stoelen. Zij drinken bier. De warme zomerdag loopt ten einde. Het geluid van loom maar keihard weggeknalde tennisballen zou passend zijn, maar Bob heeft evenmin als Sally ooit iets om tennis gegeven, alle hartstocht gaat uit naar de boot.

'Vroeger was het een gebeurtenis als er een telegram verzonden werd. Wie stuurt er nog een telegram? Faxen hebben ze, en autotelefoon. Een speciale bode in uniform kwam, op de fiets. Het telegram zat in een leren tas; hij belde aan, de buren keken uit het raam. Het had iets plechtigs. Vaak bleef de bezorger even wachten terwijl de geadresseerde het bericht inkeek: goed nieuws, slecht nieuws? En wie schrijft er nog brieven, dat doen toch alleen oude mannen? Teleurstellend, dat is het.'

Johan luistert maar half. Hij is met zijn gedachten bij het schilderij dat in het koetshuis op de ezel staat en maakt een werkplan voor morgen. Zal hij straks nog even gaan kijken?

'We hebben haar mooi ingezeild zo langzamerhand; het wordt tijd voor een grote tocht. Nee, ik denk er echt over om me terug te trekken, ik heb er geen plezier meer in.'

Johan spitst zijn oren. Terwijl Bob hardop voortmijmert over de verderfelijke invloed van de veelheid aan telefoonmodellen bedenkt hij wat er zal gebeuren als Bob zich voortijdig laat pensioneren. Verkoopt hij de villa? Wordt het atelier mee verkocht? Zo'n fraai atelier krijgt hij nooit meer! Ernaar vragen? Afwachten? Dat lijkt de beste strategie. Hij levert beleefd zijn aandeel in de conversatie over post en telecommunicatie. Maar hij is gewaarschuwd.

Johan is dan ook nauwelijks verrast als Bob vlak na Kerstmis joelend het atelier binnenstormt. Hij staat voor de materialenkast en ordent zijn Parijse aankopen. Aan de whiskeyfles waar Bob mee zwaait ziet hij dat er iets groots gaat gebeuren. Glazen. IJs. Proost!

'In het kielzog van Cook!'
Bob schreeuwt haast van opwinding.
'We steken de Atlantische Oceaan over, ik wil eigenlijk bij Vuurland de kaap ronden, als dat niet gaat nemen we het kanaal. Paaseiland. Tonga. Tahiti!'
Bob en Sally gaan de wereld rond in hun zelfgemaakte boot. Er komt een afscheidsreceptie bij de hoogste postorganen; meubels worden opgeslagen, zeekaarten aangeschaft. Bob biedt Johan het huis aan.
'Je hoeft het niet te kopen, ik houd het graag in de familie. Wie weet of een van de kinderen er later nog voor voelt. Ik ben blij als jullie er komen wonen, ik laat een huurcontract opstellen zodat je zekerheid hebt. Als wij tussendoor in het land zijn zitten we op de flat of bij een van de kinderen. Kijk maar eens, je kan wel wat verbouwen als je er aardigheid in hebt, de keuken is misschien wat benauwd voor een gezin.'

Een paar weken later lopen Lawrence en Johan door het ontruimde huis. Er liggen bouwtekeningen op een werktafel en ze fantaseren over het omhalen van muren, de plaatsing van nieuwe ramen en de bouw van een overdekt terras.
'Een kookeiland,' zegt Johan, 'waar je omheen kan lopen. En alle machines in de muur. Die ene poot van de kamer wil ik bij de hal trekken, dan kan daar de televisie staan, dat je die herrie niet in de kamer hebt. Is dat een dragende muur, kunnen we die eruit rammen?'
'Wat vindt Ellen ervan, wil ze verhuizen?'
Zou je dat willen, het huis verlaten waar je gestorven kind is opgegroeid? Lawrence twijfelt. Voor Johan is het kennelijk geen punt. Zou het anders zijn voor een vrouw?
'Natuurlijk wil ze dat. Het is toch prachtig: groot, makkelijk, mooie buurt, niet meer de trap op sjouwen met de boodschappen. Alleen maar voordelen.'
Hij bedruipt het huis met lofprijzingen en bezweert zo de twijfel die zijn vriend zaait. Hij heeft met Ellen nog niet eens

over het beschikbaar komen van de villa gesproken. Toen hij terugkwam uit Parijs, zijn kop dik van de drank, was ze stugger dan ooit en schepte ze zijn bord vol zonder iets te zeggen. Hij was met flair en overtuigd van zijn missie vertrokken maar kromp aan de huiselijke eettafel ineen onder het bombardement van neutrale blikken dat hem trof. Ze deden of er niets aan de hand was. Paul demonstreerde de cd-speler en Peter liet de plastic kerstboom voor hem dansen. Toen de jongens naar boven waren wilde Johan dat ze iets zou vragen, dat ze hem ter verantwoording zou roepen, hem uit zou schelden en verwijten maken – alles om de vreemde spanning te breken.

Ze schonk hem koffie in. Ze ging de krant lezen.

'Hoe was het met Alma?'
'Wel goed, geloof ik.'
'Vroeg ze niet waar ik was, vond ze het niet raar dat ik weg was?'
'Daar zei ze niets over voor zover ik weet.'
'En Oscar? Zei die iets?'
'Nee.'
'En jij, Ellen? We zouden toch praten als ik terugkwam? Heb jij niets te zeggen?'

Ellen kijkt op van haar krant. Ze is al drie keer begonnen aan een artikel over meng- en roertechnieken.

'Nee. Ik heb niets te zeggen. Ik ben er nog niet klaar voor.'

Drie zinnen! Hoera! Niet klaar ervoor, wat bedoelt ze? Johan koestert de kiem van woede. Dat is vertrouwd terrein, dat is actie, dat is veilig en beter dan zwijgen.

'Waar moet jij klaar voor zijn? Wat is dat voor onzin? Kan je niet eens wat belangstelling voor mij tonen, kan je niet vragen hoe ik het gehad heb?'

Johan is opgesprongen en loopt door de kamer heen en weer. Op tafel heeft de kerstboom een onverhoedse dansstuip als hij langskomt.

'Hoe jij het gehad hebt dat interesseert mij geen bal,' zegt Ellen kalm.

Zuchtend zet Johan zich naast Lawrence aan de tafel.

'Ellen is zichzelf niet. Ze is zo veranderd na, na wat er gebeurd is. Er valt niet met haar te praten. Ik wou dat ze weer zoals vroeger was. Misschien gebeurt dat als ze dit prachtige nieuwe huis krijgt, dat zou toch kunnen? Ze trekt zich zo terug. Ik heb geen contact meer met haar. Het is nooit meer leuk.'

Lawrence kijkt peinzend. Zoveel confidenties krijgt hij van Johan niet vaak te horen.

'Ik weet er eigenlijk geen raad mee. Wat kan je doen om er beweging in te krijgen? Ik baal er ook van, er is geen gezelligheid meer in huis, we doen niets meer samen. De kinderen zijn lastig, eigengereid. Ze heeft ze absoluut niet in de hand, ze gaan hun gang maar. Wat heeft het allemaal voor zin, ze moet zichzelf eens aanpakken, verdomme.'

'Misschien is de zin uit haar leven weg,' zegt Lawrence.

'De zin van het leven? Wat krijgen we nou? We lijken wel een stel pubers. Een beetje debatteren, of het leven zin heeft! Natuurlijk heeft het leven zin, je moet keihard werken en beroemd worden, dat is de zin van het leven. Of niet soms; waar leef jij dan voor?'

'Om het een beetje aangenaam te hebben, geloof ik. Een prettige band met de mensen om je heen, rust om een paar mooie en nuttige gebouwen neer te zetten. En de kinderen natuurlijk.'

'Jezus, wat een soft gelul. Moet je de wereld niet verbeteren? 't Valt nog mee dat je niet godsdienstig bent. Dan kon je op last van hogerhand achter je ethische idealen aan lopen.'

'Zo raar is het toch niet?'

'Het is slap. Het is laf. Kinderen, rust, nuttigheid, daar heb je niets aan. Je moet vechten, je moet alle nietsnutten en beunhazen vertrappen en verpletteren. Ik leef voor mijn werk. Ik wil een stempel op de wereld drukken!'

Daarvan valt Lawrence stil. Hij denkt aan Lisa, die van mening is dat je leeft omdat er niets anders op zit. Het moet gewoon, je hebt geen keus. Beter maar even laten zitten. Wat is Johan lichtgeraakt, hij maakt zich zorgen over Ellen, vast. Jammer dat hij er op zo'n kloterige manier uiting aan geeft, zo wordt het alleen maar erger. Ik begrijp het wel. Een depressieve vrouw in huis is een ramp. En neuken, ho maar. Machteloos ben je. Maar dat hij zo openlijk met een ander rotzooit wordt hem natuurlijk niet in dank afgenomen.

'Ellen wil misschien gewoon getroost worden. Aandacht krijgen. Vind je het gek? Dat gedoe van jou in Parijs, met die leerling van je, hakt er stevig in. Dat is toch stom? Daarmee kwets je haar toch? Of zie ik dat verkeerd?'

'Ik geloof dat het Ellen niet zoveel kan schelen wat ik uitspook. Ze denkt alleen maar aan zichzelf, aan haar eigen gevoelens. Ik ken haar niet meer. Ik wil haar terug, Lawrence, ik wil haar weer terug!'

Drift laait in hem op; hij spant zijn dijen en balt de vuisten. In deze stemming heeft hij Ellen een blauw oog geslagen tijdens hun kerstgesprek. Tot het uiterste getergd door haar ongenaakbaarheid achter de krant sloeg hij haar in haar gezicht. Hij sleurde haar van de bank en schudde haar heen en weer aan haar armen, brulde haar toe dat ze iets moest zeggen tegen hem, nu, wat dan ook!

Hij liet haar zo abrupt los dat ze haar evenwicht verloor en tegen de muur viel. Huilend kroop hij tegen haar aan, nam haar in zijn armen, stil maar, stil maar fluisterend. Maar Ellen was de hele tijd stil geweest, dat was min of meer het probleem. Ze was naar boven gegaan en hij had die nacht op de bank geslapen.

'Kom even mee naar het atelier. Ik wil je graag laten zien waar ik mee bezig ben.'

Met grote verende stappen gaat Johan Lawrence voor door de tuin.

Hij is een kind, hij is een jongen, denkt Lawrence. Als hij weer kan bewegen, weer iets kan ondernemen, iets in elkaar rammen of juist opbouwen, dan is het goed. Een stempel op de wereld drukken, jawel! Iedereen zal weten dat hij er is geweest! Zo versiert hij zijn vrouwen ook, hij geeft ze een stempeltje:

hier is Steenkamer gcwccst. Aan de concurrent gaat dat niet onopgemerkt voorbij. Alma zal Oscar wel vrijwel dagelijks laten merken dat ze door Johan gestempeld is. En die jongen van Zina, die zielepoot, weet er ook van. Doelpunten maken en winnen, ook in z'n werk. Met elk schilderij moet hij iets verpletteren, iets overmeesteren. En daar moet voor gejuicht worden, anders heeft hij geen leven.

Johan is het tuinhuis binnengegaan en heeft de deur opengelaten. Lawrence loopt hem langzaam achterna, de hoge lichtgrijze ruimte in. Het is er leeg en ordelijk. Rechts van de deur in de korte noordelijke gevel is een aanrecht waarop afgewassen glazen staan uit te druipen. Penselen staan te weken in potten op een plank daarboven. In de hoek is een deur naar de wc die Blauw al tijdens de bouw van de zeilboot heeft laten inbouwen. Er staan een paar lage stoelen en een bed, van de eigenlijke werkruimte afgescheiden door een boekenkast met een stapel *Playboys*, een fotowerk over de Stille Zuidzee, reisliteratuur van Chatwin en een dik boek dat *Research in Perception of Colors* heet. Langs de lange westzijde van de ruimte zijn schappen en stellingen aangebracht waar Johan zijn materiaal bewaart in een perfecte ordening. Voor deze kast staat een grote werktafel, voor de helft bedekt met schetsen voor het opdrachtfresco. De oostgevel, tegenover de tafel, bestaat uit raam. De oorspronkelijke garagedeuren zijn vervangen door glas dat uitzicht biedt op het gazon. Van vloer tot zoldering valt licht de ruimte binnen. Tegen de korte zuidmuur is van latjes een opbergsysteem voor Johans schilderijen gebouwd, in twee verdiepingen. Het ziet eruit als een bewaarplaats voor reuzenlangspeelplaten. Op plakkertjes terzijde staat aangegeven wat de inhoud van een vak is. De bergplaats kan, evenals de grote ramen, afgesloten worden met lange lichtgrijze gordijnen.

Vanuit zijn positie bij de deur ziet Lawrence de achterzijde van een ezel die midden in de ruimte staat. Johan waart rond als een vis in zijn eigen waterton.

Ik doe het niet goed, denkt Lawrence. Mijn werkkamer is nog

geen kwart van deze, en als ik daar binnenga ben ik niet ineens tien centimeter langer, zoals Johan nu. Laf, slap, zei hij. Hij heeft geen oog voor verliezers.

Met zijn handen in de broekzakken wandelt Lawrence tijdens zijn afgunstige bespiegelingen naar de ezel, eromheen, een paar meter naar achteren. Johan rommelt in de keuken. Een kaakslag. Jezus. Ogen dicht. Weer open. Het schilderij is anderhalve meter breed en een meter hoog. Twee vrouwen op een bank. Rechts zit Lisa. Vanuit het bloedeloze gezicht kijken haar opengesperde ogen naar voren, naar hem. Zij ziet niets. Zij heeft een spijkerbroek aan met versleten, gebleekte knieën. Haar bovenlijf is naakt. Op haar schoot ligt het hoofd van Ellen, die vanuit haar zittende positie links van Lisa is omgevallen. Het gezicht is naar de beschouwer gekeerd, de ogen zijn gesloten, de mond wordt tegen Lisa's knieën opengedrukt.

Drie stroompjes (tranen, snot en kwijl) lopen parallel neerwaarts. Ellen heeft blote benen onder een zwart rokje; een been hangt diagonaal naar de linker benedenhoek van het schilderij, het andere is licht opgetrokken zodat de knie naar voren steekt. Ellens rechterhand hangt slap omlaag tussen de knie en de schuine kuit in. Haar linkerhand wordt door Lisa vastgehouden en – de pezen in de pols staan strak – fijngeknepen in een ongemakkelijke en vreemde positie. Lisa heeft haar andere arm rond Ellens bovenlijf gelegd. Het ziet er machteloos uit, de hand ligt met gespreide vingers over de maagstreek. Ellen draagt een truitje met een motief van kleine aardbeien, raar contrasterend met de intense wanhoop op haar gezicht. Lisa's borsten zijn klein, als van een heel jong meisje. De lichtgezwollen tepels maken de indruk nog nooit gezoogd te hebben. Hier is geen troost te vinden. Naast Lisa's ontzette gezicht is een raam in de linkerbovenhoek van het schilderij. Het staat open, een zachte bries duwt het gordijn wat opzij en bleek zonlicht komt binnen. Door het raam is een solitaire berk te zien, een jonge boom met rechte stam, fel zwarte vlekken op de witte bast en een lichtgroen waas van pas uitgekomen loof rond de takken. Ondanks Lisa's wijd open mond is het doodstil. Zij krijst geluidloos. Ondanks Ellens gezwollen gezicht is zij niet afstotend. Zij valt samen met haar verdriet.

Lawrence is verbijsterd. Hoe is het mogelijk dat Johan zo perfect de stemming aanvoelt van de vrouw die hem in het gewone leven een raadsel is? Hoe kan hij zo gedreven en nauwkeurig vorm geven aan een verdriet dat hij ontkent? Als Johan dit bedacht heeft, waarom begrijpt hij Ellen dan niet? En wie gaat er nou met z'n vriendin naar Parijs als hij weet dat z'n vrouw er zo aan toe is? Hij schraapt zijn keel.

'Hoe kom je erop,' begint hij.

'Ik zag ze een keer zitten. 't Zijn niet Lisa d'r echte tieten hoor, maar dat zie je ook wel. Uit de *Playboy*. De koppen heb ik van een vakantiekiekje.'

'Maar waarom –'

Johan onderbreekt hem.

'Een piëta, hè. Het trof me meteen. Ik heb die dwarsbalk verschoven, zie je, de kruisvorm uit z'n verband gerukt. Zo is er mooi plaats voor het raam gekomen.'

Hij staat op z'n voeten te wippen voor het gruwelijke schilderij, een tevreden grijns op zijn gezicht.

'Lekker, vind ik, al dat grijs. Het kleurgemiddelde van de onderkant is veel donkerder dan de bovenhelft, dat heb ik ook omgedraaid, weet je wel, zo'n blanke Jezus.'

'Maar Johan, als je dit, ik bedoel, heeft Ellen het gezien?'

'Nee, die komt hier eigenlijk nooit, zeker nu niet.'

'Maar kan je dan niet met haar praten?'

'Nee hoor, d'r valt geen zinnig woord met haar te wisselen. En ik kan het ook niet. Die knie is goed hè? Over het snot ben ik ook tevreden, dat was lastig. Weet je dat ik er een half jaar aan bezig ben geweest? Al die haren, jongen, een pokkenwerk!'

Nee, dacht Lawrence, ze zitten duidelijk niet op dezelfde golflengte.

Johan stompt zijn vriend in de zij.

'Kom, we gaan terug. Ik wil nog even naar die muur kijken. En dan gaan we een biertje drinken. Of moet je naar huis?'

Binnen herwint Lawrence zijn evenwicht. Ze spreken over de verplaatsing van de muur en de prijzen van marmer, dat is vertrouwd terrein. Johan laat zich helpen en adviseren, met graagte, met inzet. Lawrence, die het bloedstollende beeld van de krijsende vrouwen niet van zich af kan zetten, blijft het gevoel houden dat er iets niet klopt, dat hij zijn vriend op een ander gebied hulp zou moeten bieden maar dat niet kan. Johan luistert naar hem, zal straks nog een uur met hem in een café zitten, één en al kameraadschap en vertrouwen, maar is totaal onbereikbaar.

Ik pak het verkeerd aan, ik kan dit niet, denkt Lawrence, die zich toenemend ongemakkelijk voelt. Of is Johan gek? Hij zet me steeds op het verkeerde been met zijn gelul over kleurgebruik en vlakverdeling. Ik ga weg, ik heb geen zin meer. Vraagt hij me advies over wat hij met Ellen aan moet en dan laat hij me zoiets zien! Ik laat me niet meer verneuken. Hij zoekt het zelf maar uit.

Inwendige grootspraak die verbleekt zodra ze samen in de auto zitten. Vrienden. Mannen die bij elkaar blijven en, los van woorden of begrip, naast elkaar gaan staan onder het geweld van de geluidloze vrouwenpassie die Johan op zijn doek zo fraai heeft vorm gegeven.

★

Onwetend van de toestand waarin Johan haar heeft afgebeeld klimt Ellen de trap op met de boodschappentassen. Ze laadt uit op de keukentafel. Als ze nu gaat zitten komt ze niet meer overeind, dus blijft ze op de been. Jas uit, werktas in de kamer bij haar eigen tafeltje, etenswaren uitpakken, de artikelen op hun voorlopige bestemming brengen, heen en weer lopen tussen tafel en ijskast, tafel en wc, tafel en badkamer.

185

Het is benauwd en muf in huis en zij opent de ramen. Even zitten in de brede vensterbank van de keuken, benen binnen boord. Het is koud, het is nog koud, maar windstil. Iets in de lucht die Ellen onwillig inademt verraadt de komst van lente. Wat is het? Een zachtheid, een vleug van water dat boven een bepaalde temperatuur gekomen is? Of de uitwaseming van de ontdooiende aarde? De esdoorn die maandenlang als dood staketsel voor het raam heeft gestaan vertoont zwellingen op zijn kale takken. Turend in het stukje park aan het eind van de straat moet Ellen constateren dat de geelgrijze bodem groenig begint op te kleuren. De hele winteroogst aan hondedrollen ligt daar te ontdooien tot vreugde van de krokussen die over enige tijd hun domme hoofdjes door de bodem zullen steken. Alles warmt op, gaat zwellen en groeien, alles verheugt zich in het licht en in de warmte. Gadverdamme, wat een smerig bedrijf. De wereld streeft naar bloei, denkt Ellen. En ik? Ik was blij dat ik niet hoefde, dat ik bezig kon zijn met overleven in de kou. Dat ik niet op hoefde te letten hoe ik eruitzag. Ik denk in de verleden tijd, ik ben al besmet. In geen jaar heeft een man naar me gekeken behalve Bijl, de lieverd. Niemand heeft me nagefloten op straat of te lang aangekeken in de tram. En nu? Ik wil niet ontdooien. Daar komt het op neer. Na deze vaststelling kan het raam wel weer dicht. Waar zijn de jongens eigenlijk?

Ellen steekt haar hoofd de gang op. Geen gedreun van boven, geen jassen aan de kapstok. Half zeven. Ze zet de Mozart-kwintetten op en moet onwillekeurig lachen want in deze muziek is het onmiskenbaar lente.

Op tafel ligt een briefje: Mam, we eten bij Max en daarna is het schoolfeest. Tot morgen! Ellen rekt zich uit, maakt haar laarzen los en gaat op de bank liggen met de avondkrant.

Volgende week. Volgende week is het een jaar geleden en ik leef. Ik heb een cd-speler en een baan en opinies over de jaargetijden. Waarom doe ik het? Voor de jongens? Die hebben mij steeds minder nodig.

Ellen gaat overeind zitten. Mozart begint met het adagio. Dat nooit meer. Nooit meer zo afhankelijk van een man. Een ander? Zou ik op een ander verliefd kunnen worden, tegenover een man in een roeiboot zitten, de sappige oevers voorbij zien glijden en er niet aan denken dat ik het koud heb, met al mijn aandacht in een mannengezicht kijken en alleen maar willen dat ik goed luister? Niet meer slapen? Dat kan ik alleen met lente in hoofd en kut, dat gaat slechts in volledig ontdooide toestand. Ineens staat Johan in de kamer. Het wilde trio heeft zijn opgang gemaskeerd. Hij kijkt haar vriendelijk aan. Hij ziet er goed uit, tevreden.

'Zit je daar lekker, Ellen? Zijn de jongens er niet?'

Ellen zet de muziek wat zachter en legt de krant weg. (Dit is mijn man. Hij komt thuis. Probéér het nou.)

'Ze eten bij een vriendje en daarna hebben ze iets op school. Heb jij gegeten?'

'Mevrouw! Zullen wij samen in de stad een beetje gaan dineren, bij de Karper bijvoorbeeld?'

(Hij doet zijn best. Hij lacht tegen mij. Hij wil aardig zijn. Hij ís aardig. Doe het nou. Je hebt toch honger.)

'Ik kan ook wel iets maken hier?'

(Stom. Ik wil helemaal niets maken. Ik wil niet hier met hem. Stom!)

'Nee, dat doen we niet. Ik heb je iets leuks te vertellen en daar past een feestelijk maal bij. We gaan uit. Ja toch?'

'Ja. Ik zal even iets aantrekken.'

Johan trekt de telefoon naar zich toe om het restaurant te bellen. Het strijkkwintet speelt een jachtig presto. Ellen gaat naar boven.

In 'De Verloren Karper' zijn alle tafels met echt linnen gedekt. De ambiance is ouderwets, met donkere lambrizering, tapijten, zwaar tafelzilver, maar de keuken is op een prettige manier bij de tijd (veel vis, weinig vet, redelijke porties). Het thema generatiekloof vindt zijn oorsprong in de leidingstructuur van het etablissement. De Vader, de oude, is een lichtpaars aangelopen gedrongen man die achterin rondscharrelt tussen de wijnen en met permanent openstaande mond lucht hapt, inderdaad als een karper. De Zoon beheert de keuken en ontvangt de gasten. Vader staat voor het zware tafelzilver, Zoon voor de prettig leesbare kaart.

Hij lijkt werkelijk verheugd als Johan en Ellen binnenkomen, en drukt beiden de hand.

'Wat plezierig. Dat is lang geleden. Ik geloof dat uw eigen tafel nog vrij is. Loopt u mee?'

Zoon is aanmerkelijk langer dan Vader. Zijn vriendelijke bruine ogen stralen iets weeks en slaps uit. Daarom staat Vader nog steeds te brommen tussen de wijnrekken en volgt hij de gangen van Zoon door de zaak met argusogen. Vader op zijn beurt valt in het volle zicht van de binnengekomen gasten; hun tafel staat achterin, vlak bij de wijnen. Ellen zit op de bank tegen de muur en Johan schuin naast haar. Ze zien Vader wat opleven en het gemompel neemt duidelijk in sterkte toe. Met maaiende armen schommelt de oude naar Zoon, die hij hoofdschuddend iets toesist. Ongetwijfeld gaat het over de gastenplaatsing en wil hij een fraai, smakelijk etend echtpaar het liefst voor het raam neerzetten. Zoon doorstaat de aanval en praat zachtjes in Vaders oor (stamgasten, beter zo, volgende keer overleggen).

Johan bestelt wijn en kletst met Zoon over het eten.

'Ik kan u het menuutje aanraden. Eenvoudig maar erg goed. Een heldere vissoep, en dan rogvleugels in saffraansaus. Als nagerecht een chocoladecreatie.'

'Besef van kleur is niet jullie sterkste kant,' zegt Johan. 'Die vissoep, dat vind ik niks. Hebben jullie niet een mooie paté vooraf?'

'Paté voor meneer, jazeker. Met de rog kunt u zich wel verenigen? We hebben een paté van roodbaars.'

Johan knikt. Ellen wil alles, gewoon. En een fles water. Zoon gaat het mooi voor hen in orde maken en Vader kijkt hem happend na door de keukendeur.

Er zijn bijna geen gasten. Heel vaag tinkelt pianomuziek op de achtergrond, zonder drumdreun eronder, dus het zal wel klassiek zijn. Ellen probeert te luisteren maar komt er niet achter of Satie dan wel Scarlatti bedoeld is. Alle voorwaarden voor een goed gesprek zijn aanwezig. De hoofdpersonen proosten elkaar toe met de Chablis en prepareren zich innerlijk.

(Ellen: niet de boel meteen laten mislukken, kijk het toch even aan, hij bedoelt het goed; zoals hij toch weer tegen Zoon tekeerging dat haat ik zo; ik heb me opgemaakt en een rok aangedaan, ik zit hier en gedraag me.

Johan: dat gaat goed! Vóór de rog ga ik het vertellen. Saffraansaus, hoe komen ze erop? De wijn is lekker. Voorlopig niet te veel drinken. Wat staat die bloes haar mooi. Ze is wel grijs geworden. En nog steeds te mager.)

Zoon komt soep en paté brengen. Hij informeert naar de opinie over de wijn die ronduit prachtig is. Johan heft zijn hand in een waarderend gebaar op naar Vader, die schuddebollend terugknikt.

'Vind jij dat niet raar,' zegt Ellen, 'dat we hier zo zitten terwijl het een jaar geleden is dat Saar, toen Saar ziek werd. Dat Saar doodging. Alsof we het vieren.'

Godallemachtig, denkt Johan. Precies de juiste opmerking om alles te verpesten. Dat bedoel ik nou. Zo is ze. Probeer ik haar een beetje op te vrolijken en dan legt ze meteen haar ellende op tafel. Hij neemt een slok wijn, veegt z'n mond af met het royale servet en wacht met antwoorden. Ze heeft nog gelijk ook, het is een jaar geleden, ik werkte voor de opera toen. Nu tactvol riposteren, haar lijn volgen.

'Ja. We zijn toch een jaar verder gekomen. En jij begint er een beetje beter uit te zien, je werkt weer en je kan meer aan.'

Ineens kan Johan zich niet meer houden, hij bruist van de drang om alles weer goed te laten zijn, opnieuw te beginnen en alle narigheid voorgoed door te strepen.

'Een mooie datum om gewoon helemaal opnieuw te beginnen. Je krijgt een eigen kamer waar niemand je stoort, als je wilt bouw ik een stellage voor je om je muziekapparatuur in te zetten. En de jongens hebben boven een soort flatje met een eigen douche en plee, je zal zien hoe heerlijk dat is. Ik ben eigenlijk dan ook altijd thuis want ik werk als het ware in de tuin. In de kelder is ruim plaats voor een sauna, daar heb ik al naar gekeken.

'Johan, waar héb je het over?'

Hij kijkt haar wat onthutst aan.

'Het huis, Ellen, het huis! We gaan verhuizen!'

Het verhaal van Bob en Sally, de wereldomzeilers, de inspectie door Lawrence en nogmaals de goede eigenschappen van de villa krijgt Ellen nu wat systematischer opgedist. Zoon wacht een gelegenheid af om de borden van het voorgerecht weg te halen en slaat toe als Johan is uitgesproken en Ellen hem sprakeloos aanstaart. Een gelukkig gekozen moment.

In haar verbijsterde brein razen de gedachten. Hoe haalt hij het in z'n hoofd om dat huis te huren zonder met mij te overleggen? Zonder te vragen of ik het wel wíl? Weg bij Saar, dat kan je niet doen. Zo'n lieve man, Bob, zo aardig dat hij Johan zo'n aanbod doet. Marmeren vloeren, een zwarte badkamer. Opnieuw beginnen. Híj begint opnieuw. Hij ís allang opnieuw begonnen en wil mij nu eindelijk eens achter zich aan trekken, in beweging krijgen.

Zoon schuiert het tafelkleed en legt het bestek recht voor de rog. Hij schenkt de glazen nog eens vol en verwijdert zich.

Hoe Ellen zich zelf ook probeert te zien als bewoner van de villa, als iemand met een eigen kamer, over de bomen heen kijkend naar de lichten in het atelier – het blijft Johans fantasie.

Ik wil gewoon niet. Ik wil niet meer met hem in één huis, hoe groot en zwartgemarmerd ook. Is het mijn cyclus, moet ik over twee weken nog eens kijken wat ik ervan vind? Welnee, ik heb helemaal geen cyclus meer het laatste jaar. Mijn mening moet wel constant zijn want alles staat stil. Door de schok, door het gewichtsverlies. Het zal lekker zijn om weer eens te bloeden als vroeger. Ik moet meer eten. Minder stress. Niet verhuizen om met Johan in een paleis te trekken. Dat hij ontwerpt, waar hij uitmaakt hoe het eruitziet, waar hij altijd is.

Eigenlijk zou ik best wel willen, maar niet met hem. Wat erg. Hij wil het zo graag.

De rog wordt opgediend. De vleugels liggen machteloos in een viskeuze gele plas. Zoon hoopt dat ze recht smakelijk zullen eten.

'Nou? Zeg eens wat! Prachtig hè? Zo'n kans voor ons!'

'Johan, ik doe het niet.'

Mooi, denkt ze. Niet 'ik heb het gevoel', of 'ik geloof', maar gewoon: nee.

Nu staat Johan perplex. Hij geeft zich niet gewonnen, hij denkt nog niet eens aan een nederlaag.

'Je moet natuurlijk even aan het idee wennen, het komt voor jou onverwachts. Ik weet het al veel langer. Opnieuw beginnen, Ellen, denk daar eens aan. Alle nare ervaringen in het oude huis laten we achter. Je kan toch ook niet in zo'n gribus blijven wonen, wat jij? Nu ik zo goed ga.

Weet je, ik heb er goed over nagedacht. Als we daar wonen ga ik het anders doen. Ik wil meer dingen met jou samen, je hoeft niet meer bang te zijn dat ik hem peer zoals laatst. Dat is afgelopen als jij weer bij me bent zoals vroeger. We nemen een toneelabonnement. We gaan uit eten. De jongens zijn bijna volwassen, tenslotte.'

'Ik wil niet, Johan. Ik doe het niet.'

De rog ligt te stollen. Ongevraagd draagt Vader een verse fles aan. Zoon komt hem woordenloos brengen, Johan knikt, Zoon schenkt, zij drinken.

Ellen neemt een hapje vis. Zij voelt zich kalm. In haar voorstelling wordt de villa kleiner en kleiner tot hij als een stipje in een groen landschap ligt.

'Je begrijpt het niet, Ellen. Ik kies voor jou! Geen gedonder meer met andere vrouwen! Het is nog niet te laat, je bent vijfendertig, we kunnen nog een kind krijgen, denk dáár eens aan! Dat is echt een nieuw begin!'

Een baby'tje. Een verzoenkindje, spartelend op het gazon. Tja. Ellen moet denken aan een toneelvoorstelling die zij ooit zag (*Macbeth*? Een koningsdrama? In ieder geval Shakespeare) waarin de spelers allen het bovenlijf ontblootten zodra er een verlies geleden werd. Zij huilden, rouwden en stikten haast in de weeklachten. Na twee minuten trokken zij allemaal hun lederen buisjes en maliënkoldertjes weer aan en begonnen aan een nieuwe vechtpartij. Vol enthousiasme en goede moed, tot er weer een dode viel. Het ritmisch geklap van de schouwburgzetels kan zij zich goed herinneren, en de sluipgang van verzadigde bezoekers naar de zijdeuren. De voorstelling werd gegeven in het Oudcatalaans, door een groep in Canada woonachtige Australiërs. Het duurde vier uur. Er was geen pauze.

'Ik moet er niet aan denken, Johan. Het is ook geen kwestie van eraan wennen. Ik wil geen nieuw kind. Ik wil niet met jou in een nieuw huis. Ik kan niet opnieuw beginnen.'

Vader bekijkt hen aandachtig vanuit zijn loopgraaf in de wijnrekken. Zoon ziet spijtig de rog onaangeroerd afkoelen.

'Weet je wel wat ik voor jou opgeef?'

Johan verheft zijn stem nu tot hem door begint te dringen dat hij geen vat op Ellen krijgt.

'Je hoeft niets voor mij op te geven, Johan. Ik vind het best als je gaat verhuizen. Misschien wil Zina wel een kind van je, of iemand anders. Je kan zelf opnieuw beginnen, toch?'

'Ik bied jou een prachthuis aan!'

Johan briest. De kleur is uit zijn gezicht weggetrokken.

'Een prachthuis! Ik wil je terug, ik blijf je trouw, ik wil een kind met je en jij zegt nee?! Wat wil je dán, verdomme?'

Rust, denkt Ellen. Ik zou wel met rust gelaten willen worden. Maar zij hoeft niet te antwoorden.

'Het hele jaar heb ik die depressies van jou verdragen, het was niet te harden. Ik kwam te kort, je wilde nooit meer neuken, je deed of ik lucht was. En ik laat je niet barsten, ik ben bereid om er energie in te steken, ik werk me krom voor jou en jij zegt nee! Je bent niet goed bij je hoofd. Ondankbaar ben je, en ongeinteresseerd. Met jou valt gewoon niet te leven, je bent een ijskast, een baal aardappelen, een rotte vis.'

Ellen is opgestaan. Zij doet langzaam haar sjaal om en haar jas aan. De schouwburgstoeltjes klappen.

'Ja, ga maar weg, ontloop je verantwoordelijkheden maar! Geen wonder dat ik het buiten de deur zoek, jij bent een echtgenote van niks!'

Ellen knikt naar Zoon, naar Vader, en stapt naar de uitgang, belangstellend gadegeslagen door de natafelende eters in het voorste gedeelte van het restaurant.

Zoon, tactvol als hij is, heeft tijdens de discussie de muziek wat harder gezet. Nu brengt hij de geluidssterkte weer terug. Johan drinkt met grote slokken van de Chablis maar raakt het eten niet aan. Het is hem aan te zien dat hij geen man is om alleen aan een tafeltje te zitten. Hij kan zonder publiek niet eten, maar hij is zo geschrokken en verlamd dat hij ook niet kan opstappen. Drinken gaat nog het beste.

Zoon loopt heen en weer naar de afrekenende en vertrekkende gasten en werpt medelijdende blikken in Johans richting, alsof hij wel zou willen aanschuiven en Johan voeren met liefdevol klaargemaakte hapjes saffraanrog. Als de zaak eindelijk leeg is en de fles bijna komt hij bij Johans tafeltje staan.

'Ik zal de rog maar wegnemen? Het wordt niets meer, denk ik. Helaas. Nagerecht ook maar laten ditmaal? Ja zeker.'

Johan kijkt hem aan, moeilijk en al wat lodderig van het snelle drinken.

'Rekening. Zometeen. Geen haast.'

Zoon begint de tafel af te ruimen en vult het glas met de laatste wijn. Hoestflarden en geschuifel kondigen de nadering van Vader aan. Hij laat zich zakken op een stoel tegenover Johan.

'Kutwijf,' zegt deze.

Vader kijkt zijn stamgast oplettend aan met zijn wat bolle karperogen.

'Mag ik u dan een cognac aanbieden?' Hij steekt twee vingers op in Zoons richting. 'Om de teleurstelling van deze avond wat te verzachten. Een mooie cognac.'

Zoon komt met de grote glazen en zet ze zorgzaam neer.

'Het is de wijn, meneer Steenkamer,' zegt Vader. 'Een goede Chablis maakt dingen los in de mens is mijn ervaring. Soms is dat ten goede, soms is dat ten kwade. Met een Chablis komt de waarheid boven. Zo is dat.'

Vader krijgt een hoestbui. Zoon snelt toe om hem op de rug te kloppen en mee te voeren. Johan zoekt zijn portefeuille.

De weigering heeft in Ellen iets op gang gebracht. Zij is weliswaar bang geweest die eerste nacht, en liep toen Peter en Paul eenmaal thuis waren de lange trap af om de dievenketting op de deur te doen, maar de angst tastte haar besluit niet aan.

In de gesprekken met Johan blijft zij overeind, zodat hij zich voorlopig neer moet leggen bij haar afwijzing. Verder kan hij niet gaan. Hij weigert beslist na te denken over een scheiding. Ze gaan tijdelijk op twee adressen wonen, dat is alles. Eigenlijk was dat al zo, want hij zat meer in het atelier dan thuis. Hooguit is de huidige situatie wat comfortabeler.

Hij trekt vast in het huis en gelooft dat Ellen zal volgen zodra ze weer bij haar verstand is.

Op de juridische afwikkeling dringt Ellen niet aan. Als hij eerst maar weg is, als het eerst maar tot hem door gaat dringen, dan volgt de administratie wel, denkt ze.

Haar pogingen om tot een soort boedelscheiding te komen lijden schipbreuk. Johan wil niets meenemen en vooral niets verdelen. Wie verdeelt bewerkstelligt een breuk; als je een half servies hebt geef je toe dat je gescheiden bent.

'Ik koop alles nieuw wat we nodig hebben. Ik wilde al lang een nieuw bed. De ijskast en de wasmachine kan je wel overdoen tegen de tijd dat jullie komen. Ik bestel een ijskast met klapdeuren, dat is makkelijker. Ik wil mooie dingen, die in de keuken passen.'

Uiteindelijk krijgt Ellen hem zover dat hij tenminste de boekenkasten meeneemt en de leren stoel uit zijn ouderlijk huis.

Ze helpt hem zijn boeken in te pakken, waarbij ze de dozen heimelijk aanvult met vaatwerk en bestek dat oorspronkelijk van Alma afkomstig is. De tafelkleden. Zijn kleren. Een hengel. Maar een aquarel die boven het echtelijk bed hangt (vogels boven de polder) mag ze niet inpakken, evenmin als lakens en handdoeken.

'De etsen uit de gang, Johan, die neem je toch wel mee?'

'Daar ben jij nooit gek op geweest, dat weet ik wel. Zet ze er maar bij.'

De geluidsapparatuur en alle platen blijven achter, herrie kan Johan missen. Lawrence komt met een gehuurde bus waar ze alles in laden. De deuren staan open, wind waait door het trappenhuis, ze schreeuwen door het raam en in de lichter geworden kamer. Ellen voelt behalve angst een ongekende opluchting. Zij ruikt de lentewind, zij zwaait de bus na uit het keukenraam.

De tweeling reageert merkwaardig laconiek op het vertrek van hun vader. Het aanbod van Johan om 'alvast' mee te verhuizen hebben de jongens, ieder afzonderlijk, zonder aarzelen afgeslagen met de motivering dat de villa te ver van hun school ligt. De eigen badkamer en de afgescheiden woonruimte legden geen gewicht in de schaal. Ellen probeert met hen te praten, Johans verhuizing een jaar na het verlies van hun zusje moet toch iets voor ze betekenen, maar ze krijgt er geen zicht op.

'Laat hij maar gaan,' zegt Peter. 'Hij komt nooit op tijd eten. Hij is er nooit. Hij kan beter gaan.'

'Hij heeft een giftig humeur,' vindt Paul, 'en jullie hebben altijd ruzie. Wij kunnen toch bij hem langs gaan of zo. Hij blijft onze vader, hij is niet dood.'

Het maakt Ellen onzeker. Zijn ze het gezin al zo ontgroeid dat het ze niet kan schelen? Ze zijn weinig thuis, Peter heeft zijn drumstel in de garage van een vriendje staan en daar brengen ze hele weekenden door. Ze hebben een band, ze maken muziek. Paul schrijft de teksten en zingt. Op school gaat het goed, ze zullen allebei gemakkelijk overgaan.

Er is iets met het huis. Nu er twee gezinsleden verdwenen zijn is het te wijd, te ruim, te leeg. Het laat zich door de verdunde aanwezigheid slecht vullen. Als de jongens thuis zijn zitten ze bij Ellen op de bank. Ze eten met z'n drieën in de kleine keuken. Peter noch Paul maakt aanspraak op een leeggekomen kamer. Het is een huis met lege plekken geworden, waar mensen alsmaar niet meer zijn.

Als Bijls boekhouder Ellen vraagt of ze iemand weet die zijn appartement in het centrum wil overnemen hoeft zij niet lang te denken. Een kleine woonkamer, twee slaapkamers, een grote keuken en een platje op het dak, alles bijeen is het zeker twee keer zo klein als wat ze nu hebben. Toch zijn de jongens meteen enthousiast en voelt Ellen zich er thuis. Ze doen het. Op tafel ligt een groot vel papier waarop ze de plattegrond van het appartement getekend hebben en daarop schuiven ze heen en weer met stukjes karton die bedden, tafels en kasten voorstellen. Johan, die het ziet liggen tijdens een van zijn norse visites, ontsteekt in woede. Dat ze zo'n benauwd kippenhok verkiezen boven zijn riante landhuis vindt hij een aanfluiting, een klap in zijn gezicht.

Ellen heeft daar begrip voor. Zij wil wel verhuizen, maar niet met hem; de kinderen zoeken haar nabijheid, niet de zijne. Dat maakt hem boos en verongelijkt. Er komen kartonnen dozen in huis om al het huisraad in te pakken. Wat ze in het nieuwe huis niet nodig hebben wordt bij Lisa op de onmetelijk grote zolder gezet, voor later, voor als Peter en Paul uit huis gaan; om de pijn van het weggooien te ontlopen.

Ellen onttakelt het kamertje van Saar. Speelgoed. Kleren. Het kinderbureautje. Het smalle bed. Ze is van plan om een paar dingen (de doktersdoos? de rok met de stroken?) mee te nemen maar pakt uiteindelijk alles bij elkaar ter verscheping naar Lisa. Een zware middag.

De jongens selecteren hun spullen zelf. Als de verhuiswagen naar het huis aan de rivier vertrokken is blijven ze achter in een open ruimte met kleine eilanden die nog bewoonbaar zijn. De grote eettafel is naar Johan gegaan, hij heeft tenslotte ook de tafelkleden; het echtelijk bed komt op de kamer van de tweeling en de jongensbedden gaan bij het grofvuil. Ellen koopt voor zichzelf een twijfelaar.

Dat het zo makkelijk gaat. Je pakt in wat je mee wilt nemen en je vertrekt naar een nieuw huis. Zo maar. De plaats waar je niet meer wil zijn verlaat je. In de halflege kamer klinkt de muziek als in een kerk. Ellen is alleen en luistert naar de *Psalmensymfonie*. Deel twee. De hobo loopt in een rustig wandeltempo over geaccidenteerd terrein. Grote stappen. De fluit volgt, en nog een. En nog een hobo. Als de lage strijkers zich bij de wandelaars aansluiten beginnen de vrouwenstemmen te zingen, stevig en luid. De mannen volgen, tot het koor compleet is. Een gepuncteerde trombone voert hen aan tot een grote uitbarsting. Zij zingen over stevige grond onder de voeten, over een tocht die wegvoert uit de poel van verderf en over nieuwe woorden waar de mond zich mee vult. Heel zacht, met begeleiding van gestopte trompetten, geven de zangers aan het slot toe dat zij ronduit hoopvol zijn gestemd. Ellen leest de tekst mee en negeert de verwijzingen naar het opperwezen. Hier wordt een lied gezongen dat bestemd is voor haar. Met deze melodie in haar oren kan zij op weg gaan naar haar nieuwe huis.

De magazijnbediende van de houthandel heeft het schilderwerk gedaan. Het huis ontvangt hen als een bos in de lente, met frisse geuren en overdadig licht. De jongens springen op de bedden en laten hun harde rockmuziek door de kamers schallen. Ellen hangt de nieuwe gordijnen op en dekt de tafel in de keuken. Met z'n drieën staan ze op het platje en kijken uit over de daken. Boven op de huizen is een nieuwe, onbekende wereld gebouwd: plastic tenten, planten en hele bomen in potten en badkuipen, stoelen, banken, zonweringen en hekken.

'Wauw,' zegt Peter, 'dit is een gaaf huis, mam.'

Paul helpt de boekenplanken inruimen en Ellen doet het vaatwerk. Boven de lasagne van het afhaalrestaurant zitten ze naar elkaar te grinniken van tevredenheid. In haar nieuwe bed heeft Ellen ruimte. Naast haar is geen lege plaats. Een smal bureau, een brede plank is het eigenlijk, staat langs de muur, getimmerd door de magazijnbediende. Erboven heeft Ellen foto's van haar kinderen gehangen. Ze zijn allemaal acht jaar.

Na een week is het huis ingewoond en gaan Peter en Paul 's avonds als vanouds de deur uit. Ineens hoort Ellen het derde deel van haar lievelingssymfonie met andere oren. Zittend op de oude bank in haar nieuwe huiskamer beluistert ze de triomfantelijke lofzang. Ze wordt getroffen door de lugubere ritmes van het 'laudate', voorbereid door doffe hoornstoten in het begin. Onrust. Dit is geen gezapig lof- en prijsgezang, dit is ogen dicht en doen of je niet bang bent. Middenin komen de stevige stappen uit deel twee weer terug maar nu wankelend, met slepende voeten. En maar brullen over schallende cimbalen, snaren en bazuinen. Het koor verstilt in een bezwering en hakkelt, onlogisch ademhalend, naar het gedempte slotakkoord toe. Ellen doet de cd-speler uit en trekt haar jas aan. Buiten staat een koude wind die de regendruppels uit de bomen slaat. Zij fietst naar huis.

Overal de kale lichten aanknippen. Dan naar Saars kamer. Daar gaan zitten op de planken. Hier sliep mijn dochter. Hier speelde zij en werd ze voorgelezen. Hier heeft zij gewoond en vanaf volgende maand zullen andere mensen, die haar nooit gekend hebben, de kamer vullen met ander leven. De handen op de houten vloer leggen. Dankbaar zijn dat je door bent gegaan, dat je er niet in gebleven bent? Zeker, aan de keukentafel met de jongens, dáár, ongetwijfeld.

Maar hier niet. Nu, even, niet.

Ik heb het kind alleen gelaten. Weggeslopen ben ik uit de badkamer, uit de rij met kindergrafjes. Uit dit huis. Ik ben haar niet gevolgd, hoewel ik weet hoe het moet. Niet dwars op de pols, maar in de lengte van de bloedvaten. Eerst de rechter, dan, snel, links. Niet staan bij de dakrand, niet in de diepte kijken maar gaan liggen, je ogen sluiten en rollen. Ik heb het niet gedaan. Ik heb mij afgekeerd en ben weggelopen.

De herinnering aan Saars levende lichaam overvalt haar met een heftigheid waar ze niet op voorbereid is. Saars schouders tussen deze, intacte polsen waar het bloed onbelemmerd doorheen is blijven stromen. Saars lijf tussen haar dijen, tussen haar knieën die nu buigen en strekken bij het uitpakken van borden en glazen in onbekende keukenkastjes. Die niet verbrijzeld zijn. Die haar zijn blijven dragen. Verraad, verraad.

Ellen begint door haar tranen heen tegen haar dochter te praten, dat ze nog leeft, dat ze er nog is, dat ze vergeving vraagt voor haar laffe levenslust. Zij hoort haar eigen stem, zij meent wat zij zegt maar denkt, als duister contrapunt, dat dit onzin is. Dat zij spreekt niet om haar kind te bereiken maar om zichzelf te troosten. Zij moet zichzelf schreeuwend of fluisterend vergeven.

Voor de laatste keer sluit ze de deur van het kleine kamertje. Zij doet het licht uit.

Beneden is de kamer een reusachtige balzaal geworden. Uit een achtergebleven kopje drinkt Ellen kraanwater. Zij bet haar ogen en wast haar gezicht. Nu even in de kamer zijn, langs de wanden lopen, languit op de planken liggen.

De deur!

Er komen voetstappen de trap op. Ellen schiet verrast overeind, zij zou bang moeten zijn maar is het niet. Wil zij zich alsnog neer laten steken door een verwarde inbreker? Ze heeft goede oren en een weliswaar ongetraind maar uitstekend werkend muzikaal geheugen. Op het moment dat de kamerdeur opengaat beseft zij dat ze het ritme van de voetstappen herkend heeft.

'Ik zag overal licht. Ik heb nog een sleutel. Ik wilde even gaan kijken.'

Johan heeft een windjack aan over zijn oude visserstrui. Hij draagt, net als Ellen, een spijkerbroek en leren laarzen. Over de vlakte van versleten planken kijken zij naar elkaar. Ellen heft haar armen op en draait haar handpalmen naar boven. 'Je bent verhuisd. Je hebt het gedaan. Ik was er even, Peter en Paul dagzeggen en hun kamer bekijken. Het ziet er gezellig uit. Echt. Jullie hebben het goed gedaan.'

Onder deze onverwacht milde woorden smelt Ellen. Zij huilt omdat zij geen rancuneuze opmerkingen krijgt. Zij is haar eigen gang gegaan en krijgt geen straf. Hulpeloos staan ze tegenover elkaar in de lege ruimte. Alles klinkt anders. Johan recht zijn rug en knikt haar hoofs buigend toe: 'Wil mevrouw de gravin het menuet met mij dansen?'

Ellen glimlacht en vergeet haar tranen. Zij schudt met haar hoepelrok en loopt met kleine, elegante passen naar het midden van de zaal.

'Het is mij een genoegen, meneer de graaf!'

Terwijl ze samen het verschrikkelijkste menuet neuriën dat zij kennen, steeds maar weer die doffe herhalingen, dat onheilspellende klopmotief op de zwakke maatdelen, terwijl zij ritmisch hun laarzen tegen de planken slaan en hun lichaam voegen naar de muziek lopen zij op elkaar toe. Zij kijken elkaar aan, zij houden elkaar vast in dit spel, met hun ogen, ook als zij elkaar beroeren, als haar hand zijn schouder raakt, zijn hand haar rug vindt.

Plechtig dansen zij, langzaam en ernstig.

'Sta mij toe, mevrouw,' zegt Johan als hij beide armen om haar middel legt, 'ik wil u in dit kale huis omarmen.'

'Het is mij wel, meneer, ik voeg mij naar uw wens.'

De bewegingen worden kleiner, de voeten staan bijna stil. De muziek is verstomd maar de lichamen dansen nog door en zijn ogen boren in haar ogen, haar blik houdt zijn blik gevangen.

Tot hij zijn hoofd in haar hals legt, tot hij kreunt en gaat huilen. Dan vallen ze onhandig op de vloer die ineens geen gepolitoerde dansvloer meer is. Dan klemt Johan zijn verdwenen vrouw in zijn armen, dan voelen ze beiden wat afscheid is. Ze huilen zonder verwijt deze keer. Het gaat er niet om de ander te overtuigen of tot inzicht te brengen. Het gaat erom dat zij op deze vloer geleefd hebben, in deze ruimte hun gezin hebben gesticht en dat het hun ontkomen is. Wat zij dachten te hebben is vervormd en vervlogen, wat zij bouwden is een lege kamer geworden.

Natte wang tegen natte wang. Gefluister in een warme oorschelp, stil maar, stil maar; strelingen in vochtig nekhaar. Vastklampen als drenkelingen in een zee van hout.

Ellen ligt met haar achterhoofd op de harde grond en brult voluit, zonder bijgedachten. Johan heeft zijn hoofd op haar borst gelegd en ligt gekromd tegen haar aan. Met haar armen omklemt ze zijn schedel, een schaal om een schaal waarin herinneringen zitten aan hun gemeenschappelijk leven, die zullen gaan verbleken en verdwijnen.

Haar haren zijn losgeraakt en staan pijnlijk strak onder zijn elleboog. Ze voelt het niet.

Ook deze dans loopt ten einde. De beweging wordt zachter en minder heftig. Ze schokken wat na, ze hikken, ze snuiven snot en tranen naar binnen terwijl ze uitgeput dicht tegen elkaar aan blijven liggen. Johan doet zijn jack uit en legt het als kussentje onder hun hoofden. Zijn arm schuift hij onder haar nek. Zij schikt haar hoofd tegen zijn schouder. Er komt snot op zijn trui. Hij ruikt haar zweet. Bekend. Lekker.

Zijn hand raakt haar borst en vouwt zich daar omheen. Zij hoort zijn ademhaling veranderen en dieper worden. Zij spreken geen woord. Hij richt zich op en buigt zich over haar, invadeert haar open mond met zijn tong. Bitter. Zout. Vanzelfsprekend.

Zij trapt haar laarzen uit. Hij rukt haar bloes uit de spijkerbroek, vouwt hem omhoog over haar gezicht en wrijft zijn kop tussen haar borsten, hard en snel.

Ellen komt omhoog en wringt de bloes over haar armen. De grijze zijde floddert neer als een avondvogel. Johan heeft zijn trui uitgedaan en Ellen rukt met felle bewegingen zijn overhemd los. De knopen ketsen met scherpe tikken tegen de planken. Ze duwt hem omver en hangt boven hem met haar losse haren. Ze likt zijn tepels, zijn navel, ze klauwt met haar handen hard over zijn broek. Los, uit, laarzen weg, alles, alles uit. De naakte man trekt haar de broek van de kont. Wat doen we, wat doen we, denkt Ellen. Waarom voel ik dit vreselijke medelijden, waarom wil ik wel alles doen om hem maar op te laten houden met huilen? Wil ik wat er nu gebeurt, wil ik het echt?

De hals van Ellen, denkt Johan. Mijn vrouw. Een ijzige razernij stijgt in hem op om wat hij verloren heeft, om wat hij gaat verlaten. Hij kneedt haar borsten zo hard dat ze hijgt van pijn, hij strijkt over haar lichaam met lange, drukkende halen, van top tot teen. Dit is het lichaam van Ellen. Dit is de laatste keer. Met zijn mond volgt hij de halslijn tot vlak onder haar oor en bijt. Hij zuigt zijn bloedmerk in haar huid, kruipt op z'n knieën en bijt en eet, borsten, buik, met z'n neus in het zilte haar, eten, haar opzuigen, haar hebben. Hij duwt haar dijen uiteen en bijt in haar lippen, vouwt zijn hete, vlezige tong tegen haar kut en likt haar in haar verste plooien. Grimmig voelt hij dat ze klaarkomt. Macht. Een knop waar hij op drukt. Mijn vrouw die ik ken zoals papa zijn viool. O, Ellen, je verlaat mij.

'Ik verlaat je. Het is de laatste keer.'

Wanhoop kleurt haar stem. Maar de wanhoop zal haar niet verhinderen te onthouden. De ongeplande ontmoeting wordt een monument in het geheugen. Zij ruikt en proeft alle bekende geuren en smaken. Oksels. De binnenkant van de elleboog, een oase van tederheid bij zelfs de rauwste man. De pik, de wereldpik die haar vulde tot barstens toe, die haar volspoot, die in haar werkelijk thuis was. Teder neemt zij afscheid, haar mond fluistert langs de opgerichte schacht, haar handpalm sluit zich om zijn ballen, teder, teder. Tot het genoeg is, tot ook in haar de woede vlamt om het verlies. Ze laat zich schrijlings op hem neer, ze gaat zitten op die wonderpaal en neemt hem op in haar geslacht. Haar hoofd buigt achterover, zij is een ruiter in de wind en haar borsten bewegen buiten zijn bereik. Haar knieën schaven over de vloer. Ze voelt het niet. Hij werpt haar af en draait haar op haar rug. Nu. Zij kijken elkaar aan terwijl hij bij haar binnengaat. Nu. Nu bonken zijn knieën tegen de planken en schuiven de splinters haar billen in. Ze zet haar nagels in zijn rug en trekt diepe voren. Hij boort zijn tanden in haar schouders, ze eten elkaars lippen en bijten dóór want zij zetten voor de laatste maal een stempel op elkaar. Met deze krassen laat ik je gaan. Met deze beet zeg ik je vaarwel. Bloed proeven ze in de kus. Bloed aan de handen. Ellen omvaamt hem met armen en benen als ze voor het laatst samen de lucht in gaan. Ze bijt in de hand die over haar gezicht ligt, in de zoute, sterke hand die naar ijzer smaakt. Ze likt tussen de vingers en zuigt de pink naar binnen, de kleine haartjes kietelen tegen haar tong. Over. Aangespoeld op het strand. Verloren. Los. Tussen zijn handen neemt hij haar gezicht, hij duwt met zijn tong haar ogen dicht en drinkt haar tranen. Voorbij. Vaarwel.

Zonder een woord kleedt Johan zich aan. Het kapotte overhemd laat hij liggen. Ellen hoort het metaal van de sleutel tegen het granieten aanrecht tinkelen, hoort de laarzen de trap af roffelen, de deur kraken en dichtslaan. Wegstervende voetstappen op de straatstenen. De stilte van de nacht. Het duizelingwekkende suizen dat iemand hoort die alleen op een houten vloer ligt in een leeg huis.

Deel III

Don Giovanni: *'più del pan che mangio,*
più dell'aria che spiro'

7 De vrouw met de vissen

Lisa slaapt beroerd in de nacht van zaterdag op zondag. Het slaapkamerraam klappert in de onvoorspelbare windvlagen, het is te koud, zij trekt een extra deken over zich heen, het is te warm, zij droomt. Uit de droom wordt zij angstig wakker, zonder herinnering. Alleen dat het erg was. Ze gaat een glaasje water drinken; het huis is stil en de deuren naar de kinderkamers staan open. Omdat ze er niet zijn is er grijzig licht op de vloeren, want de wind jaagt wolken langs de maan en de gordijnen zijn niet gesloten.

Weer in bed valt ze in dezelfde droom terug, wat ze al vreesde. Het moet gebeuren. Tegen de ochtend gaat de wind liggen en verdiept Lisa's slaap zich, zodat ze toch nog vrij laat wakker wordt, met dikke wallen onder haar grijze ogen en een ontevreden gevoel. Ze schuift het kussen achter haar rug en gaat rechtop zitten met opgetrokken knieën. Door het raam ziet ze de boomkruinen vol bijna rijpe appels; daarachter het onrustige rivierwater. De hemel is van lood.

De droom. Zij heeft er helemaal geen zin in om zich die te binnen te brengen maar heeft tevens, wellicht beïnvloed door haar beroep, een groot respect voor de boodschappen vanuit de binnenwereld. Met haar kin op de knieën en haar armen om de schenen wacht zij af. Zij had een oproep gekregen, een dwingende uitnodiging om op een bepaalde tijd op een parkeerplaats te zijn van waaruit haar ondergang georganiseerd zou worden. Er was geen ontkomen aan, zij moest erheen. Zij trok een regenjas aan en deed haar best om op tijd daar te komen waar zij niet wilde zijn. Weerzinwekkend, die slaafse gehoorzaamheid. Waarom de oproep niet verscheurd, de auto een andere richting op gestuurd?

Lisa schudt haar schouders. Waarvóór had ze onlangs een oproep gekregen? Voor vanmiddag, voor de opening van de tentoonstelling. Is dat zó erg? Het is een inbreuk op haar vrije dag, dat wel. Ze moet zich opmaken, een bh aantrekken, oplettend en voorkomend zijn alsof het een gewone werkdag was. Ze ergert zich ook aan de toenemende spanning en verwarring in Johans familie en ziet een beetje op tegen de confrontatie met al die opgewonden mensen. Nieuwsgierig is ze echter ook wel, dat weegt ertegen op. En wat is er bedreigend aan voor háár? Waarom moet ze vermoord worden? Er was nog een stuk, een onduidelijke flard warm oranje droom die ze niet bereiken kan nu. Ze gooit dekbed en deken van zich af en staat op. Terwijl ze koffie zet denkt ze na over de kleding van vandaag. Het warme zomerweer is weggeblazen en buiten ziet het er guur en regenachtig uit. Dat betekent in ieder geval kousen want niets is zo erg als koude benen. De zwarte, halflange jurk zal ze aandoen, met het strokleurige jasje. En zwarte schoenen met hoge hakken; voor platte schoenen voelt ze zich vandaag niet zeker, niet evenwichtig genoeg.

Geel en zwart, kan dat wel? Het zijn de geheime rampkleuren: de wesp die je steekt in je keel, de doodskop op de piratenvlag. De vervloeking in sprookjes wordt uitgesproken door de boze stiefmoeder in een zwarte japon met goud borduursel. Een onheilspellende outfit.

Ze gaat met haar koffie naar buiten. Bij de keukendeur is het windstil, ze gaat zitten op de stoep en tuurt in de vissenton, de ochtendjas strak om zich heen getrokken. Benen als stokjes, weer. Te weinig gelopen. Ooit liep ze met Ellen een week lang over een pad langs de kust, hoog op de klippen. Bij ieder beekje, iedere nietige waterloop moesten ze honderd meter steil naar beneden en honderd meter steil omhoog. Ze hadden kuiten als Griekse zuilen toen ze thuiskwamen.

Het water in de ton is zwart. In de diepte glijdt de grote slome langzaam heen en weer. Een slak eet de algen van de wand.

De telefoon. Lisa is zonder nadenken snel opgestaan, alsof ze een verstoring verwachtte.

'Hannaston?'

Het zijn de kinderen, het is Lawrence, het is een bericht van overzee. Ze moet even omschakelen. De kinderen kakelen in beurtzang over hun belevenissen: 'We zijn naar Whitby geweest gisteren. Ik heb geld gewonnen! We hebben heel veel snoep gekocht op straat.'

'Kapitein Cook was daar. Er was een museum in zijn huis maar het was een gewoon huis. Hij heeft daar gevaren.'

'We gingen een hele hoge trap op, toen zag je alles. Er was een kerk die helemaal stuk was. Daar hebben we het snoep opgegeten. Papa was boos maar hij vond het museum leuk.'

'Ik heb van oma een trui gekregen en we hebben elke dag gegolfd.'

Nu komt Lawrence ertussen met zijn versie van de excursie. Zijn woede geldt de architectonische teloorgang van zijn vaderland, het in stand houden van het tuttig-roze geschilderde Cook-museum naast de vestiging van een opslagplaats voor caravans boven op de klip bij de prachtige abdijruïnes. Hij is opgeschoten met het ontwerp voor de hoteluitbreiding, zijn vader is tevreden en zijn moeder is blij met het bezoek.

'En hoe is het bij jou? Ik heb Johan vanochtend nog gebeld om hem sterkte te wensen, hij klonk wel opgewekt. Maar iedereen was gek geworden, zei hij.'

Lisa vertelt over Alma's verwarring en de vermeende komst van Charles.

'En Oscar is woedend, hij wil niet mee gaan eten. Ellen maakt zich zorgen over hem, en over Alma. Zina zal er ook zijn, dat vindt ze maar matig. Iedereen is gespannen en in de war, maar Johan zit daar heel rustig middenin en bereidt zich voor op zijn televisieoptreden. Het is jammer dat je er niet bij bent.'

'Dat vind ik ook. Ik wilde wel eerder terug maar dat lukt gewoon niet. Red je het alleen?'

'Jawel, ik ga er gewoon heen en ik zie wel wat er gebeurt. Zou hij komen, denk je?'

'Charles? Dat zou me verbazen. Ik denk van niet, hij heeft toch nooit enige interesse getoond voor z'n kinderen? Ik weet ook niet of Johan daar nou werkelijk zo blij mee zou zijn, het is toch zíjn dag vandaag. De aandacht wordt zo verlegd als dat ook de dag is waarop je voor het eerst je vader ontmoet. Ben je al aangekleed?'

'Nee, ik loop nog wat te rommelen, ik ben net wakker. Het heeft gewaaid vannacht. De appels ploffen van de bomen, ik ga straks een rondje door de boomgaard maken.'

'Zijn de ramen goed dicht op zolder? Heeft het dak het gehouden?'

Ze zijn terug bij de huiselijkheid. Storm is iets om op bedacht te zijn, om maatregelen tegen te nemen – niet een gevaar waarin vallen en vervoering een rol spelen. Ik leun op zijn betrouwbaarheid, denkt Lisa. Hij bekommert zich om de dakpannen en dat geeft mij de ruimte om me in de wind te storten. Ze nemen afscheid.

Nog even een sigaretje bij de vissen, met nieuwe koffie. Uit het plastic potje met vissenvoer laat Lisa kleurige flintertjes op het water vallen. Het ruikt naar vis. De vissen eten gemalen en gedroogde soortgenoot. Vanuit de diepte schieten ze naar boven en grissen het voer weg terwijl ze een scherpe bocht maken alsof het een echte jacht betrof. Het water spat op door de slag van de staart.

Als de woelingen bedaard zijn en de eerste honger gestild ziet Lisa ineens een klein zwart visje voorzichtig aan een voervlek knabbelen. En nóg een.

Jezus, kinderen. Het is gelukt. Ze zijn niet opgevreten. Ze hebben zich tussen de wirwar van waterpest weten te verstoppen tot ze niet meer als prooi beschouwd werden. Overlevenden. Overwinnaars!

Lisa overweegt om naar Engeland terug te bellen en dit nieuws meteen te melden maar blijft zitten op de kille stoep. De herinnering aan de droom neemt opnieuw bezit van haar. Zij is verlamd omdat ze niet weet waarom ze zo verschrikkelijk tegen vanmiddag opziet.

Een blik in de ton. Ja, ze zijn er nog. Allebei. Ik heb toch ook kinderen, ik heb twee prachtige kinderen gemaakt die echt bestaan.

Lisa bloost. Ze schaamt zich als ze beseft dat ze jaloers op Johan is om zijn schilderijen. Hij schépt. En iedereen komt kijken en oh en ah roepen en er iets van vinden. Kranten, radio, televisie, aanplakbiljetten in de stad. Hij bedenkt iets wat er nog niet was en neemt dat zo serieus dat hij er een jaar aan werkt, dat hij er veel geld voor vraagt als een ander het wil hebben en dat hij er een naam aan geeft die men gaat kennen. En wat maak ik? Kinderen, jam, opgeknapte patiënten. Jaren werk, geen publiek, geen applaus, niets nieuws. En ik zou het willen, ik zou op een podium willen staan tot het stil werd, tot ze ademloos gingen luisteren naar iets wat helemaal van mij was. Geen doorgegeven collegekennis, geen aandacht ten behoeve van een hoger doel, geen dienstbaarheid–maar glorie.

Zij mist iets wat Johan wel heeft. Het ontbrekende onderdeel is geen penis, geen viriliteit maar zoiets onzegbaar vaags als scheppingskracht. Zeg maar: kracht. Zij is een slaaf van de dienstbaarheid gebleven, zij wil liever behagen dan vechten. Niet omdat zij een vrouw, maar omdat zij laf is.

Ze giechelt. Het lucht op. Dat de jam op het aanrecht staat te schitteren kan ze nu wel komisch vinden. Traag beweegt de paarse massa als ze een potje scheef houdt. Nog lauw en nu al dik. Dat wordt goed.

Zit ik verbitterd aan de keukentafel, zorg ik met tegenzin voor mijn kinderen? Soms. Zeker. Met woede omdat ze van me eten, me leegzuigen en uitputten. De grote slome weet niet meer dat die kordate kleintjes vis van haar vis zijn, het zal haar een zorg zijn of ze te eten hebben, ze jaagt ze weg als ze snaaien van het voer waar zij zelf haar zinnen op gezet heeft. Kinderen zijn woekeringen van de cellen die niet meer aan het grondplan gehoorzamen maar hun eigen gang gaan en groter en groter worden, onbestuurbare, ruimte innemende processen zijn ze. De tijd voert uiteindelijk de operatie uit en verwijdert de gezwellen. Verzwakt blijft de patiënt achter, bevrijding en gemis dansen samen op het innerlijk toneel: er was iets wat bij mij hoorde, ik was één daarmee en gelukkig, het nam bezit van mij en groeide mij boven het hoofd. De chirurg sneed het weg en kwakte het neer in een studentenkamer, in een disco, op een weiland waar een popfestival woedt. En ik moet blij zijn dat het zo goed is afgelopen. Ik ga tevreden bij mijn tumoren op bezoek en ben trots dat ze zich handhaven, dat ze plezier en verdriet kunnen hebben. Jasses, wat ziekelijk.

In bad maalt Lisa verder over het feit dat zij zich in haar droom zo vreselijk moest laten straffen voor de jaloezie op Johan. Ergerlijk. Je moet toch op z'n minst jaloers mogen zijn, anders heb je geen leven.

Ze strekt zich uit in het hete water. Er is een raam in de badkamer met planten ervoor, makkelijke, aardige planten die nooit bloemen maar altijd blad aanmaken: kindje-op-moedersschoot, citroengeranium en groene spriet. Achter het glas jagen de wolken voorbij. Ze laat haar hoofd zakken tegen de wand van het bad en zou wel een vaderlijke arm om haar schouders willen – nee, iemand zit achter haar, en zij zit tussen zijn grote zwarte benen, zij leunt tegen zijn borst en voelt hoe hij haar omvat. Hij bijt haar zacht en warm in haar hals met de mond van Johan. Hij houdt haar vast, teder en stevig tegelijk, zij zou ieder moment kunnen vervloeien. Zijn zwarte haar tegen haar wang, zijn warme adem in haar oor. Zo, dus. Zo.

Voor ze zich opmaakt en haar feestkledij aantrekt sjouwt ze met een mand en een emmer tussen de geteisterde appelbomen om de vruchten op te rapen die vannacht gevallen zijn toen de storm aan de takken schudde. Ze laat de appels buiten staan, ze eet er een, hij smaakt herfstig.

Als ze weer een degelijk besef heeft van het gewone leven dat over de droomwereld heen gedrapeerd ligt pakt ze de telefoon.

'De jam is heel goed geworden. Hoe is het met je?'

'Ik ga zo Alma ophalen. Ze heeft al drie keer gebeld, volstrekt in verwarring. Ik ga maar wat vroeger, om haar te helpen met haar uitmonstering. Kom jij vroeg, op tijd? Dan spreken we elkaar nog even.'

'Om vier uur ben ik er, op z'n laatst.'

'Ellen, ben jij dat?'

Alma's stem klinkt ongeduldig. Ellen staat met de hoorn tussen schouder en hoofd geklemd, haar handen verstrikt in een panty, één blote voet op de bank.

Als ik rust wil moet ik de telefoon niet opnemen, denkt ze. Eigen schuld. Ze laat de kousen vallen en gaat zitten.

'Wat is er, Alma?'

'Het gaat goed maar er is een probleem gerezen. Ik heb mijn kousen aangetrokken, die stevige weet je wel, die zo mooi glad vallen, maar nu wil ik ze vastmaken en merk ik dat er een knopje van mijn jarretelle ontbreekt. Rechts achter. En met één gaat het niet, dat is niet veilig.

'Heb je een andere?'

'Nee, die is vuil en ook iets te strak. Niet comfortabel voor zo'n lange dag.'

'Hoe deed je dat vroeger dan, als zoiets gebeurde? Met een veiligheidsspeld?'

'Nee kind, dan prik je de kous stuk. Een cent namen we, die was precies groot genoeg. Maar centen bestaan niet meer.'

De knopendoos! Waar de jongens eindeloos mee speelden op de grote tafel, de knopen verdelend in kleurige voetbalelftallen, in grote monsters en kleine slachtoffers, schoolklassen, autoraces, dierentuinen. Kijk in de knopendoos! Een zo wendbaar object moet ook als kousophouder kunnen fungeren.

'Je moet er eentje nemen die met stof is overtrokken, dat is

213

een beetje ruw, dan glijdt de kous er niet overheen.'

Ellen belooft om zo dadelijk te komen en zit nog even met de telefoon in haar hand. Zij herinnert zich een knopenregen, kletterende knopen wegspattend naar alle kanten. Ze draait Oscars nummer maar niemand antwoordt. Dan trekt ze haar panty aan en stapt in haar donkerrode schoenen. Haar kleding vandaag zal de kleur hebben van opgebruikt, zuurstofloos bloed: een dieprode jurk die haar benen en prachtige sleutelbeenderen vrijlaat.

Oscar staat bij het fornuis en roert in een uitermate vies pannetje. Hij maakt pap van bloem, melk en suiker. Het aanrecht is blinkend schoon, alle oppervlaktes in de keuken worden keer op keer door hem afgenomen met een gore, stinkende soplap. Hij draagt een nieuw, smetteloos overhemd en zijn grijze kostuum dat net van de stomerij is teruggekomen. Het jasje hangt over de keukenstoel en het vest heeft hij aan. Zijn schoenen staan glimmend gepoetst bij de deur maar zijn sokken en onderbroek gaan al hun derde gebruiksdag in. Oscar is een man van verborgen contrasten.

Hij hoort de telefoon wel, maar is niet in staat om hem op te nemen. De gebeurtenissen van gisteravond hebben hem uit balans gebracht en hij heeft alle energie nodig om het evenwicht weer te herstellen. Hij kan er niets bij hebben en moet tegen elke prijs een voortijdige confrontatie met Alma vermijden.

Lammetjespap heette het vroeger. Het glijdt door je keel en nestelt zich lieflijk in je maag. Het is eten voor zieke en geschokte kinderen. Bij de gedachte aan harde, brokkelige broodhompen moet hij braken. De appelmoes en de vla zijn op.

Na de ontdekking op de museumzolder heeft Oscar de vriendelijke zorg van Keetje Bellefroid van zich af geslagen omdat hij wist dat hij alleen wilde zijn.

'Gaat u toch even mee, meneer Steenkamer, ik woon hier vlakbij, dan zet ik een kopje thee voor u, voor de schrik, u trilt helemaal, zo kunt u niet over straat hoor!'

'Nee nee, ik moet naar huis, ik moet nog wat werken.'

'Maar ik kan u zo toch niet laten gaan? Zal ik u morgen wat eten komen brengen? Kijken hoe het gaat?'

'Nee, heel vriendelijk van u. Het is niet nodig. Ik, eh – ik ontvang ook eigenlijk niet, ik ben dat niet gewend, nee, nee.'

Kee kijkt teleurgesteld en wat gepikeerd. Ze staan in de regen, voor de poort van het verduisterde museum. Oscar tast in zijn broekzak en trekt daar een bezwete uitnodiging voor de vernissage uit.

'Weet u, mevrouw Bellefroid, komt u morgen naar de opening, dan zien wij elkaar. Ik ben u werkelijk zeer erkentelijk voor uw hulp. Nu moet ik echt gaan. Tot genoegen. Tot ziens. Werkelijk.'

Oscar loopt al terwijl hij haar het papier aanreikt. Met vaart vlucht hij naar huis. Alle lichten aan. Droge kleren. Zitten in de vertrouwde stoel. Muziek. Eten gaat moeizaam, hij dwingt het zachte eitje en de banaan door zijn vernauwde keel. Het zitten in de stoel brengt geen rust, integendeel, hij wordt zich pijnlijk bewust van de gejaagdheid van zijn ademhaling. Zijn benen jeuken. Het derde pianoconcert van Rachmaninoff, dat hij opgezet heeft omdat het paste bij de wind en omdat het een grote adem heeft, vergroot zijn opwinding. Tot zijn ontzetting begint hij al te snikken bij het eerste thema.

Opstaan, de muziek uitzetten, naar buiten in de regenjas.

Hij loopt door de stad en kijkt, dat doet hij vaak, avonden, nachten lang; zo voelt hij zich een mens tussen mensen, zonder de ellende van afspraken en gedwongen conversatie. De enige afspraken die hij verdraagt zijn, sinds een paar jaar, de abonnementsvoorstellingen van de opera, die hij met zijn ex-schoonzuster bezoekt. Na haar scheiding heeft Ellen geprobeerd Oscar mee te krijgen naar een concert. Dat werd geen geslaagde avond, hoezeer ze ook beiden van muziek houden. Oscar probeerde krampachtig niemand aan te raken, kromp ineen onder het geritsel van de programmablaadjes van zijn buren en vervloekte het licht in de zaal. Het jaar daarop begonnen ze met de operabezoeken. De duisternis, de ruimere zetels, het toneel dat aandacht afdwingt: dit alles maakte dat hij zich beduidend meer op zijn gemak voelde. Oscar selecteert het abonnement, Ellen voert de bestelling uit, ze treffen elkaar in de hal en drinken na afloop één glas wijn in een nabijgelegen café.

Op deze zaterdagavond beent hij mompelend door de stad. Ik heb de schilderijen van Charles gezien. Nou èn? Daarmee is hij er zelf toch nog niet? Hij heeft vier schilderijen gemaakt. En die bestaan nog. Niets om me over op te winden. Niets aan de hand.

Maar net zoals het lopen niet moet leiden tot gesprekken en contacten moet het hebben van een vader niet uitmonden in concrete getuigenissen van diens bestaan. De taart van Maison Davina was een steen door de ruit, de schilderijen op de museumzolder een vijandelijke invasie.

Oscar botst tegen vrolijke gezelschappen op, hij loopt gehaast want hij wil zich vullen met indrukken. De tram, geknars over ijzeren rails, harde gesprekken en mensen in kleurige kleding. Achter een groepje negers aan lopend is Oscar verzeild geraakt in een metrostation. Het kan hem niet schelen, als er maar beweging in zit. Hij stapt in de gereedstaande wagon. Een lange man met een cowboyhoed staat een toespraak te houden tegen de binnenkomende reizigers.

'De post dient zichzelf op te heffen als zij niet voor een beter evenwicht kan zorgen. Negatieve post, kijk toch in uw brievenbus, louter negatieve berichten. Laten wij allen meer positieve post eisen, op straffe van opheffing van de dienst!'

Op een hoekje van de bank, achter in de wagon, zit Oscar in zijn regenjas, met natte schoenen en licht beslagen bril. Hij lijkt geheel in zichzelf verzonken maar kijkt en luistert toch met grote intensiteit. Bij elke halte verlaten een aantal blanke passagiers de trein en komen er wat zwarte bij. De tijd tussen de stations wordt langer en Oscar ziet hoge flatgebouwen door de beregende ramen. Ook de zwarte reizigers verlaten de trein, op drie brede negers na die geleund staan tegen de stangen in het voetpad. Zij kijken alle drie recht in Oscars richting, maar over en langs en door hem heen. Twee van hen hebben sandalen aan. De teennagels zijn lichter dan de huid. Ze dragen spijkerjassen met opgerolde mouwen. Ze hebben ongelooflijk grote en dikke lippen die ze langzaam bewegen met hun kauwgom kauwende kaken.

Oscar moet zich voorstellen, of hij wil of niet, hoe die overdadige monden zijn grijsgrauwe huid beroeren, zachte, warme kussentjes van vlees tegen zijn hongerige vel – de vlammen schieten naar zijn gezicht, hij hijgt, hij moet eruit, nu!

Als de trein stopt schiet hij langs de nonchalante negers en rent naar buiten alsof ze hem achternazitten. Ze kijken niet op of om. Sissend sluiten de deuren van de wagon; de trein kronkelt verder als een verlichte slang.

Het perron is winderig en verlaten. Uitgeput schuifelt Oscar over de granieten vloer naar een bank in een oranje geschilderd wachthokje. Hij leunt achterover en sluit zijn ogen. Langzaam komt zijn ademhaling tot rust. Hij ruikt de geur van natte steen en legt zijn handpalmen tegen de houten zitting van de bank. Als hij de ogen opent ziet hij een zwarte man naderbij komen op gymschoenen met fluorescerende strepen.

Oscar zit als verlamd, hij kan niet meer angstig worden, alleen maar kijken. De man blijft vlak voor Oscar staan. Hij draagt een vreemde broek van katoen die om zijn benen fladdert. Terwijl hij Oscar strak aankijkt trekt hij het elastiek van de broek naar beneden met zijn linkerhand. De rechterhand haalt een zwartgrijs geslacht te voorschijn dat hij Oscar presenteert. Oscar zit op zijn handen. De man doet een stap opzij en begint tegen de muur te wateren. De urine loopt voor zijn lichtgevende schoenen langs naar Oscars voeten. Oscar kijkt hoe het warme vocht rond zijn schoenen glijdt; er slaat een lichte damp af. Hij haalt diep adem en ruikt verse pis.

Godzijdank is het dag geworden. Oscar doet zijn keukenschort aan voor hij met de lammetjespap naar de kamer gaat. Niet morsen, niet knoeien, bordje leegeten terwijl de Serenade van Dvořák voortkabbelt. Toen hij gisteravond thuiskwam heeft hij zijn handen onder de keukenkraan zorgvuldig gewassen, wel een kwartier lang. De natte schoenen zette hij gewoon onder de kapstok. Nu niet denken aan het nacht- en buitenleven. Straks naar het concurrerende museum, naar de expositie van de broer, naar de kleurige wirwar van japonnen en schilderijen. Er is niets aan de hand. Er is een moeder zonder vader, er is een broer en nog een broer, er zijn vele vrouwen zonder mannen, alles is zoals altijd. De vingers ruiken naar scherpe zeep met een zweem van melk. Oscar maakt zijn bril schoon met een slip van de schort. De telefoon laat hij rinkelen.

*

Op de gevel van het Gemeentemuseum is een groot wit spandoek aangebracht waarop in strakke hoofdletters 'HERFSTEXPOSITIE: STEENKAMER' staat. De glazen toegangsdeuren naar de hal staan wijd open om allerlei bedrijvige mensen doorgang te bieden op deze vroege zondagmiddag. Voor het bordes staan twee vrachtwagens geparkeerd van een cateringbedrijf. Schalen en dozen worden vanuit de laadruimte het gebouw in gedragen door mannen in witte overalls.

Op de stoep staat een bus van de televisiemaatschappij; dikke zwarte kabels lopen uit zijn binnenste over de trappen het museum in.

Johan zet zijn auto neer naast de rode BMW van de directeur, op de besloten parkeerplaats. Hij draagt nooit veiligheidsriemen omdat hij het gevoel in een tuigje te zitten haat. Snel springt hij naar buiten op zijn mooie Italiaanse schoenen. Het zwarte pak zit niet te strak en niet te wijd; eronder draagt hij een lichtgrijs overhemd van heel dunne katoen met een effen, felrode das.

Sokken: lichtgrijs. Onderbroek: zeegroene zijden boxershort, verjaarscadeau van Zina. Huidskleur: gezond gebruind. Stemming: licht gespannen opgewektheid.

In de tochtige hal omvat de directeur, in een morsig colbert met opgerolde mouwen, Johans hand met beide handen en wacht een fractie te lang met loslaten. Geboren vóór '50. Ik moet en zal hcm hebben, wat die reuzelkop van het Nationaal ook verzint, denkt hij.

'Welkom, welkom. Ben je er klaar voor? Kerstens komt om halfdrie, hij verheugt zich op het interview. Vannacht was hij nog hier om de inrichting van de zalen te bekijken. Je kent hem? Altijd druk, druk!'

'Ik heb hem wel eens ontmoet, ja. En ik heb zijn programma een aantal malen gezien.'

Gemengde gevoelens heeft Johan daarover. De corpulente kunstkenner boezemt hem een lichte weerzin in, zoals hij die koestert tegenover alle dikke mannen en alle beter wetende critici. De positie van Kerstens als toonaangevende kunstpaus met een directe invloed op Johans status en financiën inspireert echter ook tot een zeker ontzag. Kerstens mag dan een verwaten hufter zijn die zelf geen raad met een kwast weet, hij zit hoog en wordt door iedereen gehoord.

'Vind je het goed dat ik je alleen laat? Het is nu even een druk moment, ik wil graag de heren van de tv begeleiden en de inrichting van de eet- en drinkafdeling superviseren. Ga rustig naar binnen en geniet van je eigen werk! We hebben werkelijk ons best gedaan.'

Johan volgt de zwarte kabels de trappen op. Hij probeert naar boven te lopen met het losse, ontspannen gevoel waarmee men een trap gemeenlijk afdaalt: de armen bungelen met hun eigen zwaarte langszij, de voeten schampen langs de treden en het hoofd is fier geheven.

Licht hijgend bereikt hij de bovenverdieping en staat stil voor de ingang naar zijn zalen. Ter weerszijden staan twee grote borden opgesteld: links de aankondiging van de expositie, in vette

letters gedrukt over een reusachtig uitvergroot stukje schilderij
– geen voorstelling is er herkenbaar, slechts kleurvlekken –;
rechts zijn eigen kop in profiel, wegkijkend, met zijn naam in
rode letters daarboven.

Johan betreedt de eerste zaal, waar aquarellen en tekeningen
hangen in identieke donkerblauwe lijsten. Verschillende he-
mels boven het kanaal waarlangs zijn ochtendloop voert. In de
achterwand van deze voorzaal zijn twee openingen die naar de
grote schilderijenzaal voeren. Naast de doorgangen staan tafels
opgesteld die de zaal in lopen. Twee meisjes in zwart en wit zijn
bezig de tafels met kleden te bedekken; een jongen met een
zwarte schort voor rijdt een wagentje met glazen binnen. Gedrieën staan ze te overleggen waar ze wat zullen opstellen. Alle
foerage zal in de voorzaal verschaft worden zodat mensen vervolgens, met een glas in de hand, bedachtzaam de hoofdzaal in
kunnen lopen.

'Je moet die kleden flink laten afhangen,' zegt Johan tegen de
meisjes, 'anders zie je al die flessen en dozen onder tafel staan.
Geen gezicht.'

De meisjes schikken de tafelkleden en kijken Johan na terwijl
hij de linker doorgang neemt. Een man van de machtsgeneratie
die kortaf en terzake een bevel geeft en daarna doorloopt, dat
kan geen cateringmeisje weerstaan.

De grote zaal is hoger dan de voorzaal. Het plafond is van glas
(luchtramen, zeiden de kinderen vroeger), met witkatoenen
doek daaronder gespannen, licht als de binnenkant van een ijskast, als een openluchtkerk, als pure ruimte. In het midden van
de zaal staat een geheel ronde bank met zicht op steeds weer
andere schilderijen. Aan de muur waarin de doorgangen uitge-
spaard zijn, hangt de piëta, waar Johan nu, goedkeurend knik-
kend, voor staat. Vanaf een zijwand kijkt 'De Postbode' indrin-
gend de zaal in. Johan draait zich langzaam om, op zijn hielen.
Wat er ook rondom aan boeiende voorstellingen uitgestald is, de
aandacht wordt onweerstaanbaar gezogen naar de grote achterwand met het topstuk, het meesterwerk.

Het is wat hoger opgehangen dan de andere werken en het is groter van formaat: anderhalve meter breed en meer dan twee meter hoog. Johan gaat zitten op de ronde bank, recht ertegenover. Hij kijkt.

Het is een donker schilderij waar de voorstelling uit oplicht. Tegen een fluweelzwarte achtergrond staat een vrouw met bruine, goudgetinte haren. Een bleek gezicht met bruine ogen waarmee zij de kijker recht aanziet. Scherpe, naakte schouders. De huid heeft een winterkleur. Tegen haar rechterborst ligt de kop van een grote, volwassen, mannelijke zalm, het visseoog en de bruinroze tepel strijden om de aandacht. De vrouw heeft haar rechterarm onder de vis gebogen, zij houdt hem vast zoals men een baby vasthoudt, hem in de zilveren rug omvattend. De staart waaiert naar voren, over de gebogen linkerarm die de rechter steunt heen. De bleke buik van de vis ligt tegen haar naakte bovenlichaam, op de rug zijn de zilveren schubben en de zwarte spikkels daarin met eindeloze zorg geschilderd. Voor de vrouw staat een ruwhouten tafel, iets schuin weggedraaid. Daarop ligt een tweede vis, even groot als de eerste. Zijn kop wijst naar links, hij ligt met zijn rug naar de vrouw toe. De buik is opengesneden. Er puilen ingewanden uit. De staart ligt slap op tafel. De vissehuid is gedeeltelijk afgestroopt zodat het onbeschermde vlees hier en daar zichtbaar is. De zalm is inderdaad zalmkleurig. Voor de vis op tafel ligt een scherp fileermes. Op het lemmet zijn bloedsporen te zien.

Wie van onder naar boven zijn blik over het schilderij laat gaan ziet: het mes op de houten tafel, de ingewanden, de gemartelde vis, de buik van de naakte vrouw tegen de tafelrand, de gekoesterde vis in bleke armen, tegen de volle borsten gedrukt, de vrouwenhals, het gezicht, het bruingouden haar.

Een duur schilderij, denkt Johan. Twee keer een hele zalm gekocht die op tafel lag weg te rotten, voor bijna tweehonderd gulden per stuk. Zina, die haar borsten en armen ter beschikking stelde, sputterde tegen en stond met opgetrokken neus de vis tegen zich aan te drukken. Na het poseren lag ze uren in bad en waste haar haren met welriekende balsem. Van de weeromstuit aten ze wekenlang lamskoteletjes en biefstuk. Zina's schouders en hoofd waren vanwege haar verregaande genotzucht niet te gebruiken. Johan nam voor die onderdelen een ander model, een vrouw die hem in de verte aan Ellen deed denken en zwijgend, tegen forse betaling, met ontblote schouders tegenover hem zat.

Er komen mensen de zaal in. De directeur stapt op Johan toe. In zijn kielzog loopt een kleine man, gebukt onder fototassen, een statief en een lampenstandaard.

'Van het *Avondblad*, even een foto voor de televisieploeg begint, geen bezwaar toch?'

De kleine pakt zijn attributen uit. Boven de lamp ontvouwt hij een witte paraplu. Hij kijkt naar Johan, naar het schilderij, niet om te leren kennen maar uit compositorische overwegingen. Voor de vrouw met de vissen is een laag podium opgesteld. Er staat een tafeltje op met twee stoelen, voor het straks te starten vraaggesprek.

'Als u daar plaats neemt,' zegt de fotograaf, 'dan neem ik u van onderen.'

Hij duikt achter zijn toestel, mompelend in zichzelf. Johan kijkt ernstig voor zich uit en houdt zijn lippen op elkaar.

'In de lens kijken, graag, zo ja, mooi, prachtig. Nu staan graag, voor het schilderij, even de handen losschudden, niet zo stijf. En in de lens kijken.'

Johan vindt het niet eerlijk. Hij dient iemand aan te kijken die niet zichtbaar terugkijkt want de ogen van de fotograaf gaan schuil achter zijn apparatuur. Via de foto kijkt hij duizenden mensen recht in de ogen, maar wie, en waar, en wat zullen ze zeggen?

Nu hij rechtop staat heeft hij zicht op de hele zaal. Er wordt een televisiecamera binnengereden, felle lampen springen aan en technici roepen naar elkaar. De directeur loopt langzaam langs de schilderijen, in gesprek met een dikke man gekleed in een ribfluwelen broek met rode bretels over een hemd van grof katoen. Als ze naderbij komen ziet Johan dat het onderste knoopje van het overhemd los is. Een stukje behaard buikvlees puilt over de laaghangende broekband. Het gezicht van de man is van een zelfde vlezigheid en de kleine, lichte ogen liggen in plooien daarin weggezonken. De man biedt Johan zijn opgezwollen hand.

'Kerstens!'

De stem is onverwacht diep en sonoor, de oogjes kijken door Johan heen naar de cameraopstelling.

'Ik ben met Kees langs de stukken gegaan, dat staat er allemaal op. Met commentaar. Nu even een gesprek hier op het podium, het hoeft niet lang te duren. Vanavond monteer ik de handel, dinsdag zit het in het programma. Een kwartier, het laatste onderdeel waarschijnlijk.'

Johan voelt ergernis opkomen. Hij wordt gebruikt voor het produkt van een ander en dat is niet de bedoeling. Hij wenst niet dat er door hem heen gekeken en maar half geluisterd wordt omdat de plaats van de camera belangrijker is. Hij wenst niet dat de directeur commentaar op zijn werk levert zonder dat hij daar zelf bij is. De regie is hem uit handen genomen terwijl hij zich door de fotograaf liet modelleren. Opletten nu!

Ze gaan zitten bij de tafel op het podium. Kerstens legt een bloknoot neer waar niet veel op staat geschreven, een paar woorden onder elkaar die Johan ondersteboven probeert te lezen. Zalm? Gaat dat over zijn meesterwerk? Hongerige radio, wat staat er? Hongaarse salami! Het is goddomme een boodschappenlijst! De vleesbaal heeft zijn meest geliefde etenswaren genoteerd ter voorbereiding op het interview met de meesterschilder. Moorkoppen met een vraagteken. Sacher met een streep erdoor. Tongfilet met uitroeptekens.

Johans maag trekt zich samen van woede. Kerstens lijkt door de stugheid op Johans gezicht niet afgeschrikt te worden maar juist lekker op stoot te komen.

'Meneer Steenkamer! De openingstentoonstelling voor het seizoen in een museum van naam is aan u gewijd. Hoe voelt dat?'

223

Als Johan zijn mond opent en van wal wil steken breekt de journalist hem met een kort gebaar af. Vragend steekt hij zijn vette kin in de lucht richting cameraman.

'Goed zo?'

De opnametechnicus knikt. Kerstens wendt zich andermaal tot zijn interviewpartner.

'Meneer Steenkamer, vindt u het niet vreemd dat de openingsexpositie van juist dit museum aan uw werk gewijd is?'

'Hoezo,' bromt Johan, meteen in de verdediging gedrongen, 'dit is toch een prima museum? Wat bedoelt u eigenlijk?'

'Past u in deze collectie?'

'Waarom niet?'

'Tja, ik wil u graag aan het praten krijgen. Begrijpt u de mensen die uw figuratieve werk als een terugval beschouwen?'

Jezus, het artikel van Oscar. Wat zit die man mij te stangen, waar slaat dat op?

'Ik houd mij niet bezig met de opinies van anderen over mijn werk, meneer Kerstens. Ik werk. Vroeger was dat op een wijze die je abstract zou kunnen noemen en nu is dat overwegend in de vorm van herkenbare objecten en voorstellingen. Ik acht het een niet hoger of beter dan het ander.'

'U bent meer gaan verdienen sinds de omslag, is het niet?'

Dit gaat niet goed. Johan, die in het dagelijks leven zo gemakkelijk opvliegt om de ander zijn mening naar het hoofd te smijten, voelt zich door de camera en door het besef bezig te zijn met de constructie van een programma geremd en in zijn stoel vastgebonden. Zijn gezicht wordt rood en hij zet zijn voeten stevig tegen de grond.

'Laten we het over mijn werk hebben en niet over mijn financiële situatie.'

'Ligt dat zo gevoelig? Zoals u wilt. Uw werk dus. Persoonlijk, als kunstcriticus, wil ik u wel zeggen dat ik het jammer vind. Ik vond uw vroegere werk boeiend – de overlappende kleurvlakken, het schubsgewijs voortzetten van de lijst in het schilderij, de valse diagonalen – er sprak een onderzoekende attitude uit, het was gedurfd. U heeft die stijl vrij plotseling laten varen om plaatjes te gaan schilderen. Daar moet u toch een reden voor hebben?'

Plaatjes! Johan is zo razend dat hij geen woord kan uitbrengen. De camera kijkt hem recht in het gezicht.

Als hij eindelijk ademhaalt en de mond opent knalt Kerstens erdoorheen: 'Laten we iets concreets nemen, dan. Het schilderij waar we nu onder zitten is uw meest recente produkt. U beschouwt het zelf als uw meesterwerk, zegt u.'

Kerstens wijst met een vleeshomp in de richting van het werk en kijkt de cameraman aan, die gehoorzaam met zijn visuele stofzuiger de vrouw met de vissen begint af te tasten.

'Ja. Ik ben er erg tevreden mee. Een mooi schilderij. Vind ik.'

'Maar dat is wel een zéér armelijk commentaar. Móói, wat is dat nou? U drukt ongetwijfeld met dit werk iets uit, u plaatst uzelf in een traditie, u heeft een boodschap?'

'Een vrouw met twee vissen,' zegt Johan.

'Ja, ongetwijfeld. Maar waarom? Een zinnebeeldige voorstelling? Gaat het over liederlijkheid? Is er sprake van transcendente, wellicht religieuze thematiek?'

'Het is een naakte vrouw die een vis vasthoudt.'

'Meneer Steenkamer, u begrijpt toch wel waar ik heen wil: wie een plaatje schildert illustreert iets. Daar hoort een verháál bij, u vertelt iets met dit schilderij. Gaat het over de teleurstellende kilte van de moederliefde? Of wellicht over de onzalige concurrentie tussen twee kinderen? Is hier de ultieme fratricide aangeduid? Zegt u het eens in uw eigen woorden!'

Kerstens knijpt zijn smalle oogjes nog verder dicht als hij Johan toegrijnst. De camera staat vol verwachting te snorren.

'Hoort u eens, meneer Kerstboom, ik houd niet van dit soort ondervraging. Als ik een verhaal had willen vertellen, in mijn eigen woorden zoals u zo treffend zegt, dan was ik wel schrijver geworden begrijpt u? Maar ik ben schilder, ik bedenk een voorstelling en die plaats ik zo goed mogelijk op een doek. Dat is het hele verhaal, Kerstkrans, en als je het beter weet vertel je het maar in jouw eigen woorden! En nu oprotten, ik heb er genoeg van!'

Johan staat op en springt het podium af. De directeur is inmiddels, gealarmeerd door de stemverheffing, toegesneld om bezweringen uit te spreken en oneffenheden glad te strijken. Kerstens, die ook is opgestaan, haalt zijn ronde schouders op.

'Jammer, 't was een aardige opzet. Ik zal kijken of er nog iets van te maken valt. Soms werkt het, soms werkt het niet. Tant pis.'

'Je was niet erg voorkomend moet ik zeggen. En Steenkamer wasn't up to it, als het ware. Hij kan heel aardig over z'n werk vertellen, anders.'

'Tja, Kees, het zijn de regels van het spel. Hij moet toch in debat kunnen gaan met de kritiek – als hij daar niet voor kiest kan ik ook niets. Heb je al wat te drinken voor me? Je schenkt zeker geen whiskey vandaag?'

Johan is weggebeend en de directeur voelt zich vrij om de kunstjournalist even naar de directieburelen mee te voeren. Daar zit nog wel iets onder kurk of schroefdop, daar kunnen ze even de benen strekken en het kunstbeleid voor de komende kwarteeuw uitstippelen.

In de voorzaal zijn inmiddels zilveren koelwagens met wijn en bier achter de witte tafels gereden. Johan neemt een eerste glas witte wijn en kijkt tevreden rond. Een diep gevoel van welbehagen neemt bezit van hem, zoals altijd na een driftdoorbraak.

De kabels worden opgerold, de televisieploeg breekt op. Het loopt tegen vieren en de eerste gasten komen naar boven. Wat bedoelde die vleesklomp met moederliefde, broedermoord? Wat een onzindelijke denktrant, modieus gedoe met woorden en begrippen. Goede kwasten moet je hebben. En je moet precies, tot in de kleinste details, voor je zien wat je wilt maken. Als je niet verder kan zit dáár de rem. Dan moet je je concentreren en nadenken tot je weet hoe het eruitziet. Als je het precies weet gaat het weer. Dat soort mensen heeft daar geen idee van. Ze pakken alles in in een wolk van woorden en iets is pas van waarde als het naar iets anders verwijst. Als ik me daarin verdiep schilder ik nooit meer wat, dat is zeker. Je moet niet krenterig zijn met je materiaal. En je moet orde hebben in de werkruimte. Elke avond opruimen. Techniek, dat is het. Net als een acrobaat of een muzikant. Kunstvreters zijn het, die journalisten, o zo bang dat ze hun maag bederven. Of dat ze per ongeluk een ordinaire kroket lekker vinden. Bah.

Een magere jongen sjouwt een cello de trap op. Ondanks zijn jeugd heeft hij een gladde, kale schedel. Achter hem lopen een langharig meisje met een altviool en een stevige krullebol met een vioolkist in z'n rugzakje. Het meisje heeft muziek in haar hand die ze aan de violist laat zien. Hij knikt, vindt alles goed, eerst maar even uitpakken.

Ze stellen zich op in de grote zaal, terzijde van het podium. Het meisje vouwt zilveren lessenaars uit die als flamingo's in de ruimte staan. De krullebol komt aanzetten met stoelen, ze vormen een driehoek met de cellist in het midden. De scherpe punt van zijn cello prikt hij in een plankje dat met touw aan zijn stoelpoot vastgebonden zit. De zwarte cellokist staat tegen de muur naast een schilderij waarop een ander trio is afgebeeld: een moeder en een zoon houden een tweede kind, een bloedeloze, flauwgevallen, door paniek gevelde jongen, overeind bij een open raam. Gordijnen waaien naar binnen. Op een lege stoel ligt een stille vis.

De violist neemt een toon over van de stemvork die hij uit z'n binnenzak heeft gehaald en geeft hem aan de anderen. Zodra ze de toon hebben beginnen ze door elkaar heen ieder hun eigen snaren bij te stellen. De cellist duwt de stemknoppen in zijn oor om zijn instrument te horen. Johan hoort van ver de lege kwinten en voelt zich onverklaarbaar zenuwachtig worden. Wie heeft er hier een strijktrio besteld? Hij wil dat niet, hij wil niet verrast worden met onbegrepen weemoed en zinloze spanning.

Bovendien leidt die herrie maar af van het kijken naar waar het toch om gaat.

'Is dat jouw idee?' vraagt hij aan de directeur, die inmiddels weer verschenen is om present te zijn als zijn gasten komen. 'Leuk hè? Ze spelen goed hoor. En mooie muziek. Heb je geen last van. Klassiek. Conservatoriumstudenten die wat bijverdienen. Dat meisje is een kennisje van me, ze spelen hier wel vaker.'

Maar ik wil het niet, wil Johan zeggen, ik kan het niet hebben, het maakt me onrustig, laat ze weggaan.

Ze zijn begonnen met de langzame inleiding van een Beethoven-trio; de lage cellotonen trillen de voorzaal in met onstuitbare intensiteit.

Bijl! Als een matroos naar de reddingsboei maait Johan naar de houthandelaar toe. De rijzige gestalte straalt rust en bedachtzame nieuwsgierigheid uit. Hij reikt Johan de stevige hand, de roeispaan, de strohalm.

'Zo m'n jongen, ben je tevreden? Dat kan je wel zijn dacht ik, ongeacht welk commentaar ook. Je ziet er wat pips uit. Zullen wij een glas drinken op het goede begin?'

Bijl slaat zijn arm om Johans schouders en voert hem naar het drankbuffet. Vanaf Ellens intrede in de houtsector heeft Bijl haar toenmalige echtgenoot gesubsidieerd. Hij is daarmee doorgegaan na de scheiding want hij deed het niet uit vriendschap voor Ellen maar uit bewondering voor het compromisloze vakmanschap van Johan. Bijl laat graag anderen in zijn weelde delen en houdt dat bij voorkeur persoonlijk. Deze kunstenaar is op zijn weg gekomen en Bijl blijft hem trouw. In opdracht van hem heeft Johan de kerseboom in Bijls tuin geschilderd. Het sprak vanzelf dat Bijl deze tentoonstelling met een fors bedrag zou steunen.

'Hoe is het met Ellen? Komt ze ook, ja toch zeker? En jullie kinderen, de jongens. Vertel eens, hebben die zich al bekend tot iets? De dames- ofwel de herenliefde, alleen of samen, een studie of beroep of juist geenszins? Ze zijn nu toch ruim in de twintig, niet? Proost jongen, ik vraag je de oren van je kop maar laten we drinken: op je vakmanschap!'

Mensen komen nu met drie, vier man tegelijk de trappen op. Ze hebben hun jassen beneden in de garderobe gelaten en zweven als fraaie kleurvlekken door de zaal, elkaar bekijkend, een blik werpend langs de kunstwerken, naar elkaar roepend tot ze tot stilstand komen voor de tafel met glazen en zich door de meisjes iets in laten schenken.

Achter Bijls brede rug ziet Johan de strakke benen van Sally. Hij excuseert zich bij de ene sponsor en maakt zijn opwachting bij de andere.

'Fijn dat jullie konden komen! Precies tussen twee wereldreizen in zeker?'

Bob heeft een gelooide zeeliedenkop ontwikkeld en draagt matrozenkleding: een trui van ongebleekte wol met brede kabels, een marineblauwe broek en bootschoenen.

'Hij had z'n kapiteinspet wel op mogen houden,' zegt Johan tegen Sally. 'Wat vinden jullie ervan, vrijwel alles is gemaakt op jullie eigen grondgebied.'

'Mooi, Johan, dat weet je wel. Ik ben zeer content dat de Posterijen doorgegaan zijn met het verschaffen van middelen. Je doet ook nog het een en ander voor ze als ik het wel heb?'

'Bevalt het je in het huis, Johan?'

Sally ziet er ontspannen en tevreden uit. Niet te geloven, als je dag in dag uit op een boot moet zitten. Stram, slechtgehumeurd, te kort gekomen, dat had Johan verwacht. En dat ze, op grond van die tekorten, dan toch naar hem, met hem? Moeilijk te verteren dat ze nooit op enige verdekte avance van zijn kant is ingegaan. Hij zou haar nu niet meer moeten met die hals vol pezen en zenen, die kop onder de plamuur. De benen buiten beschouwing gelaten.

De directeur van het Nationaal komt binnen en kijkt verstoord naar de dranktafel en de her en der geplaatste asbakken. Roken in een museum, dat kan alleen zo'n naar alle kanten slijmende nieuwlichter toestaan, die van conservering bovendien geen verstand heeft. Er zit niets anders op dan de blaaskaak te gaan feliciteren met zijn prachtexpositie, het is een collegiale plicht.

De kunstbewaarders drentelen samen langs de schilderijen, omzichtig rond het strijktrio stappend, met ernstige gezichten. Dit móét in het Nationaal, die snotneus heeft het me onder de handen weggetrokken met zijn gekonkel en z'n relaties, denkt de een.

Als die zuurpruim nu eens een fikse hartaanval kreeg van pure nijd konden we echt vooruit, denkt de ander.

Ze zeggen slechts weinig tegen elkaar; een zwijgzaamheid die overigens ook door het beschouwen van het schilderwerk veroorzaakt zou kunnen zijn.

'Mijn complimenten, collega. Een mooie opstelling en fraai werk. Neem me niet kwalijk, ik zie daar iemand die ik de hand moet drukken.'

Dat hij de jongere man verbluft alleen laat is voor de oudere een miniem pleziertje dat hij zich toch niet wil laten ontgaan.

'Oh meneer de directeur, dat u er ook bent! Natuurlijk hè? Het is uw werk!'

Kee Bellefroid heeft zich terdege voorbereid. Zij draagt een geplisseerde rok over haar brede heupen en een zuidelijk aandoende pelerine in Schotse ruit om haar schouders. In haar handen heeft zij de verkreukelde uitnodiging geklemd die Oscar haar gisteravond in wanhoop overhandigde.

'Meneer Steenkamer heeft mij uitgenodigd, onze meneer Steenkamer bedoel ik. Heeft u hem al gezien?'

'Nog niet, Keetje, maar hij komt vast. Kan ik iets te drinken voor je halen of loop je even mee?'

De directeur heeft oog voor de rondborstige hartelijkheid van zijn ontzagwekkend opgedirkte secretaresse. Hij is blij dat er iemand aanwezig is uit eigen kamp. Hij is eigenlijk ook blij dat juist zij er is.

Terwijl ze voor de tafel staan te wachten maakt Zina haar entree. Rood haar als een stijve stralenkrans om haar gezicht, het volle lichaam geperst in een glimmend groen acrobatenpak, een groen, met goud afgebiesd jasje dat de reusachtige kontpartij vrijlaat daaroverheen. Zij draagt een brede gouden halsband om haar nek en gooit het hoofd achterover als zij luidop lacht om een opmerking van de directeur. Ze steekt haar arm door de zijne en voert hem mee naar Johan toe.

'Mijn kleine concurrente is gearriveerd, Steenkamer. Ik zou zeggen schenk haar wat in. Jezus, ze moeten wel wachten met de hapjes tot na mijn toespraak! Moet ik even achteraan, sorry, sorry.'

Kordaat duwt hij de obers terug de gang op met hun schalen gefrituurde garnalen.

Lisa trekt haar wenkbrauwen op. Achter de borden bij de zaalingang gaan de mannen op een smalle tafel zitten, met bengelende benen. Ze wachten en pikken discreet zo nu en dan een garnaal van het versmade plateau. Ze gaat naar binnen, kijkt even rond, maar ziet Ellen en Alma niet, wel heel erg veel andere mensen. Waar is Johan? Dan betreedt ze de grote zaal en staat oog in oog met het meesterwerk. Lieve God. Lisa staat perplex. Wat erg! Om koud van te worden. Verwaarlozing. Mishandeling. Ze rilt onwillekeurig.

Van achteren vlijt zich een warm lichaam tegen haar aan. Johan slaat zijn armen om haar strogele jasje en zoent haar in de hals. Whiskey? Alcohol in ieder geval. Iets te lang leunt Lisa tegen hem aan, te kort weliswaar om alle lichaamsdelen precies te onderscheiden maar te lang, te lang.

Ze maakt zich blozend los.

'Johan. Wat prachtig. Hoe kán je.'

De directeur is op het podium geklommen, het trio bergt de instrumenten weg en sluipt tegen de stroom in naar het wijnbuffet. Het wordt stil in de zaal, flarden toespraak zijn duidelijk te horen: overwinning van het vermeende schisma, non-figuratief en figuratief, goede hoop op een vruchtbare oplossing van de slepende kwestie, de collectie, trots, een gedegen en bevlogen kunstenaarschap, dank aan de sponsors, de handen ineen, schouders eronder, opening van een vruchtbaar seizoen! Johan wordt toegedronken. Men barst los in applaus. Nu dansen de obers binnen: kaaskroketjes, zalmrolletjes, aspergepunten. Met handenvol snaait men de schotels leeg alvorens terug naar de drankzaal te dringen. Langzaam loopt Johan met Lisa door beide zalen, door de toegangspoort, naar de trap. Onder aan de witmarmeren waterval staan drie figuren. De grijze man met de bril heeft de blauwe vrouw met de stok aan zijn rechterzijde en links de vrouw in de bloedrode jurk. Plechtig beginnen zij gedrieën de trap te bestijgen. Dragen zij maskers? Nee, zij dragen geen maskers. 'Nu gaat het beginnen,' fluistert Lisa in Johans oor.

*

Johan kust zijn moeder. De knokkels van de hand waarmee zij de stok vasthoudt zijn wit. Zij trilt van inspanning.

'Had je niet wat eerder kunnen komen, de toespraak is al voorbij. Pas je toch eens aan aan een ander z'n tempo, is dat te veel gevraagd?'

'Het was nogal een organisatie,' intervenieert Ellen, 'het duurde even voor we wegkwamen, dat is mijn schuld, Alma zat klaar maar ik was te laat.'

'Sta je toch niet zo te verontschuldigen,' zegt Lisa tegen haar vriendin. 'Alle betrokkenen mogen blij zijn dat je er bent. Een beeldschone jurk heb je aan!'

Oscar is bleek geworden tegenover zijn broer. Johan heeft hem achteloos de hand gedrukt alsof er niets gebeurd is. Alma, die zwaar aan zijn arm heeft gehangen op weg naar boven, is zijn bestaan nu vergeten. Hij grijpt naar zijn buik en krimpt ineen.

'Ik moet weer even naar beneden geloof ik, neem me niet kwalijk, ik zie jullie straks,' zegt Oscar tegen niemand. Ze horen het niet. Vlug loopt hij naar beneden. Met een zucht laat hij zich neer op de wc, die hij stevig vergrendelt, het laatste hokje in de rij, waar niemand hem kan lastig vallen.

Johan heeft Alma onder de arm genomen en begint met haar langs de muren te lopen. 'Je ziet er goed uit, hoor, met dat nieuwe kapsel. En dit blauw staat je mooi. Wat ben je gespannen, ik voel je trillen! Heb je pijn?'

Alma wil geen pijn hebben. Zij kijkt nauwelijks naar het tentoongestelde maar beschouwt intens de rondlopende mensen. De directeur komt op hen toe. Hij legt zijn hand op Alma's blauwe mouw. 'De moeder van de kunstenaar! Een trotse moeder, neem ik aan. En terecht, terecht.'

Ze kuieren langs het buffet de grote zaal in, waar 'De Postbode' hangt. Dat is het enige schilderij waar Alma even voor blijft stilstaan. De mens ziet wat hij herkent, en wat hij wenst te zien, denkt Ellen, die hen op korte afstand is gevolgd.

'Kan ik niet ergens plaats nemen zodat ik iedereen kan zien? Dáár, op die bank!'

Alma wijst met haar stok naar een rijtje stoelen vlak bij het podium. Gehoorzaam leidt Johan haar daarheen. Stok onder de stoel, handtas bij de voeten.

'Hier hangen schilderijen van mij die je nog niet gezien hebt, weet je dat wel?'

'Alles op z'n tijd, Johan. Laat me even bekomen van de reis. En eens wat rondkijken. Was dat de directeur? Hij was wel erg vlug verdwenen, ben je wel belangrijk genoeg? Ga nou maar weg, je hoeft hier niet te blijven staan. Ik zit hier goed. Haal maar een kopje thee voor me als ze dat hebben.'

Ellen heeft wel gekeken naar de vrouw met de vissen. Haar blik gaat tussen Alma en het schilderij heen en weer. Een diepe schaterlach doet haar omkijken, naar Zina, zo blijkt.

De vriendin van haar man staat luidruchtig te converseren met Kerstens en de directeur. Als Johan voorbijkomt legt ze haar hand in zijn nek. Hij glimlacht en loopt door.

Godverdomme, denkt Ellen. Zo is dat dus. Zij heeft het recht om zijn lichaam aan te raken. Natuurlijk. Waarom niet. Met haar doet hij het. Ik zie het. Ik betaal voor mijn vrijheid. Maar leuk is anders.

Ineens staat Johan naast haar.

'Wil jij dit aan Alma geven?'

Hij duwt haar een glas sinaasappelsap in de handen.

'Ga maar een beetje bij haar zitten, ze is alleen. Ik kan het niet opbrengen, moet nog heel veel mensen zien ook.'

Ik ook, Johan. Dus zorg maar zelf voor je moeder, laat mij daar niet voor opdraaien, ik heb er niets meer mee te maken. Waarom zeg ik dat niet? Waarom kom ik hier niet voor leuke conversaties en spannende nieuwe kennissen, voor mijn eigen plezier?

Omdat ik krimp van medelijden om de gemaltraiteerde vissen in de armen van die kille vrouw, van compassie met de visvrouw zelf die stijf staat van angst, omdat het mijn familie is gebleven, hoe dan ook, omdat ik hier niet bén voor mijn plezier, maar inderdaad voor hem, voor haar.

'Ja, geef maar, ik ga naar haar toe. Zie je hoe ze de zaal zit af te spieden? Ik denk dat ze tegen beter weten in toch hoopt dat je vader komt. Heb je iets gehoord?'

'Nee, die komt echt niet. Dat heb ik geen moment gedacht. Het was meer dat ik het gedaan wilde hebben, die uitnodiging sturen. Resultaat verwacht ik niet.'

'Die taart was wel een rotstreek trouwens! Hoe kan je dat nou doen? Je was kwaad natuurlijk, je dacht er niet bij.'

'Eventjes maar.'

Ze lachen naar elkaar. Dan plukt Johan Zina weg bij haar heren en gaat Ellen naast Alma zitten. Omdat er overal asbakken op poten staan steekt ze een sigaret op en leunt even achterover. Het strijktrio speelt een operabewerking, een statig menuet met een onschuldige melodie maar een onheilspellende ritmiek. Zina duwt haar heup tegen Johan, hij slaat zijn arm om

234

haar heen. Ze deinen door de mensenzee, samen. (Mevrouw, denkt Ellen, dit menuet? Wilt u mij de eer bewijzen? Hou toch op, schei uit, doe gewoon. Wees blij dat je eraf bent.)
'Charles was een rijzige figuur,' zegt Alma plotseling.
'Ik denk niet dat hij komt, Alma. Je kan beter proberen je een beetje te amuseren.'
'Amuseren? Tussen dit geteisem? Met die pijn? Waar zie je me voor aan? Ik heb geen boodschap aan die mensen. Onbeleefd zijn ze. Ik zit liever thuis. Al die herrie. Waar is Oscar eigenlijk? En waarom komt die vriendin van Johan zich niet presenteren, ik heb haar nota bene voor het diner geïnviteerd!'
Afleiding, een ander onderwerp. Goed zo.
'Zal ik haar eens even halen?'
Ellen veert op en stapt op Zina af. Ze heeft wel voor heter vuren gestaan. Ze drukt haar opvolgster vriendelijk de hand, wijst naar Alma, voert Zina mee.
Alma laat haar ogen over de groene verschijning glijden: de gouden halsband, het decolleté, de brede heuppartij en dan weer het rimpelloze gezicht in de krans van haar.
'Wat een prachtig sieraad draagt u,' zegt ze.
Zina gaat naast haar zitten en vertelt over Mats, over de smederij en over de verkoop van gebruikskunst. Ellen staat te kijken naar het onbevangen gekeuvel en denkt dat Zina er niets van begrijpt omdat ze bezig is met haar eigen wereld, met de hondeband om haar nek en het humeur van Johan. Zina neemt de dingen zoals ze zijn en fantaseert niet. Zij kan zich niets voorstellen wat er niet is en daarom kan ze het nu, met Alma, gezellig vinden. Deze vrouw wordt niet gekwetst maar heeft hoogstens pech.
Ellen loopt naar de voorzaal om een glas wijn te halen en ziet van verre haar zoons de trap op komen. Hoewel ze al jaren niet meer thuis wonen geeft het zien van haar kinderen Ellen nog steeds een gevoel van compleetheid en rust, alsof het zo hoort dat ze er zijn. Nu is het goed. Hun gezichten spiegelen haar sentiment.

'Mam! Wat leuk!'
'Wat een mooie jurk!'
'Rode wijn moet je daarbij hebben! Zal ik even halen?'
Paul rent weg. Dit is mijn bijdrage aan de familie, denkt El-
len. Dit is getuigenis van wat ik met Johan heb en daar komt
niemand tussen. Zij voelt zich ineens minder sloof, minder
slaaf en meer op haar plaats. Peter draagt een prachtig donker-
blauw kostuum en lijkt daarin erg op zijn vader, vooral als hij
haar schuin van onder het donkere haar aankijkt.
'Het is weer uit,' zegt hij, doelend op de vriendin die hij laatst
nogal plechtig aan Ellen heeft voorgesteld.
'Ach lieverd, hoe komt dat nou?'
'Ik kan gewoon met niemand zo goed opschieten als met
Paul. Als ik verliefd ben is er nog niets aan de hand, maar als er
daarna gewoon geleefd moet worden trek ik naar Paul toe. Ze
werd er kwaad van, ze voelde zich buitengesloten. Dat was ook
zo. Ik had er ook geen zin meer in, naar een kwaaie vriendin
gaan uit angst dat ze het uitmaakt. Ik ging echt liever vissen
met Paul. Vreselijk, zo gaat het altijd.'
Paul komt aanzetten met een dienblad: wijn, bier en een bord
met verschillende vissoorten. Ze kunnen geen relaties hebben
en ze kunnen niet een normaal beroep leren, denkt Ellen. Toch
maak ik me geen zorgen om ze, niet echt. Zouden ze nog steeds
samenwonen als ze zestig zijn? En bezig zijn met hun halfgare
projecten? Wat begon als studentikoze aardigheid (het organiseren van tochten met tjalken en botters voor jaarclubweekenden)
is in de loop der jaren uitgegroeid tot een compleet ichthyolo-
gisch reisbureau, met een kantoor en een taakverdeling. Paul
verleent vissersadviezen en levert de uitrusting. Zijn gedeelte
van de winkel staat vol met hengels, lieslaarzen en series wonderlijke haken, als sieraden gerangschikt op fluweel. Peter is de
reisdeskundige, hij levert visexpedities naar wens en op maat:
platvis steken op het drooggevallen strand, een kinderpartijtje
(zwemdiploma verplicht) met baarsjesvangst, beekforellenjacht
in de bergen, kabeljauw optrekken aan dertig meter lange snoe-

ren vanaf een woest schommelende vissersboot en zalmvakanties in Zweden.

Ze zijn ingeschreven bij de Kamer van Koophandel. Ze zijn zakenmannen, ondernemers—maar ze ogen als speelse studenten. Paul heeft een roodachtige katoenen trui aan:

Peter and Paul
Creative Fishing

staat er op zijn rug. Hun nieuwste project betreft visvangst met netten op het meer van Galilea, voor de echte liefhebber. Johan ziet ze voor mislukt aan en verdiept zich nooit in de vraag waar hun geld vandaan komt. Ze houden hun succes voor hem verborgen, moeiteloos, omdat hij ook niet kijken wil.

Observeren is overleven. Lisa loopt rond en kijkt. Zij voert korte gesprekken met mensen die ze kent of leert kennen en kijkt ondertussen over hun schouders naar de spelers in het drama van vandaag. Gezonde goudvissen zoeken elkaars gezelschap, herinnert zij zich uit het *Handboek goudvis*. Het is waar. Alma zit verbeten op haar stoel en wimpelt iedereen af die even bij haar komt staan. Rond Peter en Paul heeft zich een vrolijke kring mensen gevormd. En Johan? Ze ziet hem gebarend naast een dikke man voor de vrouw met de vissen staan; even later loopt hij naar de directeur toe. Prijsonderhandelingen, ongetwijfeld. Als ze in Alma's territoir verzeilen wordt de directeur in zijn rug geprikt.

'Komt u eens een momentje bij mij zitten?'

Lisa manoeuvreert zich binnen gehoorsafstand.

'Wat is uw opinie als vakman over het werk van mijn zoon, kunt u mij dat vertellen?'

De directeur is al wat aangeschoten en bovendien geërgerd door de voortijdige handelsbesprekingen tijdens zijn receptie.

'Mevrouw! Het meest verwaarloosde aspect van kunst is het pláátsaspect. Als museumman is mij dat terdege bekend. Uw

237

zoon is een uitstekende schilder. Als hij aan de overkant in het Nationaal Museum hangt blijft hij dat, zonder meer. Mááр...' Hij staat op, buigt door de knieën en blaast in Alma's oor: 'Als hij hier in mijn stal blijft, met zijn hele oeuvre, dan, mevrouw, dan zal uw zoon een gróót schilder zijn.'

Door de onthouding van de laatste dagen heeft de wijn een sterk effect op Johan. Zijn gezicht is verhit en de tijdsspanne tussen denken en doen is heel kort geworden. Hij treft zichzelf aan tegenover Lisa. Beiden hebben een glas in de hand, ze proosten elkaar toe.

'Waarom is hij weggegaan, je vader?'

'Omdat ik gewonnen had,' zegt Johan zonder aarzeling. 'Ik had meer talent en Alma hield meer van mij. Hij was verslagen, zo is dat.'

Hij kijkt rond en ziet aan alle wanden zijn werk. Het daglicht is verdwenen en de lampen zijn aangegloeid, het is avond geworden en nog steeds kuieren mensen bewonderend langs schilderijen die hij gemaakt heeft. Op de grote bank in het midden van de zaal zit Kerstens met Zina te praten. Hij heeft zijn vette arm om haar schouders gelegd en kijkt verstoord op als Johan naderbij komt.

'Nou moet jij eens goed luisteren, Kerstbal:

Wie schrijft verstijft,
maar wie verft sterft
in vrijheid!'

Hij heeft de verblufte journalist bij de kraag gepakt en de dichtregels vlak bij het gezicht langzaam en distinct uitgesproken.

'Vrijheid, Kerstbal, vrijheid!'

Als een overwinnaar draait Johan zich om en loopt weg. Losjes beweegt hij zijn schouders onder zijn jasje. Lekker, lekker.

Al meer dan een uur heeft Oscar zich in zijn kleine cel verschanst. Het is gelukkig een echte cel, met muren die tot de vloer doorlopen en een deur die sluit – niet een met hardboard afgezet hokje met grote open ruimtes boven en beneden, waar bijvoorbeeld ineens iemand z'n kop door zou kunnen steken. In dat soort wc's voelt Oscar zich zo bedreigd en begluurd dat de sluitspieren in een permanente kramp raken. Dit hokje is een echt kamertje, helaas zonder privé-fonteintje waar hij wat water zou kunnen drinken, wel met een dikke rol wc-papier en eentje extra tussen waterpijp en muur gekneld. Hier houdt hij het wel even uit. Hij heeft zijn jasje uitgedaan en opgehangen aan de haak op de deur, daarmee het met viltstift daar neergeschreven 'I've had it, man!' bedekkend. Het moet een recente boodschap zijn want de wc is keurig schoongemaakt.

Tijdens zijn verblijf in het hok zijn er zo nu en dan mensen de toiletruimte binnengekomen. De geluiden dringen gedempt tot hem door. Soms stonden er twee of drie mannen gelijktijdig te plassen en hoopte Oscar dat ze over de tentoongestelde schilderijen zouden spreken. ('Wel érg zigeunermeisje, vind je niet?') Dat gebeurde niet, men sprak, voor zover hij het kon verstaan, over de nadelen van de zondagmiddag voor zo'n ontvangst ('Wat moet je daarná, zeg ik altijd, geen zin meer in eten en al te veel drank binnen') en over het slechte weer. Eén keer wrikte er iemand aan zijn deurknop, Oscar zag verschrikt de plotselinge beweging en wilde roepen: 'Bezet, bezet!' maar zijn keel was te droog.

De broek heeft hij, na inspectie van de vloer, op de grond laten zakken; de onderbroek zit rond zijn knieën. Oscar heeft buikpijn maar voelt zich pas na een kwartier zitten veilig genoeg om te poepen. Hij geniet niet van de defecatie maar is dat zijn leven lang blijven beleven als een nederlaag. Hij weet zich weerloos op het ontlastingsmoment en beseft altijd dat hij dan niet weg kan rennen of van zich af kan slaan. De gang naar de wc heeft voor hem de gevoelswaarde van gehoorzaamheid, van eindelijk, na veel zeuren en verzet, doen wat ze van hem verlangen. Zijn triomf ligt in de weigering. Hém zien ze niet op een plee, hij knijpt zijn billen samen en loopt door met zijn keutels tot ze hard en zwart als kapucijners tegen het porselein ketsen. Als hij dat wil.

Nu heeft hij diarree. Waarvan? De appelmoes, de banaan, het eitje? Als hij zeker weet dat hij alleen is laat hij knallende scheten. Er stijgt een zurige, bedorven stank op. Oscar voelt zich bang. Hij kan zijn kont hier niet wassen, en z'n handen pas als hij de deur opendoet. Met de ellebogen op de knieën steunt hij zijn hoofd en zucht. Hij ademt de gore lucht in. Nederlaag. Zittend trekt hij door en voelt het water tegen zijn billen spatten. Wat is er om bang voor te zijn? Hij zal straks naar boven gaan en de tentoonstelling bekijken. Er zullen mensen zijn die hem kennen, hij is een gerespecteerd vakman tenslotte. Zijn oude moeder zal er zijn, slecht ter been. Met haar heeft hij een kleine onenigheid gehad, dat hoeft toch nauwelijks uitgepraat of bijgelegd te worden, wie weet wordt het vanzelf weer zoals vroeger. Zijn broer, zijn kleine broertje zal er zijn. Die is beroemd geworden, en misschien kwaad vanwege het artikel. Welnee, daar denkt hij niet eens meer aan, dat vindt Johan volstrekt onbelangrijk, Oscar kan schrijven wat hij wil, kan zijn vuisten stukslaan op de kleine jongenskop, zijn vingers beurs typen zonder dat Johan een krimp geeft. Hij vecht met lucht.

Nu vraagt het lichaam weer aandacht. Zorgvuldig veegt Oscar zich schoon en brengt hij zijn kleding in orde. Als de kust vrij is treedt hij naar buiten om langdurig zijn handen te wassen met de scherpe zeep die uit de plastic container komt. Zijn jasje laat hij zolang aan de deur hangen. In de spiegel is een oude man in hemdsmouwen druk bezig, met kromme schouders en een zorgelijke blik. Oscar kijkt zichzelf niet aan. Met een slip van zijn overhemd veegt hij zijn bril schoon.

Boven aan de trap treft hij Lisa, die hij altijd een beetje griezelig heeft gevonden. Een psychiater, wat weet ze, wat denkt ze, kijkt ze door hem heen met die grijze ogen? En ziet ze dan dingen die hij niet weet? Tersluiks brengt hij even zijn vingers naar zijn neus: een zweem van poep is nog te ruiken, hij is door de capitulatie getekend. Hij reikt Lisa dezelfde hand.

'Oscar, we vroegen ons al af waar je was!'

Hij mompelt iets – een vraag, een verwensing, een algemeen geldig excuus?

'Waarom is je vader weggegaan toen jullie klein waren?'

Oscar is zo verrast door deze vraag dat hij argeloos over het antwoord begint te denken. Hij kijkt de enge vrouw aan en ziet oprecht nieuwsgierige ogen. Ze wil het gewoon weten. Zij acht het van belang!

'Hij is gegaan, denk ik, omdat hij het niet interessant meer vond. Eigenlijk vrees ik dat hij in mij teleurgesteld was. Ik was niet zo'n leuk kind misschien, geen oudste zoon waar zo'n man trots op kon zijn. Zoiets was het, moet het geweest zijn, heb ik altijd gedacht. Ja.'

Achter Lisa doemt een vertrouwde figuur op: bol, stevig, met schommelende gang en bedekt met Schotse ruiten.

'Oh, meneer Steenkamer, eindelijk! Wat heb ik naar u lopen zoeken!'

'Keetje, je bent er ook! Ken je dokter Hannaston?'

Hij stelt de vrouwen aan elkaar voor. Lisa heeft niet veel te zeggen, zij is door Oscars antwoord op haar bemoeizuchtige vraag in verwarring gebracht. Kee steekt haar arm door de zijne.

'We gaan wat te drinken halen, dat zal u goed doen.'

Een glaasje water. Zure wijn zou nu niet goed vallen. Kee doet alles voor hem. In de voorzaal, terwijl zij de glazen haalt, ziet hij herkennend de aquarellen en de etsen. Mooi opgehangen, goed gedaan, vakwerk. Ze drinken.

'Weet u, er was televisie! De schilderijen hangen allemaal daar, in de grote zaal. Zullen we gaan kijken? U kent ze misschien allemaal al, dat er voor u niets nieuws bij is? Voor mij was het nogal een verrassing als ik dat zo zeggen mag. Gewoon griezelig, soms, en zo echt dat je er de rillingen van krijgt. Maar wat klets ik toch, u hebt er verstand van, ik kijk gewoon naar wat ik zie.'

Niet antwoorden, niet hoeven antwoorden en toch die vertrouwde kabbelstem naast hem blijven horen. De grote zaal in schuiven, wat een hoop mensen, muziek!, oh, het Mozart-divertimento, ze durven, mooi. Die vreselijke piëta, wat een verdriet had Ellen, hoe kán hij dat zo schilderen. 'De Postbode', god, daar zit Alma alleen op een stoel, wat kijkt ze strak. Waar is haar stok? O, op de grond, naast het podium. Lege stoelen daarop, wat slordig. Omhoogkijken. Het mes zien liggen. En wat het mes heeft aangericht. In de ogen kijken van de vrouw die een van de twee vissen aan haar borst drukt. Weten dat dit het meesterwerk is waar de broer een jaar aan heeft gewerkt, dat hij beschouwt als het finale bewijs van zijn kunstenaarschap.

De voeten niet meer kunnen bewegen. De scène op de wc totaal vergeten zijn. Weer naast Keetje Bellefroid staan, de regen horen en de vrouw zien.

Oscar draait zich om en rent de trap af.

8 Grimmig menuet

Er knaagt iets in Alma's heupgewricht. De kop van het dijbeen schampt keer op keer langs de uitgesleten bekkenkom waarin de stootkussens reeds lang vergaan zijn en van waar de rauwe zenuwuiteinden onophoudelijk hun wanhoopsboodschappen doorzenden naar haar brein.

'Laat je toch op de wachtlijst zetten,' zei Ellen. 'Zoveel mensen lopen rond met een nieuwe heup, dat kunnen ze tegenwoordig, je krijgt een pijnloos gewricht van kunststof waarop je vijftien jaar rond kan lopen, echt lopen, zelf lopen – doe dat toch, Alma, gun het jezelf!'

Even laat Alma zich gaan in die fantasie: wakker worden, de benen naast het bed zetten en niet, en nooit de pijn in het bot voelen schieten. Zonder stok naar de wc lopen. Misschien de heupen laten wiegen. Hoe dat voelt. Misschien dansen! De chirurg zaagt de femurkop af, houdt hem omhoog tussen duim en wijsvinger, de assistenten lachen, het afgedankte botfragment valt in het uitgestoken stalen bekken, tók; de omloopzuster gaat ermee naar buiten, het gebeente verdwijnt in de emmer voor menselijk afval, verkoolt in de verbrandingsoven, slaat als vette rook neer op de geparkeerde auto's van de ziekenhuisbezoekers. Alle vlees.

Hoe ligt zij er dan bij? Bewusteloos, met een slang door haar keel en een Pakistaanse anesthesist achter haar hoofd. Naakt en geschoren onder groene lakens, de spieren opengetrokken met haken, haar binnenste zichtbaar voor de nieuwsgierig op haar onderlijf gerichte blikken.

Alma gaat verzitten en schikt haar been in een positie die zo min mogelijk pijn veroorzaakt.

Nooit, denkt ze, nooit zal ik me zo laten maltraiteren dat ik wekenlang onbeweeglijk en onzelfstandig moet zijn. Misschien wel te krachteloos om te eten, misschien kan ik, mag ik niet overeind komen en geven ze me pap door een rietje. Kwijlen op de kussensloop, niet op tijd slikken, de pap uit de mondhoek laten lopen. Verachting zien in hun ogen.

Hoe zal zo'n jonge verpleegster de kamer uit lopen met een volle ondersteek waarin mijn pis zit? En hoe zal ik ooit liggend kunnen plassen? Wachten of iemand mij komt bezoeken. En als ze komen de ongemakkelijkheid. Je kan je niet verweren, niet even weg, maar ook niet boos worden want dan komen ze niet meer.

Haar gedachtenstroom neemt haar zodanig in beslag dat haar gezicht er nog geslotener uitziet dan anders. Langslopende gasten werpen een blik op de rechtop zittende oude dame in de glanzendblauwe japon; de pijnlijk strakgeknepen mond, een uitgerekt minteken, doet hen snel weer wegkijken.

Alma kijkt naar de stok die op de grond ligt, haar wapen, haar sleutel tot de mobiliteit. Soms heeft ze zo'n hevige pijn dat ze zich zelfs met de stok niet kan redden. En boodschappen doen gaat moeilijk, ze weigert om met een rugzakje te lopen.

Een looprek is de volgende stap. En dan de rolstoel. Geduwd door wie? Mijn eigen huis zal ook een gevangenis worden, waar zo nu en dan bewaarders binnenlopen om mij even te luchten.

Even ziet Alma een gemotoriseerde invalidenkar voor zich waarmee zij niemand ontziend over het plaveisel scheurt, de schrik van de buurt. Kinderen naar binnen want Alma komt! Zij zit gevangen tussen de dreigende dagelijkse aantasting van haar zelfstandigheid en de angst voor de totale overgave aan de narcose. Tussen deze klippen door zou ze graag wegrazen in haar toverstoel.

Zina komt op groene schoenen met zeer hoge hakken naar haar toe gewiegd.

'Wilt u een kaaskroketje? Ze zijn echt heel lekker!'

Alma schudt nee en kijkt hoe de volle, rechte, ongerimpelde

vrouw haar lippen om de kroket welft, en bijt, en slikt.
'Zal ik iets te drinken voor u halen? Of wilt u iemand spreken? Heeft Johan al even bij u gezeten?'
'Ik hoef niemand te zien, kind, en Johan spreek ik later wel.
Heb je zijn kinderen al ontmoet?'
Ongegeneerd stoken en manipuleren is een verborgen genot
van de ouderdom waar Alma graag en veel gebruik van maakt.
Het zou een les voor Johan zijn als zijn vriendin zich in zijn
zoon zou verlieven, het zou hem bewust maken van zijn leeftijd.
Welnee, het zou alleen míj bewust maken van zijn jaren.
Hem zou het woedend maken en onhebbelijk. Hij zou razend
worden op Zina, haar wegtrappen. Ja, ze moet weg met die zilveren schaal vol kroketten, oprotten, uit mijn zicht! Ik wil die
dijen en gezonde benen niet zien.
'Daar staan ze, bij de doorgang, zie je? Ze lijken allebei op hun
vader. Je moest maar even gaan kennis maken.'
Ook alleen-zijn is een ouderdomsplezier. Je niet meer laten
storen door onzin. Maar niets weegt op tegen het bittere verlies
van ongebreideld lichaamsbezit, niets. Niets helpt om de lange
nachten te verkorten, niets verzacht de vreselijke vraag: wanneer? en hoe?

Nu de zaal leger wordt, het loopt tegen halfzes, krijgt Alma
zicht op de muzikanten, die Mozart op de lessenaar hebben gezet. De polsbewegingen bij het strelen en masseren van de snaren met de strijkstok. De vingers van de linkerhanden die zich
bevend op de snaar zetten. De teder naar het instrument gebogen hoofden. Bah. Het geconcentreerde musiceren komt Alma
aanstellerig en weerzinwekkend voor. Van het langharige meisje had ze niet anders verwacht, maar van de jongens is het niet
om aan te zien. Charles met zijn altviool. Alsof hij alle viriliteit
verloor, een sentimentele wijkverpleegster die een te grote baby
zat te strelen, een beeld van slapheid en versuffing. Hij hield
ervan, hij deed het graag en te veel. Als hij speelde was zijn blik

naar binnen gekeerd en zag hij haar niet meer zitten. Hij hoorde haar niet spreken door de herrie die ze maakten. Bramelaar zat naast hem, Leo met de krullen, met een identieke altviool. Als je de muziek niet erbij zou horen kon je denken dat ze een stel uitgebluste, chronische patiënten waren in een gesloten psychiatrisch hospitaal, met hun schuine koppen en vibrerende handen. De geslachtsdelen lagen weerloos midden op de keukenstoel, opgeborgen achter de met knoopjes gesloten antracietgrijze gulp. De benen wijd. Soms keken Charles en Bramelaar elkaar aan als ze samen een zangerige passage speelden. Dan glimlachten ze als zoete meisjes.

Stampend ging Alma naar boven en deed het licht uit bij de jongens, onredelijk streng.

Toen kon ik nog stampen. Het huis uit lopen, de stad in. Niet uitrekenen hoever ik zonder pijn kon gaan maar vertrouwen op mijn benen.

Waar blijft Oscar eigenlijk, is hij in de voorzaal blijven hangen? Wat is het toch een sufkop, hij is er nóóit als je hem nodig hebt. Niet dat ze hem nu nodig heeft, eigenlijk. Misschien zou ze zich zelfs generen als hij ineengedoken naast haar zat op de invalidenbank. Maar ze zou willen zien hoe hij Johans schilderijen in zich opnam, wankelend van prachtdoek naar meesterwerk, zich langzaam maar zeker schamend voor z'n rancuneuze artikel, geen raad wetend, opgelaten. En dan de confrontatie met de broer, schreeuwen, ruzie, tot zij de stok zou heffen om hen tot de orde te roepen. Daarna een maaltijd bol van de weggewerkte razernij. Dat is leven.

Ineens ploft de journalist en kunstkenner Kerstens naast haar neer, al niet meer nuchter.

'Uw andere zoon, mevrouw, de kunsthistoricus, mogen wij die nog verwelkomen vandaag?'

'Ik geloof niet dat wij al hebben kennis gemaakt?'

'Nou, ik mag toch hopen dat u uw zonen kent,' buldert Kerstens. 'Neem me niet kwalijk, grapje, Kerstens, van de omroep, althans vandaag.'

Hij geeft haar een warme hand.

'Een zeer scherpzinnig artikel, ik zou hem daar graag over spreken, een interview misschien? Nou ja, ik bel hem anders wel.'

Met moeite komt hij overeind, maakt een buiging en loopt recht naar het drankbuffet.

Daar is hij. Eindelijk. Dan kan ik met hem en de stok eens langs de schilderijen lopen. Dat hij me zo lang laat wachten! Wat is dat voor vrouw naast hem? Wat een taart! Schotse ruiten en een plissérok, dat kán toch niet? Zou Oscar met haar? Zo'n oude vrouw, zo haast Belgisch opgedirkt, nee toch? Met grote ogen kijkt Alma naar haar eerstgeboren zoon. Ze ziet hoe zijn begeleidster vriendelijk naar hem lacht, en dat hij de glimlach retourneert. Ze wandelen langzaam langs de schilderijen, Oscar wijst iets aan, de vrouw knikt en luistert. Ze staan even stil bij 'De Postbode'. Dan draait Oscar zich om, zijn blik glijdt over haar heen naar het pronkstuk. Hij doet een paar stappen naar het midden van de zaal, om beter zicht te krijgen. Een halve minuut staat hij roerloos te kijken. Het lijkt of hij niet ademhaalt, hij is van was, een beeld. Verbaasd ziet de moeder hoe de gebogen rug van de zoon zich recht, hoe hij met een ruw gebaar de gezette vrouw van zich af duwt en snel, gedecideerd, zich uit de voeten maakt. Wat nu weer?

Hij zeilt de trap af en voelt in zijn broekzak naar de grote sleutelbos. Die moet je niet allemaal meedragen want je pak zakt ervan uit, zegt Alma, maar hij is nu blij dat hij het toch altijd doet. Jas ophalen? Nee, wachten in de garderobe, gedoe met een nummertje, geld, zo'n juffrouw met commentaar. Liever gewoon de deur uit, het is niet ver.

Aan het eind van de boulevard ziet hij het Nationaal Museum liggen, een massieve, donkere klont van steen, zich nog net aftekenend tegen de snel verduisterende hemel. Het wordt avond maar de wind gaat niet liggen, lijkt zelfs aan te zwellen als

Oscar uit de luwte van het Gemeentemuseum getreden is. De oude bomen staan te kraken, de storm sleurt hun takken heen en weer en borstelt het droge blad eruit. Er zijn nauwelijks mensen op straat, men zit thuis te eten en heeft de gordijnen gesloten. Niemand ziet de magere man met de bril die haastig door het afgevallen loof stapt en soms even huppelt, een enkele maal met zijn voet een regen van bladeren omhoogschopt, die in zichzelf begint te praten.

Niet door de bladeren schoppen, Oscar! Je kleren worden vies en je schoenen. Er ligt hondepoep op straat en daar trap je in. Denk toch eens na! Ja, ja, ik denk na, mama. En hoe! Ik heb dan wel geen kop waar je mee voor de dag kan komen maar wel hersens en wel een geheugen!

Wind in de rug. Het gevoel van vliegen, gedragen worden. Oscar spreidt de armen en maait als met molenwieken door de van achter komende windvlagen.

Bewondering! Nooit genoeg bewondering voor die kleine schat, voor dat begaafde jongetje met z'n originele tekeningen. Oh, en aah, en prachtig roepen ze allemaal, zonder na te denken en zonder zich te documenteren. Wat een oorspronkelijk artiest! Wat een nieuwe en gewaagde onderwerpkeuze! Ha! Modieuze kletspraat is het. Hij kan wél schilderen. En ik zie ook graag een schilderij dat iets voorstelt. Wat hij vroeger maakte vond ik wel eens erg mooi. Ik bewaarde een tekening van een stoomboot in mijn geheime la. Hij mocht het niet weten. Alma heeft hem gevonden. Op muizenjacht zogenaamd. Toen ben ik kwaad geworden, je moet uit mijn la blijven schreeuwde ik, daar mag je niet in zitten, dat is van mij. Ik piste in m'n broek van angst geloof ik, van verwarring. Dat zag ze niet. Het liep van achteren in m'n schoenen. De broek hing ik 's nachts uit het raam. Ik was bang dat ze mijn liedjes zou vinden en mij uit zou lachen. Die vond ze ook, maar ze begreep niet wat het was, ze kon geen noten lezen. Johan z'n tekening, dat viel haar op, daar was ze vertederd over. Dat je dat bewaard hebt, Osje, wat lief is dat! Ik verscheurde hem voor haar ogen, een vergissing, o lag die daar nog? Van vroeger zeker. Daar geef ik niks om. Rats, rats, weg. Ze gaf me een mep, ik moest naar boven. Pislucht. Maar hij kán tekenen. Ik kan denken. Mijn artikel zal niet onopgemerkt blijven. De bewondering laten verstommen, dat wil ik. De dames en heren van het slijmcircuit een klap op hun bek verkopen. Mijn broer een toontje lager laten zingen. Hij kán niet cens zingen! Hij kan het niet, hij kan het niet, hij kan het niet!

Hollen door de ritselende bladeren, zweven in de storm, op het donkere gebouw aan. De nachtportier scharrelt in zijn keukentje, hij zet koffie als Oscar binnenkomt en zijn hoofd om de deur steekt, een groet mompelt.

'Nou, veel weekend heeft u niet, meneer Steenkamer, zo te zien! Kon het niet tot morgen wachten?'

'Nee, ik ga het een en ander opzoeken, dat kan geen uitstel lijden. Je moet het alarm maar even uitzetten want ik ga naar de zolder.'

Oscar staat verbaasd van de vanzelfsprekendheid waarmee hij zijn gang gaat. Nu geen onhandige en misplaatste excuses, geen overbodige uitleg, geen aarzeling. De vleugels van de overmoed! Ineens staat hij in de lift. Het bovenste knopje. De goederenlift komt schuddend in beweging, het is een vierkante stalen kamer met butsen in de wanden. Je zou er kunnen wonen, het is groot genoeg.

Wat doe ik? Wat doe ik? Ik ga naar boven. In mijn eigen museum. De deur gaat niet open, hij klemt. De handgreep; de andere kant op. Goed zo, zie je wel. Lichten aan, alle lichten aan. Nu lopen zoals Keetje liep, daarachter, in de hoek, daar moet het zijn.

Met een slaapwandelaarsgang loopt Oscar tussen de rekken. Hij heeft zijn ogen half dichtgeknepen en ziet als een schim de volle gestalte van de secretaresse voor zich. Zij leidt hem naar de plaats waar hij moet zijn. Hij kan dan wel niet schilderen, maar aan zijn ruimtelijk inzicht mankeert niets. Met een scheef hoofd leest hij de plakkertjes aan de zijkant van de rekken af:

249

Schröder, Silbermann, Steenkamer. Hij trekt aan het rek, dat niet meegeeft. Met beide handen tilt hij de stellage omhoog, over het dode punt heen, en dan komen de schilderijen op hem toe rollen. Oscar denkt niet na. Voorzichtig maakt hij het portret van Alma los van het rasterwerk en zet het in het gangpad neer. Hij schuift de stelling terug en heft het portret op, met gestrekte armen. Hij ademt zijn jonge moeder recht in haar gezicht.

Johan zit gehurkt voor de oude vrouw. Zij ruikt de alcohol in zijn adem en voelt de zwakke luchtstroom tegen haar wangen. 'Ga nou eens mee, zal ik je helpen? Je moet toch tenminste één keer rondgaan om te kijken. Wat zit je hier toch de hele tijd!'
Kleine rode adertjes in het wit van zijn ogen. Vettige huid op zijn voorhoofd. Zweetpareltjes.
'Hij komt niet, hè? Hij heeft je brief nooit ontvangen. De taart was een vergissing. Hij komt niet.'
'Jezus, je zit op de uitkijk! Het gaat hier om mij, weet je nog? Dit is geen instituut voor gezinshereniging maar een museum waar ík hang. Of hij wel of niet komt en waar die brief is gebleven dat kan mij geen bal schelen. Daar gaat het niet om. Wat mij betreft is hij dood, verdwenen, neergestort, weet ik veel. Om mij gaat het hier en om níemand anders!'
Over zijn schouder ziet Alma hoe de muzikanten hun instrumenten inpakken. De altiste poetst haar viool schoon met een stofdoek. De cellist duwt de punt van zijn instrument naar binnen. Ze ontspannen hun strijkstokken en klappen de kisten dicht. Het is zes uur.
Johan staat op om hen te bedanken. Hij kijkt om zich heen, zoekend naar de directeur die ongetwijfeld een envelopje met geld in de binnenzak draagt om vaderlijk aan de muziekstudenten te overhandigen. Hij ziet in de grote, vierkante zaal vier vrouwen, vier kleuren. Blauw zit versteend op haar stoel, geel en rood vertrekken samen naar de voorzaal, groen keuvelt met de directeur. Daarheen dus.

'Even naar de Restroom?' vraagt Ellen.

Lisa knikt. Ze lopen samen de trap af.

'We gaan even daarachter op de gang zitten, uit de loop.' Lisa heeft haar schoenen uitgedaan, trekt haar benen op en slaat de armen rond de knieën.

'Zoals Johan dat kan,' zegt ze, 'zo doen wij het niet. Ik vecht niet. Ja, vechten voor je kinderen, of eventueel voor je huwelijk, voor rust in je huis, dat wel. Maar voor jezelf? Ik manoeuvreer de omstandigheden zo dat ik m'n zin krijg. Als het echt niet anders kan laat ik een ander voor me vechten. Daniël heeft op de kliniek de nieuwe spreekkamers erdoor gekregen, ik bleef rustig in een omgebouwde kast zitten. Jíj hebt het wel gedaan, met je scheiding.

Een vrouw met kracht vinden ze niet lief. En kennelijk zijn wij bereid om alles op te geven en in te leveren op voorwaarde dat ze ons lief vinden. De vaders en moeders, de mannen, zij. Moeilijk te verteren is dat. Je liefste wens? Dat ze me aardig vinden. Bah.

Zo'n vrouw als Alma, die echt altijd haar eigen gang is gegaan, die is ook niet lief. Ik ken niemand die haar aardig vindt, jij?'

'Nee. Maar ik ben wel op haar gesteld. Dat heeft dus met aardig zijn niets te maken. Was het niet echt, Lisa, haar kracht? Hoe kan dat nou, dat ze ineens haar leven laat bepalen door de gedachte aan een man? Moet je zien hoe ze erbij zit, boven, in afwachting, bang om haar jurk te kreuken, vol schaamte om haar stok!'

'Vaders,' zegt Lisa, 'het gaat om vaders. De goedkeuring van de vader. Je denkt dat je het overwonnen hebt maar zodra je niet waakzaam bent duikt het weer op, het verlangen om vaders liefste te zijn. Toch? Ik had geen vader maar ik werd de liefste leerling van alle docenten. Ik dacht dat het gelukt was om dat verlangen te overwinnen, maar dat is niet zo. Een meisje kan haar vader niet overtreffen. Uiteindelijk willen wij bij vader op schoot, voorgoed, voor altijd. Niet moeder. Vader.'

Zwijgend zitten de vrouwen tegenover elkaar en blazen het venster vol rook.

Hoe houd je een schilderij vast dat meer dan een meter breed is en twee meter hoog, zo groot dus als een buitenmodel keukendeur, als een klein tweepersoonsbed? Als je het in de breedte met gespreide armen omklemt sta je tegen het lijf van je moeder te schurken, als het een schilderij van je moeder is. Je kunt het omdraaien, of nee, dat kan je slechts met grote moeite en veel stoten en stommelen, misschien zelfs met omvallen van het stuk in kwestie of van jou; je kunt er beter voorzichtig omheen lopen, het met één hand fixerend tot je oog in oog staat met de linnen achterkant. Als je zo over straat gaat zien ze de kop van je moeder. En hoe ga je eigenlijk, in deze positie? Het hoofd draaien, het oor tegen het doek leggen en in Egyptische stand door het gangpad schuiven. Na tien meter prikt het al in je onderarmen. De poot van je bril schuift steeds omhoog, hij staat scheef op je neus en dreigt om te klappen, onvindbaar tussen de donkere rekken te rollen. De nek zijwaarts strekken om contact met het doek te vermijden. Na twintig meter het schilderij op de grond laten zakken en de armen even naar beneden bewegen.

Ze beschadigt zich als ik haar zo tegen de ijzeren rails zet, denkt Oscar. Voor je het weet staat er een moet in haar gezicht of is er een flard verf af geschraapt. Ik moet haar omdraaien.

Hij kruipt in de ruimte tussen schilderij en wand, hij omvat wederom de fluwelen vrouw maar schuift nu het doek vooruit zonder het op te tillen. Dat gaat een stuk sneller, maar iedere keer als de voeten tegen de lijst schampen vaart er een schok door de gespannen armen en dreigt het schilderij aan zijn greep te ontsnappen.

Oscar zweet. Hij trekt zijn das los en maakt zijn overhemd open als hij de deur heeft bereikt. Overmoedig kantelt hij het werk, dat met een knal tegen de grond slaat. Licht uitdoen, lift openmaken. Een karretje, zoals op het vliegveld, dat heeft hij nodig. Hoewel, de volgeladen boodschappenkar in de supermarkt heeft hij menigmaal tegen de schappen moeten laten botsen, uit pure onmacht om het ding te besturen. Hij duwt de zaak de lift in, met zijn blote handen, met zijn voet. Even op de grond zitten in dit kleine kamertje en bedenken hoe het verder moet. Voor Aeneas was het ook niet gemakkelijk indertijd, met die lamme vader op zijn schouders. En die is toch een heel eind gekomen. Of zou hij Anchises tussentijds hebben afgeworpen? Hij staat op en zet de lift in beweging. Het zoete schommelen stopt met een schok als de lift tot stilstand komt. Oscar opent beide liftdeuren en begint het schilderij naar buiten te zeulen. De portier komt nieuwsgierig naderbij.

'Help eens even, Bolkestijn!'

In Oscars stem klinkt een onverwacht overwicht door, waar de deurwachter voor zwicht. Samen dragen ze het kunstwerk de traptreden af naar de voordeur. Eenmaal voor de portiersloge aangekomen herinnert Bolkestijn zich zijn plicht en steekt hij een spaak in het wiel.

'De stukken mogen niet zonder toestemming het huis uit. Er moet een afgifteverklaring zijn. Ondertekend.'

Oscar zet de deuren open en fixeert ze met de ijzeren pinnen in de grond, alsof het zondagmiddag is en het publiek gaat binnenstromen.

'En wie moet die verklaring afgeven, Bolkestijn?'

'Hoofd restauratie en conservatie, meneer.'

Het schilderij staat met de lange zijde op de grond tegen Oscars benen geleund. Het komt tot boven zijn middel. Hij richt zich zo recht mogelijk op en probeert het hoofd enigszins achterover te houden.

'En wie is dat?!'

'Meneer Steenkamer, meneer. Uzelf, eigenlijk.'

'Nou, geef maar zo'n formulier. Dan teken ik.'

'Die heb ik hier niet, ik ga daar niet over, dat is boven, weet u.'

'Nou, wat zeur je dan! Goedenavond!'

Door de openstaande deuren komt een geweldige tochtstroom

op gang die Oscars broekspijpen doet klapperen. Zware wolken hangen boven de platanen op de boulevard. In de verte schijnen de verlichte vensters van het Gemeentemuseum. Oscar trekt met uiterste inspanning het schilderij omhoog en begint het naar buiten te slepen.

'Jij sluit af, Bolkestijn!'

De portier heeft geen woorden meer en kijkt verbluft naar de pezige man met de wonderlijke last. Hij trekt de pinnen uit de grond en sluit de deur.

Boven aan de witmarmeren trap staat Johan. Hij kijkt als een veldheer naar zijn terugtrekkende troepen. Het feest is over, de mensen gaan naar huis. Ze zoeken hun mantels, hun autosleutels en zijn met hun gedachten de deur al uit. Johan heeft hen de hand geschud, heeft hun dankwoorden en complimenten aangehoord en luistert nu naar zijn eigen gedachten. Er klopt iets niet: ondanks de loftuitingen, de perfecte opstelling van zijn werk, de aanwezigheid van vurig verlangde buitenlandse agenten en de toegenomen marktwaarde van zijn schilderijen is er geen triomf. Johan registreert en kruist de wensen op zijn verlanglijst af: alles gekregen, de buit is binnen. Waarom blijft er een bodem van onrust liggen, waarom is er een gevoel van ongestild verlangen waar alle verlangens vervuld zijn en aan alle verwachtingen is voldaan? Het is te veel, te veel, te veel; maar niet genoeg. Hij wordt staande gehouden door de Schotse schommel die hij de hele middag al door de drukte zag laveren.

'Neem me niet kwalijk, meneer Steenkamer, dat ik u zo aanspreek, ik ben van de overkant, van het Nationaal, de secretaresse van meneer Steenkamer, uw broer dus, die heet ook zo, dat is zo vreemd, maar ik wilde u dus vragen, hij is er steeds niet, steeds weer weg–waar hij is, dus, weet u het?'

Keetjes lippen trillen. Eigenlijk heeft ze een lief gezicht, denkt Johan. Mooie blanke huid, goed geplaatste ogen. Wel weer een vlinderbril daaroverheen. Zij typt dus de geheime nota's die iedereen zou willen lezen. Ze ziet er onomkoopbaar uit. Johan geeft haar een hand.

'Prettig kennis te maken, mevrouw. Mijn broer is nogal onberekenbaar. Als hij nu weg is komt hij vast niet meer terug. Het is bijna afgelopen, u ziet het.'

'Ja, ik ben wat ongerust. Hij deed zo vreemd. Hij was ineens verdwenen.'

'Heel aardig van u, maar u werkt toch voor hem? Dan zult u wel weten dat hij zich soms eigenaardig gedraagt! Ga nu maar uw jas halen, het komt wel goed allemaal.'

Hoofdschuddend gaat Kee de trap af.

Te veel, maar niet genoeg. Alle succes van de wereld, maar geen vader om ermee te verpletteren. Of om het aan te tonen, zodat hij trots is op zijn zoon.

Te veel gedronken, dat is het. Maar niet genoeg! Johan draait zich om, op weg naar meer drank. Vanavond blijven ze schenken zolang hij dat wil.

'Zo, m'n jongen, tevreden?'

Klaas Bijl legt zijn hand op Johans bovenarm en knijpt daar vriendelijk in. Johan kijkt op naar het ovale gezicht.

Ik hoef maar aan een vader te denken en er verschijnt er een. Ik wil hem schilderen, staande, naakt. Niet van vlees maar van hout. Ongelakt, gepolijst hout waarvan je de nerven ziet. Levend maar gevrijwaard van bederf. De pik van wortelhout, glanzend. Vindt hij nooit goed. Of wel? Hij trekt zich nergens iets van aan. Niet nu vragen. Te veel.

'Weet je, Johan, dat je dat lieve vrouwtje hebt laten gaan, dat is zo jammer. Ik was altijd zo op haar gesteld. Maar ik moet het daar nu niet over hebben, dit is jouw dag. Je gaat veel verkopen. Goed opletten hoor, geen stomme toezeggingen doen!'

Op haar gesteld. Ja ja. Ze had nooit een voet in dat maffe houtkantoor moeten zetten, dan had ze nu gewoon nog in mijn bed gelegen. Op de achtergrond, buiten zijn gezichtsveld, zet ik een zaag en een bijl. En aan de hemel een bliksem, of is dat wat

255

te veel? Beter een helblauwe zomerlucht, dat is mooi bij die houtkleur. Een ouderwetse bosarbeiderszaag met blinkende tanden.

'Ik zal me goed laten voorlichten, daar kan je verzekerd van zijn. Nu ga ik kijken of Kees een whiskey voor me heeft.'

'Doe dat, jongen, je moet goed drinken op zo'n avond.'

Bijl ziet een lok haar over een gezicht met gesloten ogen, een rok die op de grond glijdt. Lang geleden. Ellen weet wel wat ze doet. Waar bemoei ik me mee. Ik ga weg, lekker even door de wind lopen.

De wind pakt het schilderij zodra Oscar buiten is. Het wordt uit zijn handen gerukt en zeilt op eigen kracht de stoep af. Oscar komt er geschrokken achteraan en probeert het op te tillen. Tegenwind. Regendruppels. Nu is het zaak om de straat over te steken, dat heeft prioriteit. Daarna, op de boulevard, onder de bomen, is het stil en redelijk donker.

Hier lopen mensen en suizen auto's voorbij. Rechtop is een ongeschikte stand voor de oversteek omdat de storm dan meer vat heeft op het hoge doek. Oscar raakt uit balans en wankelt vlak voor een toeterende auto langs. Midden op de weg neemt hij het schilderij langszij, met het risico dat aanstormend verkeer er de helft van af rijdt.

Een fietser wijst met de vinger naar zijn voorhoofd.

Een taxi, denkt Oscar, maar dat gaat niet, het ding is te groot. Ging die wind maar liggen. Ik moet nadenken over zeiltechniek. Laveren. Met de wind pal tegen kan je alleen terugzeilen, daar heb ik niets aan. Omhoog maar weer, zoals op zolder, dat ging nog het beste. Ik houd het niet lang vol, pijn in m'n armen. Idioot, zulke grote stukken. Slaat nergens op. In godsnaam geen mensen tegenkomen nu. Een geschilderde dame met bewegende mannenvoeten eronder, daar gaan honden tegenop springen, daar komt de politie op af, dat wordt schreeuwen.

Hij schuifelt tussen de herfstbladeren, zijn bril is beslagen door vocht van beide zijden; hij ziet bijna niets. De wind schudt aan het doek. Het rimpelt, er staat nauwelijks spanning meer op. Er liggen afgerukte takken op straat. Het schilderij frontaal nemen, in de breedte dwars voor de buik? Met gebogen armen omklemt hij de lijst en houdt hem omhoog. Er klinkt vervaarlijk gekraak aan de zijkanten bij iedere windvlaag. Gevaar van breuk. Niet goed. Kan benen zo ook niet bewegen. Wat ben ik begonnen. Het is veel verder weg dan zoëven. Afrikaanse vrouwen dragen hele watertonnen op hun hoofd! Hij zet het schilderij rechtop voor zich neer en plaatst zijn hoofd midden tegen het doek. Dan komt hij omhoog, het schilderij met geheven armen boven zich torsend. Als een reusachtige vleermuis gaat hij over straat. De wind doet het schilderij omklappen, het slaat Oscar zo hard tegen de knieholten dat hij bijna valt. Met een schurend geluid zeilt het over het plaveisel, het waait weer op en slaat dan neer in het gras langs de weg. Oscar gaat ernaast zitten. Een pingpongtafel. Het regent.

Er is geen hulp. Omhoog weer, door het gras lukt het misschien beter. Slepen, desnoods door de hondepoep. Het haakt vast in de takken en de rotzooi die tussen de bomen ligt. Toch weer tillen dan? Ik kan niet meer, mijn armen doen het niet meer. Geen gelul, gewoon omhoog. Niet te snel, goed vasthouden. Jezus, die wind!

Omvergestoten door een stormvlaag stapt Oscar dwars door het doek. Tijdens zijn val voelt hij een vlijmende pijn in het onderbeen. Hij landt boven op het schilderij, trekt zijn been terug en is zijn schoen verloren. De broekspijp is van knie tot enkel gescheurd, bloed welt op uit het bleke been. Hij voelt niets meer. Hij zoekt de schoen onder het doek en trekt hem aan. Hij beeft. Er lopen tranen langs zijn neus. Naast Alma's hoofd zit een groot gat in het doek. Het zit te hoog om tijdens het lopen door te kunnen kijken. Op het schilderij zitten zwarte en groenige vegen. Er kleven bladeren aan. Een herfststuk.

'Moet ik je helpen?'

Een lachende man loopt op Oscar toe. Weg, doorlopen, maar

hoe? Oscar probeert een drafje en knalt tegen een plataan. De bril slaat van zijn gezicht, hij hoort hem tegen de stenen kletteren. Op handen en voeten zoekt hij, Alma staat dwars tegen de boom geparkeerd, zou die engerd hem achternakomen, hem omvertrappen? Beter maar doorgaan, zonder bril. Hij sleurt het schilderij als een sleepkar achter zich aan, hobbelend over de straatstenen. Hij boort zijn hoofd in de wind en ademt met gierende uithalen. Hij huilt maar weet het niet.

Tegen de zijgevel van het Gemeentemuseum kan hij zijn last neerzetten om het aanhangend loof te verwijderen. Het gezicht van Alma schemert vaag in zijn defecte blikveld. Hij veegt er met de mouw van zijn jasje overheen.

'Ik doe het voor jou. Ik moet wel. Dacht je dat ik het leuk vond om bewijsstukken van die zogenaamde vader van ons onder jouw ogen te slepen? Hè? Dacht je dat ik daar plezier in heb? Dat ik voor m'n lol het risico loop dat je alleen nog maar naar hém kijkt? Nou, ik kwakte de boel veel liever in de gracht, hoor je! Maar ik moet wel.'

Hij zit op zijn knieën voor het schilderij en gaat steeds harder praten.

'Ik doe het om jou! Ik heb nooit m'n mond opengedaan, Johan voor en Johan na. En waar was Oscar? Achter in de zaal, achtergebleven, vergeten. Je moet maar eens zien dat hij niet alles kan, dat hij niet de origineelste kunstenaar sinds Michelangelo is, die lieveling van je. Ik ben er toch ook nog!'

Snikkend spreekt hij zijn moeder toe. De regen stroomt gelijkelijk in zijn nek en over het bobbelige vernis waarachter zij zit opgesloten.

Als de omgang tussen volwassenen niet op gang wil komen of in stroeve stilte vastloopt zijn het de kinderen en de honden die verlichting brengen. Ze stoten de glazen van tafel en verenigen zodoende de vrouwen rond soplap en teil, ze maken geluiden die zorgen dat de mannen elkaar lachend kunnen aankijken. Zulke kleine ijsbrekers zijn in Alma's familie niet meer voorhanden, maar haar kleinzoons zijn in deze functie getraind en kennen hun plicht. Zij schuiven de beschikbare stoelen in de grote zaal bijeen en sporen de overblijvers aan om plaats te nemen. Paul schikt de overgebleven hapjes op een dienblad en gaat presenterend rond. Peter heeft zich samen met de directeur over de drankvoorraad gebogen en schenkt whiskey, jenever of wijn naar wens.

Het is voorbij, het is tijd om diep adem te halen en de benen voor je uit te strekken. Tijd om rustig rond te kijken om te zien wie er nog is, wie niet meer.

Zina is niet in de kring gaan zitten maar staat tegen de wand geleund en praat met Kerstens. Ze probeert hem te interesseren voor de in haar galerie tentoongestelde voorwerpen en toont hem haar halsband. Zijn blik zakt af naar de groen omzoomde boezem daaronder. Hij onderdrukt een boer en gebaart vragend met zijn whiskeyglas naar Paul.

'Jij zit toch in de redactie van dat kunstprogramma?' vraagt Zina. 'Het zijn echt heel goeie dingen, hoor, wat er zoal bij mij staat. Wil je niet eens komen kijken?'

'Zal ik eens naar jouw dingetjes komen kijken, ja, wil je dat?'

'Ja, leuk. En als je het goed vindt kan je het er misschien wel in krijgen, toch?'

'Ja, ja, dat zei die meid ook vannacht!' proest de kunstkenner door een flard fijne whiskeydruppeltjes heen.

'Sorry, meisje, het werd me even te veel!'

Zina, die zich door haar publiciteitszucht heeft laten meeslepen, wendt de steven.

'Weet je wat, je geeft me je kaartje en ik bel je volgende week, is dat goed?'

'Mag ik je tatoeëren?'

Kerstens pakt een viltstift uit zijn broekzak en begint een nummer in haar decolleté te schrijven. Het kriebelt, Zina giechelt, ze voelt haar prooi weer stevig aan de lijn zitten. Gelukt.

Als de vrouw met de vissen kon kijken zag ze het gezelschap in hoefijzervorm aan haar voeten zitten. Aan de ene kant Johan, die niet kan ontspannen en met een rest aan alertheid voor op de stoel blijft zitten, alsof het nog niet afgelopen is, alsof hij nog op iets wacht. De directeur zit naast hem en heeft de fles onder zijn stoel gezet. Hij is voldaan en tevreden.

In het midden zit Lisa, geflankeerd door Peter en Paul. Zij schuift haar stoel wat naar achteren, haar ingekeerde stemming is blijven hangen en ze geeft zich over aan verstilde observatie. Ze ziet hoe Ellens blik steeds afdwaalt naar de hoek van de zaal waar Zina met de journalist staat te lachen. Rechts van haar vriendin zit Alma, die de hele middag niet van haar plaats is geweken. Ook zij kijkt over de kring heen naar de zaalingang, zij wacht maar ziet niets komen.

'We zouden een kampvuur moeten hebben,' zegt Paul.

'Jongen, denk toch aan mijn verzekeringspremie!'

De directeur haalt de fles te voorschijn en vult Johans glas.

'Verhalen vertellen! Iedereen moet om de beurt een stuk van het verhaal vertellen, dat vond ik altijd zo spannend vroeger. Oma moet beginnen!'

Ellen glimlacht naar haar zoon. Achter hem ziet ze een meisje van bijna twintig jaar nu, een jonge vrouw met een ranke hals en een gaaf gezichtje. Haar lange veulenbenen hebben onder het korte rokje nog een kindermotoriek, alsof ze voor het eerst op hoge hakken loopt. Er is voor haar geen stoel en zij lost op.

'Lieve mensen, blijven jullie rustig nog wat zitten, voor mijn part de hele nacht, de portier kan jullie te allen tijde uitlaten. Ik wens jullie een aangename en smakelijke maaltijd!'

'Ga toch mee, man,' mompelt Johan, 'waarom moet je eigenlijk weg?'

'Vervelende vergadering morgen, wil nog wat nakijken en zo; nee, ik ben verguld met de invitatie maar ik kan er helaas niet op ingaan. Mevrouw, het was mij een genoegen!'

Alma krijgt een hand, de jongere dames een kus, de jongens een schouderklop. Johan loopt mee naar de doorgang. De directeur omhelst hem en overhandigt plechtig de halflege whiskey-fles. Zijn snelle stappen sterven weg door de voorzaal. 'Kom bij ons zitten,' zegt Johan in het voorbijgaan halfhartig tegen Zina. 'We nemen er nog een voor we gaan. Kerstbal, kan ik je bijtanken?' Donk, dónk, donk, dónk, hoort Lisa. Zij kijkt de kring rond. Johan is weer gaan zitten. Niemand lijkt iets te horen. Dónk, dónk, dónk, dónk! Is het haar eigen harteklop? Zij probeert haar schouders te laten zakken. Onderuit zitten. Rustig nu, ontspannen, er is niets aan de hand. De doffe slagen worden gevolgd door een slepend, schurend geluid. Zij draait zich half om in haar stoel en ziet Oscar de zaal in komen, bijna totaal verscholen achter een grijzige schutting.

Alma ademt snel in, ze wil iets zeggen maar er komt niets. Het gezelschap zit versteend te kijken naar wat er nu gebeurt.

Er is iets ergs, denkt Ellen, hij is z'n bril kwijt en zijn broek is geschcurd. Hij bloedt.

Oscar kijkt niemand aan. Zijn blik is gericht op de vrouw met de vissen en die richting gaat hij uit, met twee handen zijn manshoge last voortzeulend. Hij klimt het podium op. In zijn kuit is een diepe, bloedige schram te zien. Hij trekt het platte voorwerp omhoog. Er vallen bladeren af. Hij draait het moeizaam om en plaatst het tegen de muur, naast Johans meesterstuk. Met beide geheven armen drukt hij het tegen de wand. Het is een schilderij. Er zit een groot gat in de linkerbovenhoek. Het doek golft na als Oscar achteruitstapt. Het is een schilderij. Nu staan er twee schilderijen naast elkaar op het podium.

Zina voelt nattigheid. Wegwezen. Zij voelt feilloos aan dat zij, en zeker ook haar gesprekspartner, zich uit de voeten moeten maken. Zij duwt haar heup zachtjes tegen de journalistendij: 'Ik weet nog wel een leuke plek waar wij wat door kunnen praten. Ga maar eens met Zina mee, dan zal je wat zien!'

Ze gaat voor hem staan en buigt om iets aan haar schoen te verschikken. Even hangen haar borsten los in hun groene omlijsting. Kerstens is verkocht. Hij is te beneveld om in de gaten te hebben dat hij de lekkerste kunstprimeur van het jaar gaat mislopen, maar hij is nog net genoeg bij om het leuk te vinden dat hij er met de vriendin van de held vandoor gaat. Hij draait zich om en laat zich door Zina op sleeptouw nemen. Over haar schouder kijkt ze naar Johan: ik doe het voor jou, en voor de kunst!

Een taxi, grappen, voorspelgeklets. Met zijn kop in haar schoot valt de uitgetelde verslaggever op de achterbank in slaap; dat zal weinig problemen geven, ze moet morgen al vroeg op.

★

In de grote zaal hangt een ijzige stilte. Het harde witte licht komt van overal. Er staan twee schilderijen op het podium. Er zijn zeven mensen in de zaal die daarnaar kijken. De vrouw met de vissen heeft een zuster gekregen met blond haar en een zwart fluwelen jasje aan. Zij heeft ijsblauwe ogen en een prachtig gevormde mond met smalle lippen. In haar armen draagt de vrouw een reusachtige gestoomde makreel. Zijn kop rust op haar elleboog. Van onder het zwarte fluweel komt een lange rok met goudachtig oplichtende plooien.

De kleine blote voeten staan op een houten vloer. In de planken staan letters en cijfers gekerfd: Steenkamer 1945; Alma met makreel.

Bijna een halve eeuw, denkt Alma. God, wat haatte ik die vis. Ik moest en zou hem op die manier vasthouden en ik wist dat ik m'n mooiste jasje onherstelbaar aan het verpesten was. Het gaat er nooit meer uit, die stank. Fluweel kan je niet wassen. Wat heb ik al niet geprobeerd. Zeep. Vlekkenwater. Eau de cologne. Onuitwisbare kringen kwamen er in de mouw.

Alma had het jasje weggegooid; je blééf die ellendige vislucht ruiken. En hónger! Charles kwam thuis op de fiets met een groot pak in krantepapier. Op de tafel knoopte hij de touwtjes los: een vis zo groot als je nog nooit gezien had, met grijze en gouden golven op zijn vel en glimmende ronde ogen. Er zaten vetvlekken op de krant, de kwijl liep in haar mond. Alma moest haar avondjurk aantrekken en poseren. Inwendig huilend van de honger stond zij met de vis aan haar boezem, urenlang.

Hij had geruild met een visboer wiens schamele praam, vrouw of hond hij geportretteerd had. Kunst voor vis. Toen Alma hem even neer mocht leggen probeerde zij met een vork de vette vezels eruit te pulken. Woedend werd hij, zij tastte de ruglijn aan, zij was niet goed bij haar hoofd, zij vernielde zijn werk! 'De vis moet éérst,' riep zij, 'zwiep die rug op het doek, daarna zien we verder.' Gloeiend van woede stonden ze stil in de koude kamer. Na twee dagen stond de vis erop. Een vette, ronde rug. Gevuld. Toen haalde Alma de vis leeg en vulde bord na bord, eindelijk. Zij stopte het vel op met hooi uit de hooikist en stond nog weken met de rottende vissehuid in haar armen. 's Nachts ging hij op het balkon, met de teil eroverheen.

Dat de buren nooit over de stank hebben geklaagd! denkt Alma. Nooit heb ik meer zo'n grote makreel gezien. Dat ben ik, daar, met dat gave, bleke gezicht en die rechte houding. Ik.

Nog steeds zindert de stilte in de zaal. Oscar staat als aan de grond genageld voor het podium. Nu staat Johan op. Hij smijt het whiskeyglas op de grond. Hagel van scherven, een betrouwbare aankondiging van rampspoed.

'Wel godverdomme, Oscar.'

Zijn stem klinkt vreemd, geknepen. Langzaam draait Oscar zijn hoofd en tuurt in Johans richting.

'Was het niet genoeg, jaloerse onderkruiper, heb je het niet duidelijk genoeg in de krant laten zetten? Moest je mij bij nacht en ontij nog een hak komen zetten? Jij bent een miezer, een jaloerse zak!'

Hoe meer Johan praat, schreeuwt, hoe strakker zijn spieren gespannen raken. Het tempo wordt opgevoerd, de fusillade van zijn eigen scheldwoorden zweept hem op tot actie. Hij komt op de roerloze Oscar toe, eerst dreigend, dan snel, dan flitsend. Hij grijpt zijn broer bij de keel en schudt hem brullend door elkaar. Oscar krijgt het benauwd; zijn spartelbewegingen zijn niet moedwillig, maar lijken vanuit het ruggemerg te komen. Johans reactievermogen is door de drank aangetast en even verslapt zijn greep als hij zich door een plotselinge verandering in Oscars houding laat verrassen.

Oscar begint in het wilde weg met zijn armen te maaien, als een drenkeling in doodsnood. Per ongeluk raakt hij Johans neus. Het doet pijn, Johan slaat zijn arm voor z'n gezicht en krimpt ineen. Nu zet Oscar een sprint in, een blindelingse molleloop. Op hetzelfde moment is Alma overeind gekomen. Ruzie. De jongens vechten. Weglopen mag niet, het is nog niet klaar. Alma loopt naar Oscar toe en probeert hem aan zijn mouw te trekken. Hij duwt haar weg en stormt naar de doorgang, de zaal door, de trap af. Alma valt. De stok ligt nog onder haar stoel.

Mooie pose, denkt Johan. Prachtig, dat grijs en zilverachtig blauw bij het bleekblauwe gezicht. De stand van de benen verraadt dat er van lopen geen sprake kan zijn, een dubbele stilstand, fraai. Jezus, bloed op m'n pak. Als m'n neus gebroken is ga ik hem helemaal in elkaar slaan, ik vermoord hem, die achterbakse klootzak.

Tersluiks voelt hij aan de neus achter de bebloede zakdoek: het lijkt of er niets los zit. Alles doet pijn.

Gebroken bot. Ik moet in actie komen. Ik ben dokter, denkt Lisa. Ze schuift wat glasresten opzij en knielt bij Alma neer. Ademhaling, pupilgrootte, pols, positie van de ledematen. Luisteren, voelen, ruiken, kijken. Het bewustzijnsverlies is niet diep, ze komt alweer bij. Het rechterbeen is op een onnatuurlijke manier uitgedraaid. Niet aan zitten, niet bewegen. Vreselijk wat zich daarbinnen moet afspelen: botsplinters die zich door het beenvlies priemen, kapotgerukte bloedvaten die leeglopen in een ongeschikte ruimte, zenuwen die overbelast raken als telefoonkabels in het spitsuur, chaos en ontreddering. Zou ze een korset dragen, moet ik dat los zien te krijgen? Lisa voelt voorzichtig Alma's buik en beweegt daarna haar hand naar onderen. Vochtig. De blauwe zijde wordt donker van nattigheid en een scherpe pislucht stijgt op. Nu ziet ze hoe de urine zich langzaam uitbreidt tussen de oude-damesbenen.

'Ik kan het niet stoppen,' fluistert Alma, 'het komt gewoon.' De hele middag niet geplast, natuurlijk. Volle blaas. Geen controle meer vanwege de pijn, vanwege het bewustzijnsverlies, vanwege beschadigingen aan de zenuw? Wat een stank. Wat ontluisterend. Wat hopeloos.

Meteen toen zijn oma viel is Peter naar buiten gehold, hij roept al naar de portier terwijl hij van de trap raast: een ziekenauto, het alarmnummer, de dokter moet komen! Als hij beneden is heeft de portier de telefoon al in zijn hand. Hij spreekt kort in de hoorn.

'Over vijf minuten zijn ze er! Ik zal de deuren vast openzetten.'

Paul zit op de grond bij Alma. Hij heeft haar hand vast en praat in haar oor.

'Het geeft niets, oma. Het komt allemaal goed. We gaan naar het ziekenhuis. Ik ga met je mee, hoor. Je hebt iets gebroken. Het komt goed.'

Lisa heeft een handdoek gehaald die ze Paul aanreikt. Hij legt hem tussen Alma's benen en dept de pis van de vloer.

Ellen zit nog steeds aan haar stoel genageld en kijkt naar de schilderijen. De val van Alma is gewoon te veel. Ze registreert de gebeurtenis wel maar sluit zich ervoor af zodra ze de hulptroepen toe ziet schieten.

Eigen schuld, denkt ze onwillekeurig. Als je je kinderen zo mishandelt en verdoet moet je niet raar opkijken als je gestraft wordt.

Wat een gemene rotgedachte. Gelukkig zijn Peter en Paul aardiger dan ik. Johan doet ook niets. Zij eist alle aandacht op met haar breuk maar wie hier echt gebroken is is Johan. Plagiaat. Zonder dat hij het besefte.

Bij vader op schoot, zei Lisa. Hij ook, hij dus óók! Ellen kijkt Johan aan. Hij is bezig met zijn neus, met de vlekken op zijn overhemd, hij schopt de glasscherven bij zijn voeten weg. Het dringt niet tot hem door. Hij kan er niet tegen om pijn te hebben, zijn neus neemt al z'n aandacht in beslag. Wat hij over heeft gebruikt hij om Oscar uit te schelden. Hij weet nog niet dat hij aan de afgrond staat.

'Iemand moet die Karper afbellen,' zegt Johan. Dat zal Lisa doen. Zij loopt naar beneden, blij dat ze weer even bewegen kan. Familieomstandigheden, helaas. De oude mevrouw. Nee, niet dood. Beterschap, dus. Raar woord. Een sigaretje. Zou wel een borrel willen. Beter van niet, nu. De omstandigheden horen bij mij, de familie niet. Ik mag wel even weg.

De ziekenauto is gekomen en staat op de stoep met geopende achterkant en knipperende lichten. Twee brede mannen trekken de brancard naar buiten. Ze dragen witte overalls. De oudste heeft een grote snor, een dikke buik en een kale plek op zijn ronde hoofd. Hij heeft de leiding. De jongste heeft gereden.

'Een oude dame. Gevallen,' zegt de portier.

'Heupje zeker? Pak het luchtbed meteen maar mee, Sjon, anders loop je dubbel.'

Sjon neemt een fel oranje plastic pakket uit het binnenste van de auto en legt het op de brancard. De portier gaat de mannen voor naar de goederenlift.

De man met de snor fluit waarderend bij het betreden van de voorzaal die nog vol glazen en flessen staat.

'Zouden ze ons nog een pils doen, Sjon? Daarachter is het zeker, kom op, had ze maar niet moeten voetballen!'

Ze duwen de brancard met een vaartje de zaal in waar Johan en Ellen nog steeds tegenover elkaar zitten. Tussen hen in ligt de gevallen vrouw met een kleinkind aan iedere kant.

'En hier is de ijscoman!' probeert Sjon nog vrolijk. De grap sterft weg in de stilte.

'Oma,' zegt Paul, 'daar zijn de broeders van het ziekenhuis om ons te halen. We gaan nu.'

'Maar ik kan niet lopen, kind, ze moeten me dan maar tillen. Je blijft wel, hè?'

'Je gaat op het bed, dat hebben ze meegebracht.'

'Liggend?!'

Alma spert de ogen open. Boven haar hangt een goedhartig, rond gezicht met een roodbruine snor. De haren staan stijf naar beneden, als een ouderwets keukenborsteltje.

'Hoort u mij, mevrouwtje? We denken dat het niet snor zit daarbinnen. We gaan u eens lekker vastzetten want u mag niet bewegen.'

Sjon laat Alma het oranje pak zien en vouwt het uit.

'Een soort luchtbed. Van kamperen. Eronder schuiven. Om het been. Opblazen.'

'Je moet het uitleggen, Sjon. Je jaagt een mens de stuipen op het lijf met je opblazen. Kijk, u ligt op het matje.'

Hij schuift heel voorzichtig het plastic onder Alma door, haar gekwetste been minimaal van de grond los makend. Sjon zit met zijn knieën op de mat en houdt Alma's been in de oorspronkelijke stand. Van de pislucht lijken de twee redders niets te merken.

'En nou vouw ik het naar boven, dan zit het om het been. Straks trek ik de stop eruit en dan gaat het zwellen, alsof je je bed oppompt, ja? Helemaal om je been heen, lekker stevig. Een gipsbeentje van lucht als het ware.'

Snor, kamperen, een ontploffing? Alma heeft afgehaakt. Krampachtig knijpt ze in Pauls hand. Ogen dicht.

De oranje mat groeit uit tot een ware reddingsboot waarin het been stevig verankerd ligt. Voorzichtig schuiven ze de hele zaak over op de draagbaar. Paul haalt Alma's armen binnenboord. Ze wordt opgetild en op het onderstel gelegd.

'Mam, wij gaan mee naar het ziekenhuis. Kom jij straks ook? Of zal ik je bellen?'

'Ja,' zegt Ellen, 'of nee. Ik weet het niet. Ik bel wel daar heen, over een uurtje of zo. Als jij blijft. Haar tas, neem haar tas mee.'

'En de stok? Wat moet daarmee?'

'Die neem ik wel mee, lieverd.'

Sjon voor, Snor achter, Peter en Paul aan weerszijden. Alma ligt bleek, met gesloten ogen op de baar, vastgesjord met zilvergrijze riemen. Wat is het licht fel, het lijkt wel een zomerdag. In de roeiboot met Charles, schommelend in het riet. Waar zijn de vissen, hij had vissen voor me gevangen? Alles is weg, niet te vinden. Waarom zegt hij niets, waarom is hij de hele middag zo stil geweest? Niet praten, dan bijten ze niet, je jaagt ze weg, stil! Hij kijkt naar de dobber. Hij wil weg. Ik moet de boot uit, ik moet in het gras liggen waar de grond stevig is en niet onder me beweegt. Ik moet de vissen schoonmaken anders bederven ze. Het mes, ik ga ze openritsen en de ingewanden eruit halen, let op de galblaas, als je die laat zitten wordt de vis oneetbaar.

Van kop tot kont haal ik ze open, in één beweging. Het mes tuimelt weg in de diepte.

9 Een gast van lucht

Ik heb het gedáán, ik heb het gedáán, ik heb het gedáán! Op het ritme van deze gedachte loopt Oscar in straf tempo door de straten. Dat het accent nu eens op rechts, dan weer op links valt maakt zijn gang springerig, een snelle, voorwaartse dans. Zijn halfblinde ogen registreren het licht uit de etalages als geelwitte strepen, de voorbijgangers als zwarte onderbrekingen daarin. Hij heeft het gedaan.

Wat heb ik gedáán? Per ongeluk de neus van mijn broer gebroken, in het voorbijgaan mijn moeder omgegooid, niet expres. Het is gebeurd. Ik deed het. Dat hadden ze niet gedacht, o nee, Oscar zou wel braaf zijn en zich voegen, dat dachten ze, maar mooi niet.

Nu kan ik ook wel een aquarium nemen. Geen dieren in huis, vond ze. Goed, akkoord, als ze honden en katten in gedachten had. Een hond die zijn bek met kwijldraden op je broek legt. Die gromt als je je eigen kamer binnenkomt. Een kat waar iedereen bewonderend naar kijkt zodat je je schaamt als je hem het raam uit zou willen werpen. Een kat die onverhoeds op je schoot springt, je voelt de nagels door de stof heen de huid van je benen binnendringen, de gore klauwen waarmee hij zonet nog woelde door de stinkende kattebak onder het aanrecht. Flauwvallen van afschuw, de golf braaksel wegslikken, je vermannen om je hand onder de poezebuik te brengen, hem op te tillen, te hoog los te laten, zodat hij valt en de mensen je verwijtend aankijken. Je vingers ruiken naar kattehaar, je veegt ze tersluiks af aan de zitting van de bank. Nee, zulke dieren niet. Maar een simpele viskom met helder water en witte stenen? Een goudvis is het schoonste dier, hij doet niet anders dan zich wassen, zijn zwemmen is baden. Ik zou hem iedere dag op hetzelfde tijdstip voeden, hij zou me kennen en alvast naar de oppervlakte stijgen als ik naderbij kwam. Op mijn bureau moet hij staan, onder de lamp.

'Dan werk je niet goed meer,' zegt Alma. 'Het leidt af, zo'n beest voor je neus. Geen sprake van dat je dat krijgt, verzin maar wat anders voor je verlanglijstje.'

Ja, urenlang zou ik naar de vis kijken. Hoe hij zich waste door het water. Zijn gladde, onaantastbare lijf met het harnas van schubben. Als hij eet komt het afgewerkte voer er weer uit als een zwarte draad van ijzergaren die naar beneden valt en tussen de steentjes verdwijnt. Misschien zou ik er na een tijdje nog een bij kopen, een kleinere, om te zien hoe de vis met de oudste rechten de nieuweling opzij duwt en laat wachten tot hij zelf genoeg gegeten heeft. Misschien zou de oude de nieuwe bijten, het zijn roofdieren. Ze eten alles.

'Een aquarium, dat moet je schoonmaken. En wie doet dat?' vraagt Alma alvast beschuldigend. 'Bovendien gaat het lekken, er komt een barst in het glas en zestig liter water stroomt op de grond. Zestig liter! De kamer staat blank, de vloer gaat rotten, het huis stort in!'

Johan wilde een hond. Om de baas over te spelen zeker. Maar die kreeg hij niet, gelukkig. Niet mijn schuld. Alma. Zij was de baas. Geen tegenspraak mogelijk. Tot vandaag. De resten van haar echtgenoot heb ik haar voor haar neus gehouden. Zodat ze wel kijken móést. De overblijfselen. Zodat hij echt weg is. Een lege plek. Het hoofd van de familie, de man in huis. Ik.

Nu zullen ze me eindelijk serieus nemen. Na wat ik gedaan heb.

Hij bloedde. Zij viel. Ze zullen me doodmaken. Ze zullen helemaal niet naar mij luisteren want ik mag er niet meer in!

Oscar voelt een tinteling in zijn maag. Hij blijft staan en huivert.

Alleen op de wereld. Verstoten, verbannen. Geen moeder meer en geen broer. Zou Ellen mij nog willen zien? Nee, die kiest uiteindelijk toch voor Johan. Een halsmisdaad heb ik bedreven. Ik heb niet nagedacht. Als ik had kunnen denken had ik het nooit gedurfd. Ik heb niemand meer. Als Bolkestijn vertelt wat ik gedaan heb ben ik mijn baan ook kwijt. De conservator die door een schilderij trapt! Die de eigendommen van het museum door de regen sleept, zonder overleg! Rustig nu, rustig! Nadenken. Keetje, zou die nog, zou ik daar nog, of is ze ook...? Teleurgesteld natuurlijk, ik heb haar zomaar laten staan. Ze heeft me geholpen en ik liet haar alleen. Als zij hoort wat ik gedaan heb, hoe ik haar hulp heb misbruikt... Ze zal de deur in mijn gezicht dichtknallen. Waar woont ze eigenlijk? Weet ik niet eens. Rustig worden. Proberen om langzaam te denken. Ik moet vluchten. Ze wachten me op bij mijn voordeur, verborgen in het portiek. Nee, daar ga ik niet heen! Waarheen dan wel? Ik kan in cafés gaan leven, van het ene in het andere. 's Nachts in de koffiehuizen bij de haven. Als ze iets tegen me zeggen doe ik of ik doof ben. Doofstom, dat is het beste. Overal zit ik op een houten stoel en kijk. Maar ik heb geen bril. En geen geld. Naar de haven, het water. Dan kan ik denken. Daar zijn geen auto's en geen felle lichten zoals hier.

Oscar versnelt zijn pas. De kapotte broekspijp fladdert om zijn gewonde been en de sleutels rinkelen in zijn zak.

Misschien kan ik op de zolder van het museum slapen! Daar komt bijna nooit iemand, en als er iemand komt hoor je het. Je kan je daar goed verstoppen. Hoe kom ik binnen? Ze arresteren mij! Ik moet de sleutels kwijtraken, als ze die bij mij vinden is dat bewijsmateriaal, daar pakken ze me op. Ik moet ze kwijt! Ik moet hier weg. Dóórlopen. Het is hier zo wazig. Kijken ze naar me? Ze zitten voor de ramen, dat heb ik heus wel in de gaten. De vrouwen zitten voor de vensters in hun mooiste jurk, ze roepen mij, ze tikken tegen de ruit – als ik blijf staan komt hun man te voorschijn en slaat me in mijn nek met de zijkant van zijn hand. Zo gaat dat. Maar ik trap er niet in! Ik kijk niet, ik loop door. Ook als ze aardig doen, ook als ze zeggen: kom eens bij me, schat! Het is een complot en ik moet vluchten.

Als ik in veiligheid ben ga ik mijn been verbinden. Ik maak een verband van mijn overhemd. Dat is wit. Ik ben niet voor één gat te vangen, o nee! Ik krijg een baard omdat het scheren voorbij is. Als ze me voorleiden voor de identificatie glijdt Alma's blik over me heen. Nee, dat is mijn zoon niet. Mijn zoon draagt geen kostuum zonder overhemd. Laat die zwerver maar vrij, die is het niet. Mijn zoon is brildragend, weet u.

In de buurt waar Oscar nu loopt staan nog maar enkele bewoonde huizen. De afstand tussen de straatlantarens is groter geworden en het schaarse licht valt op rederijen, kantoren en opslagloodsen. Over het water leidt een brug naar een donker eiland met verlaten scheepswerven: kapotte hekken en doorgezakte gebouwen. Het einde van de stad. Hier begint het domein van de minimale mensen. Oscar brengt zijn looptempo wat terug. Zijn been steekt en doet hem hinken. Naarmate het donkerder en rustiger wordt om hem heen gaat hij dieper en langzamer ademhalen.

Hier zoeken ze hem niet. Hier is het veilig. Hij loopt over verwaarloosde spoorrails langs een kade. Het water glimt. Het is opgehouden met regenen. Aan zijn linkerhand staat een rij van houten loodsen met een overhangend dak. Daaronder ligt hier en daar een donkere bult: slapende zwervers. Niemand roept hem na, hij kan gewoon zijn gang gaan. In de verte ziet hij het schijnsel van een vuur. Daar gaat hij heen. Droog worden. Zitten. In veiligheid.

Het stenen gebouw heeft drie verdiepingen. Het is een pakhuis met deuren in plaats van ramen. Voor iedere deur is een breed laadplatform en elk platform is een zwerverswoning, ingericht met platgevouwen kartonnen dozen en plastic zakken als voorraadkast. Langs de gevel is een smalle brandladder aangebracht die de zwervers de hoogte in brengt. Op de bovenste verdieping is echter maar één plaats bewoond. Het tocht daar erger dan beneden en de daklijst geeft maar gedeeltelijk bescherming tegen het weer. Een brede man in een Noorse trui heeft daar z'n intrek genomen. Op de kade zitten een paar mensen bij een vuur. Een man met ijzeren tanden hapt de kroonkurken van de flesjes en spuugt ze rinkelend op de stenen. Een in een deken gewikkelde vrouw schuift losgewrikte latjes van een sinaasappelkist het vuur in en kijkt aandachtig hoe de opgedrukte letters verkolen. Er heerst een weldadige stilte, men kan het water horen likken aan de kade, het vuur horen knetteren, de drinker horen boeren. Men kan slepende, onregelmatige voetstappen naderbij horen komen. Men is niet bang. Men ziet de gehavende broekspijp rond een bebloed been, het verwilderde gezicht op een zenige hals, en men maakt plaats. Het ijzeren gebit reikt een fles bier aan. Oscar drinkt en voelt zijn dorst. Hij gaat zitten naast de vuurvrouw en herademt. Vrijheid. Rust.

De vrouw begint een kartonnen doos in stukken te scheuren om het vuur mee te voeden. Het gebit legt zijn hand op haar arm en knikt met zijn hoofd in Oscars richting: 'Niet doen, daar kan de professor op slapen! Niet dan? Een lekker matrasje voor meneer, zeker weten.'

Oscar is ontroerd. Ze zorgen voor hem, hij hoort erbij.

'Hebbie een deken, professor? Nee zeker, hè? Moejje een plastic nemen, met kranten eronder, dat is nog warmer ook. Dat leg nog bij de voorraad, niet?'

De vuurvrouw knikt. Zij legt het karton opzij en begint een stapeltje natte takken één voor één op het vuur te leggen. Het walmt. De lucht van kampvuur, avontuur. Van boven klinkt een onverstaanbare kreet.

'Scando wil een slokkie,' zegt het ijzeren gebit. 'Wie is de ober?'

Een kleine, magere man, een jongen nog, denkt Oscar, weggelopen van huis misschien, klimt rap naar boven met een geopende fles in zijn linkerhand. Oscar kijkt. De reus in de Noorse trui heft langzaam zijn hand op, in dank, zegenend, in vrede. Hij heft de fles met een proostend gebaar naar de nieuwkomer. Oscar bloost alvorens hij zijn halflege bierfles omhooghoudt ten antwoord.

De vlammen zijn uitgegaan. De vrouw is in slaap gevallen met haar hoofd tegen de takkenbos. Het enige licht komt nu van een lantarenpaal twintig meter verderop; het doet de tanden van het ijzeren gebit blikkeren. 'Hop,' zegt de man. 'Bier is van hop. We nemen er nog een, professor. Hoppekee, bier is gezond en ik kan het weten. Hiero, pak aan, voor jou.' Oscar komt half overeind om het flesje aan te nemen over de slapende vuurvrouw heen. De sleutels rinkelen in zijn zak. Jezus. De sleutels. Moet ik kwijt. Vergeten. Stom. Nu maar meteen.

Wankelend loopt Oscar in de richting van het water, hij hoort de kleine golfjes tegen de kademuur slaan. Het ruikt naar olie. Hij trekt de zware sleutelbos uit zijn broekzak. Een loper blijft haken in de naad. Oscar rukt er met kracht aan, nu moet het gebeuren. De sleutel schiet los, Oscar verliest zijn evenwicht en staat te balanceren aan de waterkant. Langzaam kantelend slaat hij voorover, de sleutelbos in zijn hand geklemd.

In het water voelt hij meteen de kou. Hij laat de sleutels los. Zijn volgelopen jasje belemmert armbewegingen. De benen zijn onbestuurbaar door hun zwaarte. Zij willen zakken. Kleine golfjes slaan tegen zijn gezicht zodra hij lucht hapt. Water, water. Met kleren aan te water in het Sportfondsenbad. Hoe de kou in je broek klom, hoe het water aan je schoenen trok. Zo geschrokken was ik dat ik vergat te bewegen en in het groene chloorwater wegzakte. De randen tussen de tegels waren golvende lijnen waar ik verbijsterd naar keek. De haak! IJzer achter in mijn nek, een ring van staal die me naar de oppervlakte sleurde waar juffrouw Ada stond, op de hoge rand van het zwembad. Benen als pilaren, waarboven een reusachtig, wit omhuld lijf begon, uitlopend in een gezicht dat maar met één woord was verbonden: macht.

'Jij daar. Wat zei ik. Intrekken-spreiden-sluit. Vingers boven water. Opletten.'

De schaamte. Ze horen het. Alma met Johan op de tribune. Juffrouw Ada kan je doodkijken, je moet haar ogen ontwijken want je raakt verlamd. Boos slaat ze met de haak op het water, pets, pets, pets.

Het mes. Ik heb de taart vermoord. Die van papa was. Ik ramde hem zo in elkaar met mijn zwaard. Tot er niets meer van over was. Wij hebben geen papa, zei ik tegen de jongens. Wij hebben helemaal geen vader nodig, mijn moeder heeft mij!

Opscheppen over hun vaders, dat deden ze, hoe sterk die waren en wat ze allemaal wel niet konden: motorrijden, zoveel patat kopen als je op kon, inbrekers vangen. Onzin, ik wilde er niets van horen. Ik heb altijd op Alma gelet, of ze tevreden was. Meestal was ze boos, dan kreeg ze de streepmond en wist ik dat er iets niet goed was. Maar wat? Ik kon het niet, die mond weg krijgen. Johan liet haar lachen. Ik heb haar in haar gezicht getrapt. Als het niet goedschiks kan, dan maar kwaadschiks. Per ongeluk-expres.

Steeds sterker suist het in m'n oren.

Geluid. Het eerste en het laatste. Het liefste. Ze maken muziek voor mij, ik moet luisteren, een melodie die op en neer gaat als de zeespiegel, er zingt een koor, Sanctus, sanctus – Frans? Modern maar toch met duistere romantiek – Duruflé? – Laat maar, luister maar.

Het is zeemuziek, we zijn op het strand, aan de rand van het water waar het zand hard is, met grote korrels, bruin, zwart, wit. Daar komt Johan, hij kan nog maar net lopen op z'n dikke beentjes. Hij rent. Ik doe mijn armen wijd en ga door mijn knieen. Hij houdt zijn bolle babyarmen omhoog en klemt schatten in zijn handjes: een schelp, een vuist vol zand. Zijn ogen schitteren, schuim spat over onze voeten. Hij schreeuwt van blijdschap terwijl hij naar mij toe holt: Osser, kom-es, kijk-es, kijk-es, Osser!

Glimlachend zweeft Oscar naar beneden.

Na de commotie met de ziekenwagen heeft de portier het licht gedimd.

Bijna languit liggen Johan en Ellen tegenover elkaar in de museumstoelen. Vanaf de wand staren de twee visvrouwen de zaal in, de naakte en de zwartgeklede. In het zwakke licht lijkt de vloer een strand bij laag water, de glasscherven glinsteren als parelmoeren schelpen en in de ondiepe waterplassen liggen aangespoelde voorwerpen: een sjaal, een vuil bord, een vergeten wandelstok.

'Geen poot heb ik voor haar uitgestoken,' zegt Ellen. 'Jij ook niet. Ze lag daar en ik dacht: nee.'

Een verse sigaret uit het pakje dat naast haar op de stoel ligt. Geen zin om een asbak te zoeken, de as op de grond laten vallen. De rook nakijken met het hoofd achterovergeleund tegen de comfortabele kussens. Het pakje vragend omhoogheffen naar Johan, die nee schudt.

'Al dagen ben ik met haar begaan en beantwoord ik haar telefoontjes, help haar met haar kleren en haar kapsel. Vreemd dat je ineens weet dat het nu genoeg is. Onze jongens zijn een wonder van medemenselijkheid. Als ze thuiskomt zal ze ons het bloed onder de nagels vandaan halen met haar eisen en geregel. Ze zal ons in beslag nemen en ongerust maken. Met of zonder heup. Wat heeft ze gefantaseerd, Johan? Dat Charles haar weer aan zijn hart zou drukken?'

'Ha! Dat ze hem haar stok tussen de benen zou steken zal je bedoelen! Nog meer volk om op te jagen en tegen elkaar uit te spelen. Weet je dat ik nooit, nooit van Oscar verloren heb vanaf dat ik vier was? Vanaf toen was ik sterker. Altijd gewonnen. Tot nu. De klootzak. Slaat me een bloedneus met z'n lamme handje. En dan weglopen, de schijterd.'

'Hij zag niks, z'n bril was weg. Hij was verschrikkelijk overstuur. Hield je van hem toen je klein was?'

'Van hem houden? Die worm? Die slijmbal? Ik háát hem,

verdomme, de stiekemerd. Wat heeft dat te betekenen, dat ge-
zeul met schilderijen? Waarom doet hij dat, achter mijn rug
om? Hij probeert mij kapot te maken en dan zal ik van hem
houden? Rotstukken over me schrijven en m'n vernissage
versjteren – kom nou, dat pik ik niet.

Zina is net op tijd met die journalist vertrokken. Dat had me
een rel gegeven, anders. Dan was ik goed op m'n bek gegaan en
had hij z'n zin gekregen, Oscar. Ze had het meteen in de smie-
zen dat het foute boel was. Ik zag hoe ze hem versierde. Hij had
hem om, hij volgde haar blindelings, de geilaard. Te stom en te
bezopen om iets op te merken. Gelukkig.'

Johan wrijft over zijn ogen en zakt dieper weg in de stoel.

'Die jurk is heel goed, weet je dat?'

Ellen knikt. Geronnen bloed. Zware wijn. Heel goed. Een uitgeputte jurk, een slagveldjapon. Past goed bij zijn neus.

'Altijd zat hij met Alma te smiespelen. Hij deed wat zij zei,
hij was er altijd. Als je naar háár keek zag je hém. Altijd slijmen,
altijd bang. Eigenlijk heeft hij nu voor 't eerst eens iets gedaan
uit zichzelf, iets waar iedereen woedend van wordt, een dááaad.
En dat ze naar hem keken, dat is ook voor het eerst. Iedereen
keek altijd naar mij. En dan smeert hij hem, de lafbek. Wat zou
hij willen? Kan me niet schelen ook. God, wat ben ik kwaad.
Kwaad, kwaad, kwaad!'

'Ze zijn allemaal gek in die familie van jou. Niet mee te leven. Gevaarlijke gekken. Zonder uitzondering. Een kooi vol
wilde dieren. Als ik naast Oscar in de Opera zit voel ik de spanning van hem af stralen. Het scheelt een vest! Hij vliegt van z'n
stoel van schrik als ik vraag of hij een pepermuntje wil.'

'Ellen?'

'Ja?'

'Denk jij nog vaak aan Saar?'

Ellen zucht. Een vraag waar geen antwoord op bestaat. Ja, altijd. Nee, nooit. Zonder aan haar te hoeven denken heb ik haar
altijd bij me. Het gemis is een hemd dat ik nooit uit kan trekken, ik kan niet ophouden een moeder van een dode dochter te

zijn. Diep van binnen ben ik aangetast. Een conditie. Een toestand. Het is zoals ik ben. Ik, dat ben ik met haar, met het gebrek aan haar.

Johan is doorgegaan met praten op een voor zijn doen zeldzaam zelfbeschuldigende toon. 'Je had aan mij niet veel toen, dat weet ik wel. Ik kon er gewoon niet tegen, ik wilde het achter me laten. Ik wilde mijn werk veilig stellen. Je sleurde me mee met je verdriet.'

Wordt het zelfverwijt een aanklacht? Ellen luistert vermoeid, niet wetend of ze wel op het onderwerp in wil gaan.

'Ik heb je in de steek gelaten, toen. En jij bent bij me weggegaan daarom.'

'Het was al lang fout tussen ons vóór Saar.'

Ellen is opgestaan. Vanwaar die plotselinge energietoevloed? Met kleine stappen loopt ze heen en weer tussen de stoelen. Het glas kraakt onder haar schoenzolen en haar rode jurk is een donkere vlek die Johans schilderijen verduistert.

'Kom bij me terug, Ellen.'

Wat krijgen we nou? Waar heeft hij het over?

'Zoals jij leeft, dat is toch armoe–zo'n pesthuisje in de stad, je afbeulen met die kutbaan. Het was een vergissing. Waarom beginnen we niet opnieuw? Wat wil je toch bewijzen met die zelfstandigheid?'

Uit alle macht de tijd tegenhouden, terugdringen. Soms gebeurt er iets waarvan je denkt: dit is niet meer te ontkennen, vanaf nu wordt alles anders, dit kan nooit meer niet gebeurd zijn. Een belediging, een verlating, een wond. De ochtend daarna word je wakker, te vroeg, verbaasd kijk je naar de wekker en je begrijpt de wijzers niet.

Ellen zucht. Waarom praten we over ons verdronken huwelijk en niet over wat er werkelijk aan de hand is? Waarom beseft hij niet welk lied die vrouwen zingen daar aan de wand waar hij niet naar kijkt?

Na haar telefoongesprek in de portiersloge is Lisa naar de toiletten gegaan. Met zwierige, schaatsende passen loopt ze door de schemerig verlichte gang. Zij voelt in elke flauwe bocht haar heupen en bestuurt haar voeten met uiterste precisie. Als het niet allemaal zo treurig was zou ze een liedje zingen, een walsmelodietje. Het strogele jasje zwiept over haar billen. Hoe intenser zij denkt aan dansen en schaatsen, hoe verder het beeld wegzakt van een geknakte vrouw, van beweging die pijnlijk gestokt is.

Ze knipt het licht aan in de betegelde ruimte en staat, nog nawiegend, voor de spiegel. Water over de handen en polsen laten lopen. Merken dat je moet plassen. Later je gezicht dicht bij de spiegel brengen. Een gesprek onder vier ogen.

Wat wil je nu, Hannaston? Naar huis? Er niets meer mee te maken hebben? Morgen gaat de bel al weer vroeg. 's Avonds rijd ik naar het vliegveld om mijn gezin op te halen. Daarna wordt er nog urenlang niet geslapen. Een lange dag. Je moet nodig gaan uitrusten.

Of wil je misschien blijven in dit rare paleis? Ik ben een belangrijke figurant in dit sprookje. Ik moest knielen bij de vergiftigde boze stiefmoeder, ik hield de prinses gezelschap en wie weet moet ik straks de prins nog troosten. Blijven, dus.

Lisa lacht zichzelf kort toe in de spiegel. Als je geen ridder bent maar slechts een page is het zaak de voordelen van die positie te zien. Wat had ze graag de tomeloze energie en de messcherpe overtuiging van Johan gehad, wat had ze graag als heldin in de schijnwerpers gestaan. Maar het is niet zo, het is nooit zo. Zij is anders. Dat zij niet van het hoge heldenpaard kan vallen als ze er nooit op gezeten heeft is nog de geringste troost; veel meer bevrediging geeft de grenzeloze gelegenheid tot gluren en speculeren.

Ouders en kinderen. Het kind moet de vader vermoorden en de moeder neerslaan. Maar hoe staat het met de kindermoord? Wat voelt het kind dat bestemd is om voedsel voor zijn ouders te zijn? Als mes en vork op tafel worden gelegd? Als de ouders vol verwachting hebben plaats genomen? Dan gaat het kind gehoorzaam tussen het mes en de vork liggen, gekromd als een forel. Dan wacht het kind stil af tot het vlees vezel voor vezel van zijn botten wordt getrokken.

Lisa kijkt en luistert naar de levensverhalen van anderen, met onstilbare nieuwsgierigheid en stille verwondering. Hoe doen mensen het, leven? En vooral: hoe pareren ze de klap, hoe krabbelen ze op na de nekslag, hoe vinden ze de ontsnappingsroute uit een gesloten huis?

Boven is een verhaal aan de gang met onbekende afloop, een verhaal dat er om schreeuwt bekeken en beluisterd te worden.

Schreeuwen doen Johan en Ellen niet als Lisa de trap op komt. Ze praten met stemverheffing, ze doen uitspraken waarin de heftige emoties aan de oppervlakte liggen en zelfs boven de gesproken taal uit komen, al hoorbaar zijn in de donkere voorzaal zodat Lisa schroomt om door te lopen. Zij wil niet zo ver gaan dat zij verstaat wat haar vrienden tegen elkaar zeggen. Zij wil niet het gesprek onderbreken. Zij wil niet weg. Wat nu? S'asconde sotto la tavola, schreef Da Ponte. Lisa gehoorzaamt aan een eeuwenoude theaterwet als zij snel onder het wijnbuffet kruipt en zich verbergt achter de overhangende tafellakens. In deze tent is zij even buiten tijd en ruimte geplaatst en kan zij zich rustig op haar eventuele actie beraden. Het gesprek dringt als onverstaanbaar gemurmel tot haar door; het weglopen van de sprekers zal ze zeker opmerken, ze moeten immers door de voorzaal om naar de trap te komen, en als het zover is kan ze de een of de ander achterna. Of beiden. Of niet.

Johan is ook opgestaan en bekijkt samen met Ellen de schilderijen.

'Het is goddomme exact hetzelfde, zie je dat? Dezelfde houding, dezelfde gezichtsuitdrukking, dezelfde plaatsing en functie van de vis! Hetzelfde formaat! Niet te geloven, onvoorstelbaar.'

280

Hij zakt op zijn hurken om de signatuur op het werkstuk van zijn vader te bestuderen. Verbijsterd ziet Ellen zijn ontspannen actie aan. Waarom is hij niet razend, wanhopig of totaal ingestort?

'Opnieuw beginnen! Dan moet je wel dat vraatzuchtige zangwonder aan de kant zetten. Dat is toch ook niets voor jou, zo'n operetteverhouding. Ik kap met Zina. Ik wil alleen nog met jou.'

Johan komt op haar toe, slaat zijn arm om haar heen. Woordeloos vlijt haar lichaam zich tegen het zijne, legt ze haar arm om zijn middel en voegt ze haar pas naar zijn tred. Langzaam drentelen ze samen langs de muren. De kinderen zijn uit huis. We hebben alleen elkaar nog.

'Wat betekent het voor je, dat schilderij?'

'Doek, verf, zalm. Makreel.'

'Nee, serieus. Het kan toch niet –'

Zijn tong legt de hare lam. Zijn hele warme lijf omsingelt en boeit haar. Handen op haar billen, in haar nek, op de geheime plek aan de schedelbasis. Deze aanval kan zij niet weerstaan. Ogen dicht. Meegaan. De handen onder zijn jasje, onder zijn hemd. Huid. De harige plek boven zijn billen. O Jezus, dit lied zit in de botten.

Zijn tong in haar oor. Zijn hete fluisterstem: 'Stil, stil. Ik wil alleen nog maar met je vrijen. Nergens iets mee te maken. Niet zeuren. Het is maar een schilderij. Niks aan de hand.'

Wel, wel van alles aan de hand. Het is een schilderij dat alles ontkracht, dat een kleine jongen van je maakt, dat jou doorstreept.

Medelijden. Ik voel mededogen met hem.

Meteen is alle vuur gedoofd. De beide dansers horen ieder een eigen muziek en dat is al snel aan hun bewegingen te merken. De veroveraar omarmt niet meer zijn prooi maar een troosteres.

'Je moet het als jongetje hebben gezien.'

'Klets nou niet zo. We kunnen samen naar Siena, naar Florence, als je die stomme baan opzegt. Volgende week al!'

Ellen slaat haar armen beschermend om zijn hoofd. Over de

donkere haren heen ziet ze de schilderijen. Haar ogen zijn vochtig en haar stem klinkt aangedaan.

'Johan!'

Het aan haar borst verborgen hoofd laat zich niet troosten. Johan heeft de knopen van de rode jurk opengerukt en de bh omlaaggeschoven. Hij bijt in de tepels, hij trekt met zijn tong een bezittend spoor rond elke borst, blaast over de tere huid bij de oksel, herovert het lichaam van zijn verloren vrouw. Maar zij gloeit niet. Zijn geschonden neus registreert geen opwinding bij de okselharen. Zijn lippen signaleren geen temperatuurstijging in de bewerkte huid en de tepels blijven week in zijn mond.

Hij maakt zich los, richt zich op, pakt haar schouders, schudt haar door elkaar.

Ellen sluit haar jurk, draait zich om en loopt naar de trap. Afgelopen. Opgelucht? Nog niet. Straks misschien. Alma opzoeken in het ziekenhuis. Oscar bellen. Zelf in eigen huis wonen. Lisa, praten met Lisa. Lopen. Van Johan weglopen. Omdat dat zo gaat.

Lisa, onder de tafel, ziet de voeten van Ellen langs het wijnbuffet slepen. Nu. Beslissing. De zaal in om de getroffen held tot zichzelf te brengen? Of de vriendin achterna om samen, gearmd, te vertrekken en dit enerverende drama achter te laten?

In elk geval het tafellaken opzij schuiven en in beweging komen.

★

Eindelijk alleen. De verwijtende, eisende en bemoeizuchtige vrouwen één voor één de deur uit gewerkt. Hoe staat het met mij? In de kop gonst een beginnende hoofdpijn, de benen zijn zwaar van de drank en van het staan. Er is een zeurderige spanning in mijn ballen. Met de hand in het kruis het nog licht gezwollen lid zijn plaats wijzen binnen de zijden onderbroek. Me

uitrekken, geeuwen, op de tenen staan; omdraaien.
Ja, een makreel en twee zalmen. De gelijkvormigheid is mooi.
Ik heb hetzelfde bedacht en gemaakt als hij. Erg?
Nee, zo voelt het niet. Raar genoeg ben ik er wel trots op, ik
heb het goed gedaan. Net als hij. Ik heb een vader!
Ontegenzeglijk heb ik nu een vader. Hij heeft het me voorge-
daan en ik heb hem nageschilderd, zo goed mogelijk. Het is
prachtig. Hij zal tevreden zijn als hij het ziet.
'Heel erg mooi heb je dat gedaan, jongen, het lijkt precies. Nu
naar bed, het is al donker. Kan je zelf je pyjama aandoen? Doe je
schoentjes hier maar uit, dan help ik je even met de veters. Als
jullie erin liggen kom ik even welterusten zeggen.'
Zijn hand door mijn haar. Een zoen. Alma rammelt met pannen in de keuken. Oscar loopt achter mij de trap op. Gaat hij
m'n benen pakken? Nee. Hij loopt langzaam en kijkt stuurs.
'Ben je boos Osser?'
De grote broer schudt zijn hoofd. Hij is niet boos maar ongerust. Hij helpt Johan zelfs met het zoeken van de hansop en het
uittrekken van de trui. Gelukkig, want soms is dat moeilijk en
is je hoofd gevangen in het breisel, je rukt eraan maar je armen
zitten vast en omhoog in de omgekeerde mouwen, je kan geen
kant meer op en als je schreeuwt krijg je wol in je mond. Oscar
trekt de armen uit de mouwen en schuift de trui voorzichtig
over mijn gezicht. Dan zitten we op onze bedden te luisteren.
Papa is nu ook in de keuken. Als ik groot ben wil ik een echte
pyjama, zoals Oscar heeft, en papa. Een pak van stof, met knopen. Helpt papa met de afwas? Ze praten, je kan het horen.

'Je kan kiezen: of je houdt op met die del, of ik vertrek.'
'Ze is geen del, ze is een heel begaafde kunstenares. Ze zingt
als een engel.'
'Dat kan me niet schelen. Ik accepteer het gewoon niet. Ik sta
je terpentijnlappen uit te koken en je huishouden te doen terwijl jij die zingende slet aan 't opvrijen bent. Ik pas daarvoor. Je
kan kiezen.'

"'t Is je eigen schuld. Je wijst me af, je zit op me te katten, je laat me niet vrij. Ik kan er niet meer tegen, Alma, ik wil het niet meer.'

Rinkelend gaat er een bord tegen de grond.

'Hij wil het niet meer!! Hij kan er niet meer tegen en gaat uithuilen aan de boezem van zo'n operanijlpaard!'

'Ja, ja, ja! Omdat jij me altijd zit te stangen. Nóóit is het goed, jij maakt altijd ruzie en spanning om je heen en als ik viool speel stamp je op de trap. Je bent een ontevreden mens, jij. Als ik met je wil gaan eten ben je misselijk en als ik met je naar bed wil heb je hoofdpijn. Je bent een vrouw van steen waar je je voeten tegen stuk schopt.'

Péts; een schaal knalt neer op de keukenvloer. Het schreeuwen verplaatst zich naar de gang vanwaar het veel duidelijker is te horen. Het klinkt of Alma en Charles aan het vechten zijn, je hoort krampachtig geschuifel, gesjor. Ze hijgen erbij.

'Laat me los! Ik ga!'

'Nee, we praten erover! In de kamer!'

'Geef m'n jas terug, ik wil weg! Nu!'

'Maar Alma, de kinderen! Je kan toch niet zomaar weggaan?'

'O nee? Daar laat jij je toch ook niets aan gelegen liggen? Mooie vader, die de helft van z'n tijd in het bed van een hoer ligt. Ik wens niet meer te discussiëren. Genoeg.'

De deur knalt. Wat later klinkt er gedempt gerinkel van scherven. Charles veegt de vloer. Een plopgeluid: hij schenkt zich een glas in.

Boven hebben de jongens hun nachtkleren aan gedaan. Zonder hun tanden te poetsen zijn ze zwijgend in bed geschoven. Johan heeft zijn sokken nog aan. Hij durft niet aan Oscar te vragen wat er is, of Alma terugkomt, waarom papa niet boven komt. Beide kinderen liggen stijf in bed, op hun rug, met wijd open ogen.

Wat is een del? denkt Johan. En kent papa echt een nijlpaard? Zou hij met het circus meegegaan zijn? Is mama daar boos om? Zijn er veel borden stuk? En waar is mama heen? Heeft ze haar jas wel aan?

Als er een auto door de straat rijdt komen er lichtvlekken boven door het gordijn die als een speelgoedtrein de hele kamer door schuiven. Oscar heeft ook zijn ogen open. Ze wachten. Het is heel lang stil. Dan horen ze een tinkelend geluid, gevolgd door zwaar gereutel. Charles belt iemand op.

'Leo? Het is zover. Je zou me een groot plezier doen als je me kwam helpen.'

'Ja. Achter op de fiets, een rijdt en de ander houdt ze vast. Dan gaat het wel. Er is geen wind vanavond.'

'Ja. Die laat ik ook bij je achter.'

'Tot straks, dan.'

Trage stappen op de trap. De deur kraakt open en Charles komt binnen. Het licht van de gang straalt om hem heen en maakt van hem een groot, donker beeld met een gouden rand.

'Kom er eens uit, jongens, kom eens mee naar mijn kamer. Ik wil jullie iets laten zien.'

Oscar in de gestreepte pyjama, op blote voeten, stapt onverschrokken op het zeil. Johan komt achter hem aan, in z'n hansop. Op Charles' kamer is de schemerlamp aan, het licht is geel. Hij draagt de zwarte trui met gele strepen, de schildertrui met daaroverheen het lekkere jasje dat ruikt naar tabak en vader.

Charles doet het grote licht aan als de kinderen binnen zijn. Oscar blijft staan bij de deur, hij leunt tegen de deurpost en kijkt met een angstig, stil gezicht onafgebroken naar zijn vader.

'Dit moeten jullie goed onthouden. Ik wil dat jullie goed kijken en het nooit meer vergeten. Dat jullie dat nog weten als ik, als ik er niet meer ben.'

Oscars wangen worden spierwit. Hij durft niets te vragen ('Ga je weg, papa? Wanneer kom je terug? Kóm je nog terug? Met wie? Waarheen?'). Johan kijkt even naar zijn broer, als er echt wat is zou Oscar wel z'n mond opendoen, nu is het gewoon iets wat gebeurt, uit bed mogen op een vreemde tijd. Zo vaak hebben ze, slapeloos op de jongenskamer, gepraat over opblijven – de hele nacht, zodat ze erbij konden zijn, bij wat de grote mensen deden. Ze zouden pas gaan slapen als het donker was, als het stil was geworden buiten, als alle anderen al lang naar bed waren. Nu is het zover, Charles praat niet over slapen en kinderbedtijd. Ze mogen zijn grote-mensendingen zien. Waarom is het dan niet fijn? Het móét spannend zijn, het is toch nacht en ze slapen niet? Johan steekt zijn knuistje in Charles' hand en laat zich leiden. Tegen elk van de vier muren van zijn werkkamer heeft Charles een schilderij geplaatst. Tegen de rechterzijwand staat meneer Bramelaar. Hij schaaft aan de hals van een blanke viool. Met grenzeloze precisie heeft Charles de gekromde houtkrullen geschilderd die op de werktafel liggen. Vriendelijk kijkt de vioolbouwer op van zijn werk. De grote handen liggen koesterend om het instrument. 'Hij is mijn beste vriend,' zegt Charles. 'Als ik hem niet had? Hij heeft mij geleerd hoe je kan zingen met een altviool. Ik wilde hem schilderen terwijl hij aan het werk was. Respect voor het materiaal heeft hij. En hij zet door, hij gaat door tot het helemaal goed is. Dat moeten jullie ook leren: van tevoren alles bedenken, hoe het worden moet, en dan doorgaan tot het precies goed is.'

Oscar heeft even een blik op het schilderij geworpen, hij begrijpt het wel want hij is gek op Bramelaar en het prachtige geluid dat uit de violen komt. Papa's beste vriend, vanzelf. Als Charles aan zijn boodschap begint laait de onrust weer op en kan hij alleen nog maar kijken naar de vader, zich afvragen hoe lang die nog vader zal zijn, of Alma terugkomt, of kinderen zonder ouders wel naar school mogen, of hij wel goed voor Johan kan zorgen in z'n eentje? Oscar voelt dat hij heel erg moet huilen maar dat durft hij niet.

Recht tegenover Oscar staat een heel groot schilderij tegen de muur. Het is Alma met een vis in haar armen.

'Is hij dood?' vraagt Johan.

'Het is een gerookte vis. Hij is al heel lang dood. Ik verwacht dat jullie lief voor je moeder zult zijn.'

Oscar is verstijfd van angst. Het is wáár, hij gaat weg! Als Alma terugkomt (maar wanneer?) zal ik alles doen wat ze zegt, alles, zodat ze nooit boos hoeft te worden. De kolen halen uit het kolenhok, dat kan ik best. En Johan naar school brengen, oppassen bij het oversteken. Afdrogen kan ik ook al. Als ze terugkomt. Johan snapt het nog niet, hij is nog te klein. Misschien is het allemaal niet waar. Maar waarom doet papa dan zo vreemd? Hij praat of wij grote mensen zijn. Ik wil het dromen en straks gewoon wakker worden.

Johan staat ademloos voor het kunstwerk. Hij zucht ten slotte en heft zijn handje op om de rug van de makreel te voelen, en de prachtige gouden plooien van Alma's rok. Met grote ogen drinkt hij de kleuren in, hij volgt de lijnen van de figuren en doet onwillekeurig Alma's houding na met zijn dikke kleuterarmpjes.

Ze stappen naar de linkerwand waar een breed schilderij hangt met een enorme zwarte stoomboot erop. Gele patrijspoorten, afscheid nemende mensen op de kade.

'Ga jij met de boot, papa?'

Charles heeft Johans hand weer gepakt.

'Je moet ijverig blijven tekenen, jongen. Elke dag. En steeds een beetje beter. Eerst bedenken wat je maken wil, en hoe, en dan tekenen. Je kan het, ik weet het zeker.'

Nu komen ze op Oscar toe lopen. Naast hem staat het vierde doek, een appelboom met een grijze, rafelige stam. Het is een heel oude boom die er moe uitziet, hij is al jaren en jaren oud, veel ouder dan papa of tante Janna, misschien wel zo oud als Sinterklaas, ontelbaar oud. Het is zeker herfst aan het worden op het schilderij want op het gras onder de boom liggen allemaal gele blaadjes.

De boom tilt zijn takken omhoog maar die zijn zo zwaar dat het haast niet gaat. Aan elke tak groeien wel honderd appels, kleine gele appels die stralen als sterretjes, vrolijke, onbekommerde appels aan een droevige boom die bijna niet meer kan.

'Zo is het,' zegt Charles. 'Meer kan ik er niet over zeggen. Zo moet je leven. Dit is hoe het is.'

Hij legt zijn ene hand op Johans lage schouder en zijn andere in Oscars nek.

'Nu gaan we naar bed. Jullie gaan slapen. Niet meer eruit komen. Het is nu nacht.'

Johan loopt, ineens tollend van de slaap, vooruit over de gang. Hij is dronken van de schilderkunst, de gouden makreel blijft voor zijn ogen schemeren. Oscar kijkt naar zijn vaders gezicht. De vragen koken in hem als lava in een vulkaan: waarom, hoe nu verder, wat is er toch aan de hand, leg het uit, vertel het, zeg iets, papa, papa! Charles drukt de jongen met de al spichtige benen en de onhandige motoriek even tegen zich aan. Oscar ruikt de verflucht van de geelzwarte trui, de troostrijke geur van het jasje. De tranen zitten vlak achter zijn ogen maar hij is groot, hij huilt niet.

'Goed voor haar zorgen, hè? Dat kan jij wel.'

Maar waar is ze dan? Komt ze wel terug? Waar moet ik haar vinden?

'Het telefoonnummer van tante Janna ligt op een briefje naast de telefoon. Je kán toch opbellen?'

Oscar knikt. Hij weet hoe het moet, je hoort de toon en dan draai je het nummer met de nul ervoor. Als je het goed doet komt er een andere toon, dan kan je het volgende nummer draaien. De cijfers leest hij als de beste. Daarna hoor je de telefoon overgaan aan de andere kant. Als iemand hem opneemt (mama!) zeg je je naam. Je kan ook hallo zeggen, dat woord hoort bij opbellen. Als je niet kan praten, zoals nu, als je keel helemaal dichtzit, hoe moet het dan? Charles heeft Johan ingestopt en een kus gegeven.

'Dag lieve jongen van me. Ga jij maar mooi makrelen schilderen. Goudverf moet je hebben, dan lukt het wel.'

Nu is Oscar aan de beurt. Hij is zo stijf dat hij niet lekker kan liggen. Hij is net zo koud als de kille lakens. Met grote schrikogen ziet hij hoe Charles de deken wat optrekt, hem even aankijkt, vreemd met z'n mond trekt en naar de deur loopt. De vader stapt de gang op en sluit de kamer.

De deur van papa's kamer gaat steeds open en dicht. Hij is aan het schuiven met dingen, over de gang, de trap af. Hij tilt iets langzaam naar beneden en komt dan vlug weer de trap op rennen. Je denkt: hij zal binnenkomen en zeggen dat het een grapje was, alles is weer goed, mama is ook weer thuisgekomen en niemand gaat weg, nooit. Maar hij opent de andere deur en begint weer met iets groots te zeulen. Hij vloekt binnensmonds en je hoort iets tegen de muur stoten.

'Verdomme, zo lukt het niet. Omdraaien dan. Wat een onzalig formaat. Touw moet ik hebben. En de dekens.'

Het klinkt of er houten latten de trap af worden geschoven: dzjoenk, dzjoenk – te zwaar om te tillen.

Dan gaat de bel. Oscar zit meteen overeind. Hij fluistert: 'Ben je wakker?'

Ja, Johan is wakker geworden van de bel.

'Is dat mama?'

Nee, denkt Oscar. Mama belt niet, die kan zelf naar binnen met een sleutel. 'We gaan kijken. Uit het raam.'

Het raam, tussen hun bedden in, staat op een kier. Voorzichtig opent Oscar beide vensters. Op het laatste gaatje. Aan weerszijden van de middenstijl stellen de jongens zich op. Ze hangen over de vensterbank, het gordijn als een sluier achter hun hoofden.

Er is niets te zien op straat. Het is een windstille nacht, de lantarens staan als kaarsen te branden en de schaduwen van de bomen bewegen niet. De deur gaat open. Ze zien de krullen van meneer Bramelaar. Zijn hoofd staat als een zwart rondje op zijn bolle lijf. Papa komt ook naar buiten. Samen dragen ze iets groots, een tafel zonder poten of een reusachtig schoolbord. Het zijn de schilderijen. Papa heeft ze bij elkaar gebonden met touw en ingepakt in de grijze deken die altijd op zijn kamer ligt.

Het is zwaar, meneer Bramelaar zucht en steunt. Hij wrijft zijn handen als hij het pak even mag loslaten.

Papa pakt zijn fiets. Heel voorzichtig zetten ze het grote pak dwars op de bagagedrager. Aan het achterwiel zitten de voetsteuntjes voor kleine jongens die achterop mogen. Ze zijn nog uitgeklapt. Papa heeft de altviool op zijn rug. Die gaat ook mee. Meneer Bramelaar pakt papa even bij zijn schouder en zegt iets wat ze niet kunnen verstaan. Papa schudt zijn hoofd en pakt het stuur van de fiets. Hij gaat ermee lopen. Meneer Bramelaar loopt aan de andere kant en houdt het grote pak met schilderijen vast. Je ziet ze langzaam lopen naar de hoek van de straat waar de lantaren staat. Behoedzaam maken ze de bocht en dan zie je nog even het gezicht van papa in het lamplicht, tot de mannen achter de huizen verdwijnen.

Heel stil is het in huis. Oscar doet het raam weer op een kiertje. Ze gaan in bed liggen, dat hoort zo als het nacht is. Misschien is het zo stil omdat de grote mensen al slapen. Misschien zou Alma naar boven roepen als Johan de gang op kwam om te plassen. Misschien zou je naar beneden kunnen gaan om een boterham te pakken, dan zouden ze zeggen nee hoor, geen sprake van, morgen kan je weer eten. Misschien.

Als het zo stil is, merk je er niets van dat iedereen weg is.

'Osser?'

'Ja?'

'Mag ik in jouw bed?'

Oscar ademt uit. Gelukkig vráágt hij niets, geen moeilijke vragen waar je een antwoord op moet verzinnen omdat je het niet weet, geen vragen waar je van moet huilen zodat je helemaal niets meer kan bedenken.

'Neem je kussen mee, kom maar.'

Oscar slaat de dekens terug en gaat tegen de muur liggen. Zo is er plaats voor zijn broertje dat met kussen en beer naast het bed staat.

Johans benen komen tot Oscars knieën. Johan is nog klein, maar toch kan hij al een beetje troosten.

'Wij zijn samen, hè Os?'

'Ja Johan, wij zijn samen.'

Johan pakt de hand van zijn broer en schuift dicht tegen hem aan. Oscar voelt koud, hij moet weer warm worden.

'Wij slapen nu, hè Os?'

'Ja. En morgen gaan we naar beneden. Dan gaan we opbellen. Naar tante Janna. Ik kan het nummer lezen. Dat doen we.'

'Ik help je wel, hoor.'

'Ja, goed.'

Als Johan zijn ogen dichtdoet ziet hij het schilderij voor zich, precies zo mooi als het was. Alma kijkt een beetje streng, maar zo is ze. De vis glimt alsof het een tovervis is, alsof hij licht geeft van binnen uit zijn lijf. De vis ligt tevreden in Alma's armen. De vader is vertrokken, hij liep de hoek om en weg was hij. Echt.

Johan rilt. Ik zou weg moeten gaan, wat doe ik hier nog. Opstaan, jas aan, naar huis.

Hij blijft zitten in de brede leunstoel, recht tegenover de twee schilderijen. Zitten en wachten. Wachten? Wat er gebeurt. Ja. Wachten. Ik laat mijn voeten naast elkaar op de grond staan. Die staan daar best. Mijn handen op de leuningen. Ik hoef niets te pakken. Ik beweeg niet meer. Ik wacht. De gastheer kan niet weggaan totdat alle gasten geweest zijn.

Beneden in het museum klapt een deur dicht. Is dat Ellen die weggaat? Heeft ze gehuild op de wc, is ze daar gebleven om haar gezicht te wassen en te bedenken wat ze ging doen? Of Lisa die eindelijk besloten heeft weg te gaan?

Johan zit als een standbeeld, ogen dicht. Waait er een vlaag vochtige lucht de trap op? Is er iemand binnengekomen, klinken er trage voetstappen op de trap? Wie weet komt er een man de zaal in, hij is natuurlijk oud geworden maar onder zijn openvallende jas zie je de geel met zwarte schildertrui. Hij hijgt een beetje van de klim en kucht beleefd om zijn komst aan te kondigen.

'Zo m'n jongen. Je hebt het gedaan. Heel erg mooi. Je meesterstuk.'

De vrouwen schuiven over elkaar tot een Alma die op Ellen lijkt. De gouden makreel krijgt een zilveren glans. Heel vaag is op de voorgrond de schim van een zalm te zien en glimt het lemmet van een fileermes door de gelige rokplooien. Johan zucht. Wat prachtig. Nu heeft hij het minder koud en voelt hij zijn lichaam weer. Hij ziet dat zijn handen rusten op twee zware armen. De stoel is hoger geworden, en warm, een behaaglijke gloed straalt tegen zijn billen en dijen. Hij ruikt een lucht van terpentijn en tabak. Nu je hoofd laten zakken tegen de wollen trui, de stevige armen staan als een haag om je heen. Alles is goed.

Boda – Amsterdam 1993

Ander werk van Anna Enquist:

Soldatenliederen (1991, gedichten)
Jachtscènes (1992, gedichten)
Een nieuw afscheid (1994, gedichten)
Klaarlichte dag (1996, gedichten)
Een avond in mei (1996, tekst herdenkingstoespraak 4 mei)
Het geheim (1997, roman)
De kwetsuur (1999, verhalen)
Gedichten 1991-2000 (2000)
De tweede helft (2000, gedichten)
met Ivo Janssen: *Tussen boven- en onderstem* (2001, cd)
idem: *De erfenis van meneer De Leon* (2002, cd)
Hier was vuur (2002, gedichten)

Het geheim

Bouw Kraggenburg denkt dat zijn ex-vrouw, de pianiste Wanda Wiericke, in Amerika woont en werkt. Maar op een avond leest hij in de krant dat zij begin jaren tachtig door ziekte gedwongen werd haar muzikale carrière op te geven. Wanneer Bouw erachter komt dat Wanda zich heeft teruggetrokken in een dorpje in de Pyreneeën stapt hij in zijn auto met het vaste voornemen de vrouw op te zoeken die haar muzikale ambities belangrijker vond dan haar huwelijk met hem. Zo naderen heden en verleden elkaar gaandeweg in *Het geheim*. Het heden wordt afwisselend getoond door de ogen van Wanda en Bouw. Daartussendoor ontvouwt zich in korte scènes de levensgeschiedenis van Wanda Wiericke, waarin geheimen een grote rol spelen. Eén tragisch geheim is allesoverweldigend – en uiteindelijk kan alleen de muziek troost bieden. *Glücklich ist... wer vergisst... was doch nicht zu ändern ist.*

*Een volbloed muziekroman. – Rob Schouten in *Trouw*
*Anna Enquist heeft verstand van gevoel. – Aleid Truijens in *de Volkskrant*
*Enquist heeft met haar nieuwe roman een op z'n minst tweetalig boek geschreven: verteltechnisch knap en inhoudelijk aangrijpend. – Joris Gerits in *De Morgen*
*Het resultaat van dat alles is een boek dat een glashelder beeld geeft van eenzaamheid en pijn en dood, en angst voor dat alles. Enquist noemt de dingen bij de naam. – Hans Goedkoop in NRC *Handelsblad*

De kwetsuur

Een schrijfster komt na een merkwaardig verlopen literaire avond terecht in een vreemd bed en brengt de nacht door met een mysterieuze minnaar die haar na afloop een zorgvuldig bewaard object toont. Naderhand komt ze tot de ontdekking dat van de minnaar moet worden gezegd wat altijd over het object (een verdwenen Vermeer) vermeld is: écht bestaan maar toch verdwenen.

Een botvisser en zijn twee zonen gaan, in de veronderstelling dat de vis bij vrieskoud weer voor het opscheppen ligt, met een slede de bevroren Zuiderzee op. De vangst is inderdaad enorm, maar dan slaat het weer om en komen ze tot de ontdekking dat ze zich op een op drift geraakte ijsschots bevinden.

Een ogenschijnlijk harmonieus en sociaal voelend gezin, goeddeels werkzaam in de gezondheidszorg, nodigt een psychiatrisch patiënte uit om deel te nemen aan een familiediner. Het etentje loopt enigszins uit de hand, maar niet alleen omdat er iets mis is met de gast.

De personages in deze bundel raken, in hun pogingen houvast te krijgen, niet zelden verwikkeld in een verbeten strijd—tegen zichzelf, tegen de anderen of tegen de elementen. *De kwetsuur* is een verzameling verhalen die onmiskenbaar het stempel van Anna Enquist dragen, de vertelster die bijna achteloos maar in messcherpe lijnen een intrige kan neerzetten die raakt, emotioneert en beklijft.

*[...] perfect gedoseerde tweetaligheid van techniek en gevoel. – Eva Berghmans in *Standaard der Letteren*
*Mensen tonen zoals ze niet gezien willen worden, als ze irrationeel, instinctief of dwangmatig handelen om hun huid te redden, dat is het grootste talent van Anna Enquist. – Aleid Truijens in *de Volkskrant*
*Wie ooit per ongeluk op de verkeerde Franse camping is terechtgekomen zal het bij het mooi-ranzige verhaal 'Finale' opnieuw Spaans benauwd krijgen. – Robert Anker in *Het Parool*

De poëtische oogst van Anna Enquist, een van de geliefdste Nederlandse dichters, nu in één band.

Anna Enquist maakte begin jaren negentig een stormachtige entree in de literatuur – als dichter wel te verstaan, want als romancier debuteerde zij pas vier jaar later. Voor haar debuutbundel *Soldatenliederen* (1991) ontving zij meteen de C. Buddingh'-prijs, en haar tweede bundel *Jachtscènes* (1993) werd bekroond met de Lucy B. en C. W. van der Hoogtprijs. Daarna verschenen nog *Een nieuw afscheid* en *Klaarlichte dag* (in 1999 verschenen in een tweetalige Duitse editie), die de verkoopcijfers van haar debuut achternagaan.

Het succes van Enquists poëzie mag verbazen gezien de doorgaans bescheiden verkoopcijfers van dichtbundels, feit is dat haar krachtige gedichten snaren raken bij meer dan een klein gezelschap fijnproevers. Hoe werkelijkheidslievend of anekdotisch de poëzie van Anna Enquist op het eerste gezicht ook moge zijn, haar volstrekt eigen, elementaire idioom en beeldentaal tillen die gedichten steeds weer naar mythische dimensies.

* Als elke poëzie haar eigen smaak en geur heeft, dan is die van Anna Enquist vol en kruidig. Gedreven en energiek ook [...]. Het is vooral het heftige temperament van de schrijfster waardoor haar poëzie er binnen Nederlandse verhoudingen uitspringt, de ongetemperde emotionaliteit. – Rob Schouten in *Vrij Nederland*

De tweede helft

Het is mogelijk de poëzie van Anna Enquist te lezen als een aanhoudend en verbeten verzet tegen het verstrijken van de tijd – en dat met de wapens van de taal. De titel van deze bundel geeft uitdrukking aan het besef dat het midden van de levensweg reeds gepasseerd is, dat het beslissende deel is aangebroken. Maar tot berusting leidt dat allerminst. Degenen die in haar gedichten aan het woord zijn, worden liever strijdend dan lijdzaam verslagen door de allesverpletterende dood: 'Het mes maakt je hard'. De tweede helft mag dan wreed zijn en de dagen loodzwaar, de kracht en het genoegen om weerstand te bieden is onverminderd aanwezig: 'En nu:/aan het werk. Het kan niet/anders, er moet gegeten worden.' Of elders: 'Zij heeft nog stem. Zij laat zich/nog niet varen naar het feest.'

De landschappen die in *De tweede helft* worden opgeroepen zijn bars en zuinig als Hollands weer kan zijn. Daar schuurt water bij de stuw en waait wind die je de kop zal kosten. Een omgeving die past bij het opstandige temperament van de sprekers.

* Poëzieminnend Nederland mag blij zijn met Anna Enquist. – *Jaap Goedegebuure*